DezAjustada

Da Autora:

Marsha Mellow e Eu

DezAjustada

Escrevendo como Jessie Jones:

NAMORADOS IMPRESTÁVEIS

DezAjustada

Maria Beaumont

Tradução
MAURA PAOLETTI

BERTRAND BRASIL

Copyright © 2005 by Maria Beaumont
Título original: *MissFit*

Capa: Carolina Vaz (baseada na capa original)

Editoração: DFL

2009
Impresso no Brasil
Printed in Brazil

CIP-Brasil. Catalogação na fonte
Sindicato Nacional dos Editores de Livros, RJ

B352d	Beaumont, Maria
	Dezajustada/Maria Beaumont; tradução Maura Paoletti. — Rio de Janeiro: Bertrand Brasil, 2009.
	336p.
	Tradução de: Missfit
	ISBN 978-85-286-1380-3
	1. Romance inglês. I. Paoletti, Maura. II. Título.
	CDD – 823
09-1145	CDU – 821.111-3

Todos os direitos reservados pela:
EDITORA BERTRAND BRASIL LTDA.
Rua Argentina, 171 — 1º andar — São Cristóvão
20921-380 — Rio de Janeiro — RJ
Tel.: (0xx21) 2585-2070 — Fax: (0xx21) 2585-2087

Não é permitida a reprodução total ou parcial desta obra, por quaisquer meios, sem a prévia autorização por escrito da Editora.

Atendemos pelo Reembolso Postal.

This is 4 my people
Para minha galera

PRIMEIRO PEDAÇO

O pedaço antes de me transformar em Lydia

— Shhsssshhh! — Daniel me manda calar a boca com um ruído de reprovação suficientemente alto para qualificá-lo como um substituto para uma sirene de alerta contra ataques aéreos. — Suas risadinhas podem ser ouvidas a um quilômetro de distância.

Que que eu posso dizer? Estou nervosa. Quem não dá risadinhas quando está nervoso? Imagino que o Eminem faz xixi nas calças no camarim antes de um show... Bem, aposto que o Gareth Gates* faz.

— OK, faça o que quiser, só *não* espirre — ele sussurra.

Ó, meu Deus. O poder do convencimento. Aperto meu nariz com as duas mãos. Funciona, mas somente porque não consigo mais respirar. Estou praticamente sufocando, mas assustada demais para afastar as mãos e ter um ataque de espirros, de risadinhas, ou as duas coisas ao mesmo tempo, e mandar o precioso pó branco para o espaço. Estou morrendo... Preciso de... oxi... gênio... Sou eu ou a cocaína. Uma escolha fácil, não é? A cocaína parece adoçante em pó e veio embrulhada no pedaço de uma página da revista *OK!* da semana passada, e eu sou um ser humano sensível e lindo (ou pelo menos seria, se perdesse um pouco de gordura nos quadris). Não há a menor dúvida. Eu ganho. Tiro as mãos do nariz e inspiro ruidosa e tão profundamente o ar da sala que meus ouvidos estalam com a mudança de pressão atmosférica.

— Se você está tão apavorada assim, é melhor esquecer tudo, Charlie — Daniel sussurra, irritado. — E faça menos barulho. Se alguém nos ouve, estamos fritos.

— Ah, pare de fazer tanto drama. Ninguém vai morrer. Só vamos ser demitidos... julgados... e mandados para a prisão. Hã, por favor, diga que você trancou a porta.

---
* Cantor adolescente britânico. (N.T.)

— É claro que tranquei. Agora, pelo amor de Deus, cale a boca e permita que eu me concentre.

Calo a boca e o observo concentrando-se. Já vi pessoas fazendo isso em dezenas de filmes. Pegam um montinho de pó branco e dividem em duas linhas absolutamente retas com golpes precisos, usando um cartão de crédito American Express Gold. Daniel não tem um Amex. Não tem sequer um cartão de compras do supermercado. Usa a ponta trêmula do dedo indicador (fazendo as linhas parecerem minhocas) e está suando (fazendo a cocaína grudar no seu dedo, em vez de ficar na mesa), tudo porque, como eu, está se borrando de medo.

Não é nada legal ser virgem no consumo de drogas. Tenho vinte e quatro anos e nunca fumei um baseado —, para dizer a verdade, nem mesmo um cigarro. Daniel passou na minha frente. Só um pouquinho. Cheirou sua primeira carreira ontem à noite e veio trabalhar hoje cedo falando maravilhas. No bolso dele, também veio o pedacinho da revista *OK!* e ele passou o dia todo tentando me convencer a cheirar com ele. E é por isso que, neste exato momento, estamos trancados na sala do nosso chefe.

Estamos no sétimo andar do The Zone, a academia mais badalada de Londres. Tão badalada que não podemos chamá-la de academia. É um Empório Completo para o Corpo. Além da minha respiração, o único som que escuto é o *plim-plom* do piano da aula de balé no fim do corredor. Empório Completo para o Corpo, piano clássico, balé. Essas coisas *não* costumam estar relacionadas à cultura das drogas. Sem falar na política de tolerância zero do The Zone... Devemos estar completamente loucos.

As carreiras de Daniel estão cada vez mais tortas, e ele está visivelmente estressado. Pensei que consumir drogas fosse divertido (bem, menos quando você se torna um viciado desesperado que vende tudo o que tem, do *walkman* ao corpo cheio de feridas, para descolar a próxima dose). Preciso aliviar a tensão no ar. Acabo de pensar em algo que se encaixa definitivamente na categoria *humor leve* e arrisco com Daniel.

— Ei, esta é boa: O guaraná está cheirando coca. Entendeu? — E começo a gargalhar em tom levemente histérico porque, como já expliquei antes, estou me borrando de medo.

— *Cale a boca* — ele diz em tom seco. É óbvio que está impressionado com o meu humor estonteante. — Vamos, me dê algum dinheiro.

— Já disse que pago a você depois.
— Não é isso, sua idiota. Precisamos de uma nota para cheirar o pó.
— Oh... Sim... Claro. — Mexo no bolso e encontro uma nota de cinco que já viveu dias melhores. Está toda mole, de tão velha que é, e quando a desdobro vejo que está remendada com fita adesiva. Dou ao meu parceiro de pó.
— Você só tem essa?
— Desculpe. Eu disse que precisava ir ao banco.
— Vai ter que servir. — Com mãos trêmulas, ele tenta enrolar a nota em um tubinho, mas, depois de várias tentativas, está na cara que não vai dar certo.
— Um *Post-it* não serve? — pergunto, apontando para o bloquinho amarelo na mesa.
— Não seja burra. A cocaína vai grudar na faixa adesiva no alto do papel.
Olhamos um para o outro, suspirando. Parece que o mais alto que vamos viajar é mesmo aqui, o sétimo andar.
— Já sei — Daniel sussurra, empinando-se todo. — Vamos esfregar a cocaína nas nossas gengivas.
Uma ideia excelente... Ou *não*. Sei bem como essa coisa entra no país. Já vi documentários mostrando mulheres africanas aterrorizadas, sentadas em vasos sanitários, tentando defecar camisinhas cheias de mercadoria. E ele quer que eu ponha isso na minha boca?
Daniel não espera pela minha resposta. Passa a ponta do dedo no pó, mas, ao contrário do que aconteceu há minutos, quando não conseguia evitar que a droga colasse nos dedos, agora ela não gruda de jeito algum.
— Use um pouco de cuspe — sugiro, lembrando o que eu fazia com o leite em pó quando era pequena (OK, na semana passada).
Ele lambe o dedo e tenta novamente, e dessa vez consegue fazer grudar uma boa quantidade de pó. Sem pestanejar um minuto sequer, enfia-o na boca e esfrega com força — como se tivesse esquecido a escova de dente ao ir dormir na casa de um amigo.
— *Arghhh!* — ele faz careta, tirando o dedo rapidamente.
— O quê? — respondo de volta com outra careta, percebendo o pavor em seu rosto.

Daniel não consegue falar. Seu corpo fica rígido, enquanto uma espuma branca começa a sair pelos cantos da boca. *AimeuJesussantinho*, ele está tendo uma overdose. Ou é uma reação a uma droga pura, não refinada, ou coisa parecida. Ou... Ou... Não sei, merda. *Não entendo nada de drogas*. Mas, seja lá o que for, tenho certeza de que é apenas uma questão de minutos — *segundos* talvez — antes que Daniel entre em coma, seu coração pare e ele passe a ser uma trágica estatística na terrível guerra contra as drogas. Preciso fazer alguma coisa, porque a espuma transformou-se em bolhas efervescentes, espoucando, praticamente explodindo em sua boca. Mas fazer *o quê*? Tudo bem, fiz e passei no curso de primeiros socorros, mas — acredite em mim — *nunca* disseram o que fazer em um caso de efervescência oral. Seus braços agitam-se como asas, num pedido desesperado de socorro antes que o corpo todo entre em colapso. E — *é claro* — minha única reação é bater os braços de volta. Daniel tenta falar, mas só consegue gorgolejar, espumando de modo incompreensível. Inclino-me para a frente porque, se essas serão as últimas palavras dele, nunca me perdoaria se não as entendesse.

— Filho-da-puta — ele finalmente geme.

— Vamos lá, Daniel, reaja — peço, agarrando seus ombros com firmeza. — Fale comigo. Aguente firme.

— Aquele *filhodaputa desgraçado* — ele cospe, e uma nova cachoeira de bolhas sai da sua boca. — Não é cocaína...

Eu sabia. Ele comprou uma dose de veneno para ratos!

— É a merda de um sal de frutas.

— Hããiinhé? — Dou risadinhas quando fico nervosa. E quando estou confusa emito sons estranhos em vez de falar.

— Aquele *vigarista* maldito! Dei cinquenta paus pra ele... e comprei uma merda de remédio pra ressaca. Charlie, é *sal de frutas* — diz, e a boca confirma isso, pois está uma efervescência só. Antes que pudesse demonstrar o meu alívio rindo da cara dele, ficamos paralisados ao ouvir o som da porta, a mesma que Daniel *jurou* ter trancado, abrindo-se atrás de nós dois.

— Que diabos vocês estão fazendo aqui?

Viramo-nos e vemos Lydia, as mãos na cintura, o olho esquerdo virado para mim e o direito encarando Daniel. Ela tem o estrabismo mais assustador do mundo, o que no momento é uma vantagem, porque pode nos fuzilar simultaneamente. Felizmente, estamos de pé na frente da mesa de Jamie, e ela não pode ver a bagunça de pó branco em cima dela.

Ai meu Deus, estamos encrencados.

— Desculpe, Lydia. Philip reclamou que o piano estava desafinado — solto, de improviso. — Viemos checar o som.

Uau, eu sou rápida. Sou a rainha das desculpas esfarrapadas. Juntei Philip, o professor de balé que vive resmungando sobre o piano, e o fato de que realmente *podemos* ouvir o piano daqui (quer dizer, mais ou menos, mas — *bingo!* — temos uma desculpa razoável).

— Caso você não tenha percebido, Charlotte, o piano do estúdio de balé fica no estúdio de balé e *não* na sala de Jamie.

Bem, eu disse que era uma desculpa *razoável*.

Daniel, ao meu lado, engole tudo de um jeito inédito (e, permita-me dizer, isso é um feito excepcional), fazendo força para conter a espuma que ainda sai da sua boca, antes de dizer:

— Viemos até a sala de Jamie porque a acústica aqui é *excelente*.

— Daniel, que diabos você entende de mús...

— *Sh...* Ouviu isso? — diz, enquanto notas musicais flutuam pelo corredor. — Um ré sustenido perfeito. Não é a nota mais maravilhosa da escala musical?

Daniel não sabe a diferença entre um ré sustenido e um monte de cocô, mas deixou Lydia sem ação. Pelo menos por um minuto.

Deveríamos escapar agora. Sair pela porta e *correr*. Mas, se nos movermos, ela verá o pó branco e teremos que inventar novas desculpas. Assim, permanecemos no mesmo lugar. Olhamos para Lydia, nervosos, enquanto ela nos encara, com seus olhos de camaleão girando independentemente, como se fossem um par de câmeras de segurança de uma loja. O olho direito está em mim e o esquerdo flutua mais ou menos na direção da virilha de Daniel. E, embora essa seja uma zona definitivamente proibida para meninas (Daniel não *transa* com meninas, e daí o comentário anterior sobre engolir), não fico surpresa porque já esgotei a minha cota diária de admiração pela região. Ele está usando uma bermuda de lycra tão colada ao corpo que parece ter sido pintada nele, e a tal bermuda protege o que parece ser um salame apertado entre dois tomatões. Carro da empresa, plano de saúde e participação nos lucros? *Que nada!* Daniel é o que chamo de um pacote de benefícios impressionante. Se alienígenas estivessem nos observando, essa seria a primeira coisa que iriam ver. *Os humanos têm uma cabeça, dois braços, duas pernas... Que diabos é aquilo no meio das pernas dele?*

É uma tragédia que essa região esteja inacessível para mulheres.

De repente, os olhos de Lydia arregalam-se, alarmados.

— Que raios é *aquilo*? — pergunta.

— O quê? — respondemos juntos.

— Na mesa de Jamie... É o que estou pensando?

Merda, puta que pariu! Agora temos certeza do que sempre suspeitamos. É oficial: *O olhar mutante de Lydia pode contornar esquinas.* É *impossível* para uma pessoa com visão normal ver algo através de dois corpos grudados exatamente com o objetivo de esconder essa coisa.

Viramo-nos e olhamos, fingindo surpresa. Daniel inclina-se e finge ser um investigador criminal.

— Sabe o que deve ser? — diz, depois de uma longa pausa. — Sal de frutas. Jamie parecia estar de ressaca hoje cedo.

Lydia não acredita nele e se enfia entre nós dois. Inclina-se sobre o pó e tira uma longa lixa de unhas de metal do bolso. Imitando os policiais da televisão, apanha uma minúscula quantidade do pó e o coloca na boca. Ouvimos o suave ruído da efervescência.

— *Hum* — ela murmura, sem conseguir disfarçar seu desapontamento em não nos ter apanhado em flagrante delito. Mas não se dá por satisfeita e os olhos se movimentam novamente. — *Meu Deus, Charlotte! O que é isso nas suas meias?* — ela guincha.

Seus olhos ainda estão revirando em várias direções e eu lanço uma olhadela rapidamente por cima do ombro para me certificar de que não há outra Charlotte atrás de mim. Mas eu sei do que se trata. *Minhas meias.*

Quebrei o Primeiro Mandamento: *Os funcionários devem vestir única e exclusivamente roupas que tenham o logotipo The Zone.* Já devia saber disso, mas estas eram as únicas meias limpas que encontrei pela manhã. Passei dez minutos tentando esconder os desenhinhos ilegais dentro do tênis, mas estava na cara que depois de oito horas de trabalho eles se encheram e subiram para os meus calcanhares — *malditos desenhos cheios de energia.*

Irônico, não? Ela não tem como me acusar com relação ao suspeito pó branco espalhado em cima da mesa de Jamie, mas eu posso *realmente* ser demitida por causa das malditas meias. Sinto os olhos de Lydia (bem, pelo menos um deles) colados em mim e desejo de todo o coração que ela não tenha visão raios X para ver as listras do meu top Adidas. Estou suando. E minhas pernas estão tremendo? Meu próprio pai — 1,65m de músculos cabeludos, dono e senhor de meu universo — não causa este efeito em mim. Mas ele não é Lydia. Ela é o Hitler da academia. E *vê* coisas. Não apenas pessoas mortas como aquele menino no filme do Bruce Willis. Ela vê *desenhinhos nas meias*.

— Não esqueça, estou de olho em você, Charlotte... — *Um olho*, no singular, está certo — Agora saiam imediatamente e voltem para a recepção enquanto limpo esta bagunça.

Quando ela vira em direção à mesa, saímos correndo.

— Monstrenga horrorosa — Daniel diz quando estamos suficientemente longe.

Não é justo. Ela não é nada feia. Tem 1,80m, o corpo da Beyoncé e um rosto lindo. Em outras palavras, é a perfeição física... Exceto, infelizmente, pelo estrabismo. E não há escapatória. Ele a transforma em uma figura bizarra.

Paramos rapidamente para espiar através da janela do estúdio de balé. Agora o pianista de Philip está tocando uma música muito rápida — algo parecido com a música tecno em versão clássica — e as bailarinas correm pelo estúdio como ratinhos que cheiraram cocaína. Philip para e acena de modo sedutor para Daniel.

— Por favor, não me diga que transou com ele — sussurro.

Daniel dá um sorriso incompreensível — o que só pode significar que sim, transou — e vamos em direção ao elevador.

Voltamos para a recepção. Rebecca está lá, imóvel, no mesmo lugar onde a deixamos meia hora atrás. Completamente parada. Quando saímos de lá, Daniel disse:

— Vamos dar um pulinho lá em cima, Becks. Não se mexa.

Bem, ela não se mexeu. Duvido até que tenha piscado. Verifico seus olhos para ver se estão inchados. Parecem estar bem. Não parece ter havido desastre algum. Rebecca só tem dezessete anos e não lida muito bem com estresse.

— Está tudo bem, Becks? — pergunto.

Ela responde que sim com a cabeça e fala:

— Um homem telefonou... Queria saber se tínhamos *Steps*... Achei que a banda tinha se separado.

— Acho que ele queria dizer *aulas* de *Step*, queridinha — Daniel disse.

— Ah, como em aeróbica — ela responde, ficando vermelha, lembrando-se de repente onde trabalha.

— Não faz mal — digo. — Você anotou os dados dele, não anotou? (Mandamento número dois: *Os funcionários devem obter todos os dados de quem telefona para despejarem informações sobre como se tornarem sócios*. E isso quer dizer *qualquer* pessoa que telefone, mesmo aqueles que nos telefonam para tentar vender alguma coisa.)

— Não pensei nisso — murmura. — Disse que deveria procurar na loja de música.

Rebecca trabalha aqui há seis meses, e Daniel e eu temos a incumbência de ensinar a ela tudo que sabemos. Parece não ter aprendido muito e, pensando melhor, acho que não é culpa dela, nós é que não fomos os melhores professores do mundo.

— Não se preocupe — digo gentilmente. — Olhe, dê um pulinho na lanchonete e traga algo para nós bebermos. Uma Fanta e uma Co... Melhor ainda, duas Fantas.

— Ok — diz, toda animada por receber uma tarefa fácil de realizar.

Quando ela sai, Daniel diz:

— Você sabe que ela vai confundir tudo.

— Sei. Deveria ter escrito em um pedaço de papel.

Segundos depois, as portas automáticas deslizam e Jamie entra no saguão como se fosse o dono do lugar. Bom, não haveria outra maneira de entrar. Ele *é* o dono do lugar.

— Oi — cumprimento. — Achei que a reunião iria durar o dia todo. (E este foi o motivo que nos deu coragem suficiente para transformar o escritório dele em um covil de drogados.)

— Mudança de planos — responde rapidamente. — Onde está Lydia?

— Estava em seu escritório minutos atrás — Daniel responde, incapaz de segurar a última bolha que saía da boca.

— Ótimo, preciso falar com ela.

Quando entra no elevador, Daniel me olha.

DezAjustada

— Jesus, acabo de perceber como estivemos perto de ser apanhados lá. Deus salve o sal de frutas, cara. Deveria procurar aquele vendedor filho-da-puta e lhe dar um beijo na boca... de língua.

Desabo em uma das cadeiras do balcão da recepção, desamarro o tênis e tiro as meias, que não são permitidas aqui. Sento e coloco os pés levemente suados sobre o balcão. Olho para as três TVs de plasma de 50 polegadas na parede. Todas ligadas na MTV. Nelly está rodopiando nas telas. *Hummm.* Eu transaria com Nelly. Só estou esperando que ele telefone perguntando pelo horário das aulas de Pilates. É isso o que adoro neste trabalho. Ok, Nelly provavelmente não vai ligar tão cedo, mas Craig David* ligou semanas atrás. E Daniel Bedingfield** é sócio. Não são exatamente astros top de linha da música pop, mas quantos empregos existem por aí em que posso encontrar astros da música pop e sentar com os pés para cima assistindo à MTV? Até mesmo a obrigação de usar roupas da marca Zone é um benefício extra. São roupas legais, tão descoladas quanto qualquer uma da Adidas ou da Nike. Ok, ainda é um uniforme, mas fica a anos-luz de distância daquelas roupas de nylon do McDonald's. Sim, este emprego é simplesmente perfeito.

Seria ainda melhor se conseguíssemos nos livrar de Lydia.

Daniel e eu gastamos cerca de uma hora por dia inventando maneiras para nos livrarmos dela. Até agora não tivemos nenhuma ideia que prestasse, mas temos certeza de que é só uma questão de tempo.

— Você transou mesmo com Philip? — pergunto, sem querer acreditar.

— Duas vezes — ele responde. — Uma vez na sala de Lydia, e outra na Sala das Trepadas nas Alturas.

A Sala das Trepadas nas Alturas fica no sétimo andar — é a outra sala do andar, além do estúdio de balé e do escritório de Jamie. E, na verdade, nem é mesmo uma sala, é mais um depósito de artigos de limpeza. Só é usado por Daniel e pelas faxineiras, e acho que ele passa mais tempo lá do que elas. Não sei como consegue. O lugar é escuro, está entulhado de coisas e fica a poucos passos do escritório de Jamie.

— Pensei que Philip fosse sofisticado demais para o seu velho e sujo armário de vassouras — digo.

---

* Cantor britânico. (N.T.)
** Cantor britânico. (N.T.)

— Você está brincando, não? Deveria tê-lo visto de quatro. Ele é um *cachorrinho* safado.
— Quem é um cachorro? — Rebecca pergunta, voltando com as bebidas.
— Lassie — Daniel responde.
— Oh, claro. Para quem é o Sprite?
— Para nenhum de nós — Daniel responde, pegando as latinhas e passando o Gatorade para mim.
Odeio Gatorade. Deveria ter escrito em um pedaço de papel.
— Muda de canal — Daniel diz, enquanto abre a latinha. — Odeio isso.
Ele está falando do novo vídeo do Kelis.
Pego o controle remoto e mudo para o canal Box. Nelly, de novo. Hoje está em todas. Como um vírus cheio de tesão, que sabe rebolar os quadris. Continuo zapeando os quinze canais de música, passando rapidamente por Girls Aloud...
— Argh, meninas — diz Daniel.
... Marilyn Manson...
— Gente feia assim *não* deveria ter permissão para fazer vídeos.
... Evanescence...
— *Cruz-Credo,* que católicos esquisitos!
... Limp Bizkit...
— *Aaagh* — Daniel geme.
Paro de mudar de canal porque o telefone toca. Atendo e ponho imediatamente o fone a meio metro do ouvido. Mesmo assim, consigo ouvir cada palavra que o Sr. Furioso grita, mais alto até do que o Limp Bizkit.
Sr. Furioso, ou Steve, o gerente da área de musculação. Este homem está sempre gritando. Agressivo demais. Daniel diz que a culpa é dos esteroides. Eu acho que ele é simplesmente um filho-da-puta agressivo. Já o vi brigando com uma cadeira vazia na lanchonete.
Nem preciso prestar atenção no que ele diz. Sei porque está telefonando. Ele odeia quando eu e Daniel surfamos pelos canais. Isto porque as telas na recepção não são as únicas no The Zone. Elas estão espalhadas por todo o lugar. Só na enorme sala de musculação de Steve há dez delas, todas conectadas ao controle remoto que está na minha mão. Algumas semanas atrás, um dos sócios exigiu a devolução completa da anuidade. Disse que deslocou um disco da coluna vertebral na

bicicleta ergométrica quando Daniel mudou de canal, trocando uma sonolenta balada de Will Young por um rock acelerado.

— Desculpe, Steve — digo, colocando o fone novamente perto do ouvido. — Quer que fiquemos no canal com a banda de heavy metal ou prefere que encontremos outra coisa?

— Estou cagando e andando pra isso — ele rosna. — Você pode colocar no canal de compras, não me importo. Só pare de ficar mudando toda hora.

Assim que desligo, vejo Lydia se encaminhando em direção à recepção.

Merda.

Ela devia estar na sala de musculação quando Steve ligou. Estou em uma *grande* enrascada.

Fico esperando o pior, mas ela passa direto por mim, sem parar. Segue andando pelo corredor ao lado do balcão; momentos depois, ouvimos a porta bater. Daniel e eu nos entreolhamos, sem palavras. Lydia nunca perde a chance de encher o saco de alguém. Já pegou no nosso pé por andarmos muito devagar, respirarmos muito depressa, darmos sorrisos inadequados ou por sorrirmos demais. Seja o que for que façamos, não importa como façamos, nunca estará certo. Por exemplo, poderia pegar no nosso pé agora por não estarmos com a pose correta. Nos momentos de tranquilidade na recepção, ela quer que façamos alongamentos ou que fiquemos de pé, com as costas retas, eretos como se estivéssemos nos preparando para um salto a distância nas Olimpíadas. O Mandamento número três é: *Os funcionários devem dar sempre a impressão de serem profissionais da boa forma.* Meus pés suados ainda estão em cima do balcão. Não pareço nada profissional. Um ponto de táxi que me contratasse para a recepção ficaria com má reputação.

— O que foi que deu nela? — Daniel pergunta.

Dou de ombros.

Uma bailarina aparece na recepção. Devem ser oito horas. É o sinal para encerrar o expediente. As últimas aulas estão acabando. A sala de musculação e a piscina logo estarão fechadas. As esteticistas acabam de fazer a última massagem/depilação/limpeza de pele do dia. Depois de passar o dia ajudando a elite de Londres a alcançar seu Melhor Desempenho Físico — quer dizer, depois de passar o dia rindo às gargalhadas com Daniel e assistindo à MTV — também estou pronta para ir pra casa.

— Quer ir até o Billy quando acabarmos aqui? — Daniel pergunta.

Billy's Bar. Nosso cantinho. Bem na esquina entre Piccadilly Circus e Soho, e é um lugar muito legal. Tem algo legal pra todo mundo. Bem, tem pro Daniel e pra mim. Rapazes lindos, sem nada no cérebro, candidatos a boy-band pra mim e... hã... rapazes lindos, sem nada no cérebro, candidatos a boy-band, pra ele.

Mas hoje não dá.

— Não posso, Daniel. Ultimamente tenho usado demais *aquela desculpa*. Meu pai vai enlouquecer se sair novamente hoje à noite.

— Por que não? Depois de um acidente tão sério como o que Sasha sofreu, você vai ter que passar meses ajudando-a na reabilitação.

Fico vermelha só de pensar nas minhas mentiras. É claro que Sasha não está em uma cadeira de rodas depois de um engavetamento horrível na rodovia M25. É claro que não a estou ajudando a desafiar os médicos e a dar novamente os primeiros passos, mas a ideia de que estou fazendo isso deixa meus pais muito orgulhosos, provando que mentir pode ser uma coisa boa.

— Meu Deus, você tem vinte e quatro anos — Daniel diz. — Não sei por que ainda mora com seus pais.

Eu sei. Porque é quente e confortável, não tenho que pagar aluguel e... hã.. porque meu pai me mataria para evitar minha saída de casa — a menos que estivesse usando um vestido branco com uma cauda de três metros de comprimento e jogando o buquê para minha irmã caçula pegar.

O telefone toca. Daniel está vestindo a jaqueta e diz:

— Você atende.

Atendo e digo:

— Boa-noite, The Zone, Charlie falando, em que posso ajudar?...
— Isso se a pessoa ainda estiver do outro lado da linha.

Mas este é o Mandamento número quatro — como atender ao telefone. Muito me admira que não tenhamos que dar as horas, a data, a temperatura e uma descrição do que está sendo exibido nos cinemas de Leicester Square antes de a pessoa que ligou conseguir falar alguma coisa.

— Sou Julie Furmansky, da Mission Management — diz a pessoa do outro lado, com uma voz tão fanhosa que parece estar com um resfriado terrível ou ser simplesmente uma pessoa inacreditavelmente pedante.

— Posso falar com a gerente, por favor?

Ou seja, Lydia, a Assustadora — que foi vista pela última vez a caminho de sua sala, com cara de poucos amigos. Será que quero mesmo ir perturbá-la?

— Ela já foi embora — respondo. — Pode telefonar amanhã?

Deveria ter dito *"Posso ajudá-la em algo?"*, mas ela poderia ter dito *"Sim, pode"*, e eu ficaria presa aqui por horas. Tudo o que quero é ir pra casa.

— Você quer que eu ligue *de volta*? — ela pergunta, como se eu tivesse pedido que limpasse um vaso sanitário com a língua. — Sabe quem eu sou?

— Não exatamente — respondo, disfarçando um suspiro de tédio.

— Sou a agente de Blaize — ela declara. Quatro palavrinhas que me colocam imediatamente no meu lugar.

Blaize é um grande nome. Na entrega do prêmio *Smash Hits*, ela ganhou os prêmios de Melhor Novata, Melhor Single, Melhor Vídeo, Melhor Trepada... Não, inventei o último, mas posso apostar que, se existisse esse prêmio, ela o teria ganho. Sim, ela é muitíssimo importante e normalmente eu teria ficado entusiasmada em falar com sua agente... Mas hoje só quero ir pra casa.

De modo que respondo:

— Lamento, mas a gerente geral estará aqui amanhã às sete e meia da manhã. Você poderá falar com ela então. Ok? Tchauzinho. — Digo isso com a minha voz mais graciosa para não ser acusada de inútil. E desligo.

Ando pelo corredor e o telefone toca novamente. Foda-se! Vou ignorar a chamada. Chego ao armário do lado da sala de Lydia e pego o casaco. A porta está levemente aberta, e eu a ouço atendendo a ligação. Espero que não seja a Srta. Metida a Besta do Mission Management. Fico quietinha e escuto.

— Uma garota...? Rude e pouco atenciosa...?

Merda. É ela...

— ... Bem, ela estava enganada. A gerente geral *não* foi embora...

... E eu estou *fodida e mal paga*.

— ... Estou aqui, mas estou cagando e andando pra você. Adeus.

Lydia bate o telefone e limpo os ouvidos com o indicador porque não acredito no que acabei de ouvir.

Lydia está cagando e andando?

A única coisa certa sobre Lydia é que ela se importa com tudo. É a chefe caga-regras. Espio pela fresta na porta. Vejo uma caixa de papelão em cima da mesa. Ela está colocando coisas lá dentro.

Lydia está indo embora?

Não pode estar indo embora.

Pode?

Certo, não estou nem aí para o fato de que ela é assustadora. Não me importo se os seus olhos esquisitos me deixam com enxaqueca. Tenho que saber. Dou uma batidinha à porta e abro. Ela olha para mim (e para a prateleira à minha esquerda), mas não diz nada. De seu rosto escorrem lágrimas.

— Desculpe incomodar, Lydia — digo, nervosa —, mas alguém da assessoria de Blaize acabou de telefonar. Pensei que você tivesse ido embora.

Ela continua muda.

— Está tudo bem? — pergunto.

— Não... — Não, não está — ela dispara. — Estou indo embora.

Viiiiiiiiiiiiiiiiiiiiiiiiiivaaaaaaaaaaaaa!

— Meu Deus, isto é terrível — digo, esforçando-me muito, *muito* mesmo, para parecer como se achasse mesmo terrível. — Por quê?

— Boa pergunta. Por que não vai perguntar a Jamie?

Ele a despediu? Oh, Jamie, amo você, cara.

— Ele não... você sabe...

— Me despediu? Foi exatamente o que o filho-da-puta fez.

Lágrimas escorrem novamente pelo seu rosto. Estou chocada. Não porque ela está chorando, mas porque as lágrimas estão escorrendo completamente na vertical. Elas não deveriam correr em direções opostas? *Ah, merda,* agora me sinto mesmo mal. Principalmente porque desejei tanto que isso acontecesse e agora que finalmente aconteceu me sinto culpada.

— Por quê? — pergunto. — É uma pergunta estúpida porque acho que sei o motivo. — Não foi o... hã... você sabe... na mesa dele?

— O sal de frutas? — Não seja boba. Ele me despediu porque eu... acho melhor guardar a explicação para um de meus advogados. Aquele filho-da-puta vai me pagar. Vou acabar com ele.

— Posso fazer alguma coisa? — pergunto, porque parece a coisa certa a dizer.

— Duvido muito — ela responde, jogando mais coisas na caixa.

— Sinto muito... Vou sentir sua falta... Todos nós iremos.

Essa é a maior mentira que já contei na minha vida — maior do que a Sasha-na-cadeira-de-rodas —, mas, de novo, parece a coisa certa a dizer.

— Não diga merda, meu bem — ela responde com o charme de costume. — Amanhã vocês estarão dançando sobre minha sepultura. E então, vai ficar aí a noite toda? — pergunta. Ela está falando comigo ou outra pessoa teria entrado na sala? Dou uma olhada rápida por cima do ombro e descubro que não há mais ninguém aqui. — Se não se importa, gostaria de um momento de privacidade.

Recuo e murmuro:

— Claro, Lydia. Desculpe. Olhe, adeus e... hã... Foi...

Foi o quê?

Um inferno?

Um pesadelo?

Como fazer uma cirurgia cardíaca sem anestesia?

— ... fantástico.

O que posso dizer?

Ao sair, eu me sinto estranha. Não sei se danço de alegria ou se corto os pulsos. Deveria dançar de alegria. Só Deus sabe quem será o novo chefe, mas ele/ela não pode ser pior que Lydia. Mesmo que ele seja o Assassino da Faca de Açougueiro. *Gostaria de verificar seus batimentos cardíacos para nossa pesquisa. Melhor arrancar primeiro o coração. Vamos lá, garota, deite quietinha, feche os olhos e não irá sentir nada.* Pelo menos saberei que ele está falando comigo.

Chego à recepção e vejo Daniel colocando o fone no gancho. Está com um ar assustadoramente sério. Rebecca está de pé, bem atrás dele, escondendo-se.

— O que há de errado? — Pergunto, morrendo de vontade de contar as novidades, porém desesperada para saber por que ele parece tão assustado.

— Era Jamie — ele diz. — Quer ver você.

Ó, merda.

Que tremendo monte de merda!

O pedaço em que você conhece meu pai (boa sorte)

Checo o relógio de pulso enquanto giro a chave na fechadura. São 21h40. Não é *muito* tarde. Papai vai gritar um pouco, mas, quando ouvir as novidades, ficará entusiasmado.

Não vai?

— Oi, sou só eu — grito, quando abro a porta.

— Shssshhh! — murmura meu pai. Está ao telefone no hall de entrada. Ouve atentamente, com um ar feroz, e a cabeça inclinada.

— Nón quirer saver de nada — diz, depois de um momento de silêncio. — Este ser século vinte. Todo mundo fazer *intrigas no domicílio*. Hoje em dia, os mulheres intrigam bebês em casa e vocês, grigos molditos, nón intrigar comida! — Olha para mim com ar de vitória, levantando o dedo indicador, um sinal definitivo de que deu a "última palavra". Mas, quem quer que esteja do outro lado, (a) não vê o dedo da vitória e (b) não sabe que é do meu pai *sempre* a "última palavra". Do outro lado da linha, ele ou ela continua a discussão sem saber que meu pai muda de vermelho para roxo.

Papai está brigando com alguém. Qual a novidade?

Melhor ir ver se mamãe está em casa.

E onde mais poderia estar? Lá está ela no lugar de sempre: sentada na frente da TV, que está no canal cipriota via satélite, a RIK. Minha mãe não fala uma única palavra de grego. Por que não aproveita que meu pai está ao telefone e muda de canal? Minha irmã caçula, Emily, dorme deitada no sofá, ao lado dela. Como de costume.

— Oi, mamãe. Com quem papai está gritando? — pergunto, apontando para o hall.

— Ah, ele ficou com vontade de comer *kebab* e ligou para o restaurante Vrisaki. — Ela responde, sem despregar os olhos da tela. No outro ambiente, parece que meu pai está chegando ao clímax da briga.

— Nón, nón falar grigo. Você dever aprender a falar inglís!

A última vez em que o vi zangado assim foi...ah, na semana passada.

— O quí você quirer dizer com mim falar cumo um grigo? Nón falar nada cumo grigo! Sou inglís e você nón mudar assunto. Entón, vir intrigar o moldito *kebab* ou nón?

Não quero fazer uma aposta, mas, pela cara dele, a resposta deve ser não.

— Seu moldito ignoran... Mim ir, mim ir, sabe o quí mim ir fazer? Mim ir... Ei, nón se atrever a desligar em mim!

Mamãe olha para mim e revira os olhos quando papai entra na sala.

— Jimmy, me dá o controle remoto, por favor? — diz.

Isso explica por que está assistindo ao canal RIK. Papai saiu da sala com o controle remoto. Papai arremessa o controle na direção dela, que apanha e muda imediatamente de canal... O que é isso? Não interessa, está em inglês.

Papai desaba na sua poltrona favorita, no canto da sala.

— Moldiçón. Como atrever a se chamar ristorante se nón fazer intriga?

— Você não comprou uma motoneta, papai? — pergunto, imaginando passear por Covent Garden, no estilo de Jamie Oliver,* entregando seus sanduíches Jimmy Specials aos clientes. Papai e seu serviço de entregas. Até parece.

— Nón ser esse o punto. Mim quirer pigar tilefone e cumprar o quí quirer. Quím mandar mim tilifonar para grigos. Próxima vez, tilifonar chinês. Mim adorar os chineses. Eles gênios, você saver. Quím mais poder inventar molho agridoce? Nón importar, porquí chegar tarde de novo? Eles promover você?

— Bem, na verdade, papai, já que você tocou no assunto...

Sou a nova gerente geral do The Zone, o mais elegante e moderno Empório Completo para o Corpo.

Eu.

---

* Famoso *chef* britânico, cuja abertura do programa de televisão o exibe passeando por Londres em uma motoneta. (N.T.)

Charlotte Charalambous.

Vinte e quatro anos.

Ainda vivendo com o pai e a mãe em Nicosia N22 (mais conhecido pelo nome de Wood Green*.)

No comando.

Era por isso que Jamie queria falar comigo. Não pra me dar uma bronca por causa da mudança de canais. Ou por usar sua sala para cheirar sal de frutas. Ou por estar usando as meias erradas.

Ele queria me promover para o cargo de Lydia.

— O The Zone é uma visão, Charlie — disse, reclinando-se em sua enorme cadeira de couro. — Minha visão. A pergunta é: você está pronta pra compartilhar desta visão?

Foi igual ao que costuma acontecer no cinema. Jamie, o tesudo e jovem empresário, em seu enorme escritório com uma vista de Piccadilly em estilo nova-iorquino — uma paisagem de luzes néon cintilantes vista através da enorme janela atrás da mesa. Charlie, a jovem sexy e inocente a quem o mundo está oferecendo um lugar dentro da visão dele. O papel de Jamie seria de Brad Pitt e Kirsten Dunst faria Charlie, tudo *igualzinho* a um filme.

A diferença é que não li o roteiro e estou me esforçando para acompanhar o enredo.

— O que você quer dizer, Jamie? — pergunto, nervosa, esforçando-se para não dar risadinhas.

— Bem... a Lydia... ela decidiu sair — disse.

Não foi bem isso que ouvi dela, mas não tinha vontade de pegar no pé dele.

— Ela era... hã... A Primeira Fase da Visão. E fez um trabalho *excelente*, mas agora estamos na Segunda Fase. É hora de uma transição gerencial. — Olho para ele sem expressão.

— Ok, Ok... Quer saber a verdade, Charlie? Lydia era uma gerente competente. *Incrivelmente* competente.

Não seria bem a minha descrição, mas, como disse antes, não tô afim de achar pelo em ovo.

— Mas aqueles olhos infelizes. Eles me deixavam completamente apavorado — continuou: — Os músculos do meu pescoço viviam com

---

* Bairro londrino cuja maioria da população é de origem grega, cipriota ou indiana. (N.T.)

torcicolo. Ela parecia estar falando comigo, mas precisava sempre olhar pra trás para ter certeza. Muito assustador.

Olhei pra ele em estado de choque. Não podia acreditar que Jamie, nosso amo e senhor, ficava agoniado com a mesma coisa que apavorava a mim e ao Daniel. Quero dizer, não eram somente sete andares que nos separavam, os plânctons, de Jamie, o grande tubarão branco. Alguém que apareceu na capa de todas as revistas do segmento de boa forma, na capa da *Management Today* (por ser o Empresário do Ano) e na capa da *Heat* (por ter comido Ulrika, a apresentadora de TV —, mas, até aí, quem é que não transou com essa mulher?). Além disso, os ternos de Jamie custam mais do que o salário que eu e Daniel recebemos. Todo aquele dinheiro, poder e influência, e os olhos de Lydia o assustavam.

— Mas tudo isso já era. Agora Charlie, vamos lidar com as consequências — continuou. — Você está pronta?

Pronta pro quê, pensei.

— Eu... acho... que sim — respondi.

— Ótimo, porque andei observando você. Era uma moleca quando entrou aqui, uma boboca. Mas olhe só agora. Você endireitou mesmo.

Foi? Bem, meu cabelo agora está mais comprido — graças ao talento da Sheena, do salão Hair We Go, em Finsbury Park —, tenho menos espinhas e, desde que descobri aquele maravilhoso bastão corretivo da Clarins, consigo quase disfarçar completamente as que sobraram, mas não diria que sofri uma mudança radical. Bem, acho que esta não seria uma boa hora para discordar dele. Tentei sorrir, mas só Deus sabe que careta consegui fazer. Meus músculos faciais estavam paralisados. Novamente os meus nervos.

— Eu já deveria ter feito isso há muito tempo — continuou. — Você é material 100% Zone. Você é igual à Posh Spice, menos o nariz. Igual à Angelina, sem os lábios de truta. Sim, você é a pessoa com o *visual certo* para o papel. Agora vamos ver se é capaz de representá-lo.

Ele disse Angelina Jolie? Eu? Como Lara Croft? A comparação me deixou abobalhada e pensei que ele estivesse falando com outra pessoa — e, talvez por ter trabalhado com Lydia, virei pra trás para ver se havia outra pessoa na sala. Não, só estávamos nós dois.

Foi então que a ficha caiu. Todos esses anos fingindo estar fazendo um bom trabalho, sempre que Jamie ou Lydia estavam por perto, causaram a impressão de que eu estava mesmo fazendo um bom trabalho.

Não posso acreditar. Não tenho um pingo de ambição e recebo uma oferta para aceitar o cargo mais importante da empresa. E isso estava me fazendo sentir mais realizada do que em qualquer outro acontecimento da minha vida.

Conforme o que Jamie dizia ia fazendo sentido, comecei a gritar por dentro de alegria. Na verdade, foi menos *por dentro* do que pretendia. No futuro, quando for eleita a Empresária do Ano, irei me lembrar deste momento, quando esta pequena promoção ajudou-me a dar meu primeiro passo vacilante em direção ao sucesso, e esquecerei *completamente* que tive o maior, o mais infantil e o mais prolongado ataque de gritos histéricos *da minha vida*.

— O The Zone é tudo pra mim. Muito obrigada, Jamie. Não vou desapontar você, prometo — isso era o que eu gostaria de ter dito.

— Arrgghhh! Não posso acreditar! *Sou* a Lara Croft! — foi isso o que eu disse.

— Fico feliz que você esteja feliz — ele sorriu. — É uma grande responsabilidade. Uma responsabilidade fodida. Mas andei sondando por aí e as pessoas adoram você. Além disso, tenho um palpite e acho que você dá conta do recado.

Conheço os palpites de Jamie. Ele foi um dos poucos a ganhar uma fortuna com o crescimento das empresas virtuais. Segundo a lenda, teve um palpite de que tudo iria desabar. Vendeu suas ações um dia antes disso acontecer e saiu com quinze milhões no bolso. Depois teve outro palpite: que o mercado voltado para a saúde e a boa forma física estava pronto para um Empório Completo para o Corpo. Algo além de uma academia de ginástica chique — embora seu conceito também incluísse a academia de ginástica mais chique de todas. Um lugar com os melhores professores de todas as disciplinas — t'ai chi, yoga, kick *boxing*, é só escolher. Oferecendo também tratamentos de beleza e de medicina alternativa — sabe como é, aquelas bobagens de ervas e cura com cristais sobre as quais pareço ser realmente sincera quando as pessoas telefonam pedindo informações.

E dança. Jamie viu a explosão da música urbana e seu impacto nas ruas. E achou que, se contratasse alguns professores do mundo da dança para ensinar a rebolar como o Nelly, junto com a chatice antiquada das academias, o local receberia uma injeção imediata de ânimo e credibilidade.

E estava certo — certíssimo. O The Zone ficou famoso rapidamente. Jamie cobra mensalidades astronômicas, mas, esperto como sempre, dá descontos para quem é membro do sindicato dos atores. Isto, e ter contratado os melhores professores e coreógrafos da cidade, atraiu uma avalanche de bailarinos. Não demorou muito para que os astros da música pop, que procuravam um lugar legal pra ensaiar as coreografias dos vídeos e turnês, aparecessem também. E, é claro, isso atraiu os executivos na casa dos trinta, que queriam correr alguns quilômetros na esteira e, ao mesmo tempo, ficar perto dos meninos do Blue e das garotas do Mis-teeq.

Sim, os palpites de Jamie são bons.

E se ele teve um palpite de que sou capaz de fazer uma transição instantânea, deixando de jogar paciência com Daniel, para dirigir o lugar, quem sou eu pra contradizê-lo?

— Você vai estar na linha de fogo, eu sei, mas Daniel vai ajudá-la. Vocês são grandes amigos, certo? — perguntou.

— Sem dúvida.

— Ótimo. Lydia e eu não... hã... concordávamos em algumas coisas, se é que você me entende. Mas acho que nós dois vamos nos dar bem. Só não se esqueça de uma coisa, Charlie: o The Zone é o meu bebê, e não gosto de surpresas. Quando surgir alguma coisa que você não consiga controlar, venha falar imediatamente comigo, e eu ajudarei você a resolver. *Capisce?*

Isso foi dito com um largo sorriso no rosto, mas o tom de ameaça na voz era claro. E *capisce* não significa *ferre alguma coisa e eu quebro os seus joelhos* em siciliano? Saí do escritório me sentindo menos parecida com a Lara Croft.

— Papai, você ouviu? Fui promovida. Agora sou a gerente geral — disse, dando poucos detalhes.

— *Hmmph*. Você ser o dona?

— Não, mas estou no controle de tudo. Eu...

— E daí? Você nón ser o dona. Você nón tomar conta de nada. Você ainda travalhar como moldita idiota pra *outras* pissoas.

Assim falou o Rei dos Sanduíches. É sempre o mesmo disco arranhado tocando. Um DJ morreria de vergonha.

— Mim vir para Ingliterra mais de trinta anos atrás com cinco libras no meu bulso.

Até a Madonna ficaria sem graça. Não foi ela que disse que só tinha vinte dólares no bolso quando chegou a Nova York?

— Olhar para mim agora. Dono do meu própria lunchonete, toda paga. Mim e seu mãe, nós nón ter nada quando...

— Já chega, Jimmy — minha mãe boceja. — Charlie, benzinho, faça um favor e ligue a chaleira elétrica.

Minha mãe é igualmente relapsa, mas do jeito dela.

— Mamãe, você não ouviu nada do que eu disse? — choramingo. — Fui *promovida*. Agora estou *no comando*. Você sabe, sou a *chefe*.

— Isto é ótimo, docinho, estou muito feliz por você. Mas pode ligar a chaleira? Não quero perder o começo de *Sex and the City*. A primeira temporada está sendo reprisada.

Isso é que são pais, não? Os dois são diferentes como água e óleo.

Azeite de oliva, no caso do meu pai — ele é grego, mas isso já deve estar óbvio. Mas, se você disser isso (como a pessoa do restaurante Vrisaki descobriu), ele provavelmente vai responder "Grigo? O quívocê está a falar? Mim ser *inglís*".

Mas também pode responder "Claro quí mim ser um moldito grigo, seu estopido. Já ver algum inglís travalhar tanto?".

Ou talvez a resposta seja "Mim nón ser de país nenhum. Mim ser cidadón do *mondo*".

Não há como vencer meu pai. Ele é, sem dúvida, a pessoa mais respondona, ou melhor, *rispondona*, que já conheci. O problema é que muda de opinião de hora em hora. Às vezes, de segundo em segundo.

Pelo que consigo entender, tudo se resume em ir sempre contra a corrente. Coloque-o em uma igreja, e ele será ateu. Vá a um restaurante chinês, e ele vai pedir comida árabe. Enfie-o em um avião para Chipre, e ele vai ter um desejo súbito de comer *comida chinesa*. Meu pai adora ser uma pessoa difícil. Lembro-me de estar em uma festa de casamento grego, quando tinha onze anos, e ver meu pai se levantar e trovejar:

— Vou contar meu piada faborita. Por quí todos os grigos ter bigodes? — E fez uma pausa enquanto duzentos gregos passavam cuidadosamente o dedo em seus bigodes. E ele disse: Pra ficarem parecidos com suas momões! — E caiu em uma estrondosa gargalhada, compensando o fato de que quatrocentas pessoas não riram com ele. Não fomos convidados para o batizado da criança.

Mas meu pai parece ter causado uma grande comoção quando casou com mamãe. Mamãe não é uma garota grega boazinha. É uma irlandesa de Londres. Chamava-se Maeve Connell, e hoje em dia é mais conhecida como Maevou — regra número um do idioma grego: coloque "ou" no final de tudo. E, enquanto meu pai é quem controla tudo e tem uma opinião (sempre mudando) sobre tudo (principalmente sobre o que não entende), minha mãe é tão apagada que parece nunca ter uma opinião. Este é o motivo pelo qual ouvi a frase de praxe *"Seja boazinha e ligue a chaleira"* quando dei a melhor notícia da minha vida.

Costumava achar que mamãe deixava papai definir as regras por ser preguiçosa demais pra discutir. Ela é, definitivamente, a pessoa mais preguiçosa que se pode encontrar. Isso deve parecer *horrível*. Mas, honestamente, não *espero* que ela faça as mesmas coisas que as mães dos programas de televisão fazem. Juro que não espero mesmo. Mas a verdade é que trabalho sessenta horas por semana, papai trabalha oitenta, e Emily é uma menina mimada que só levanta o dedo se for para passar esmalte na unha. Sobra mamãe, cujo único trabalho consiste em sentar no sofá monitorando a programação da tarde da TV e trabalhando de graça como controladora de qualidade dos produtos *Doritos*, *Pringles* e *Golden Wonder*. Do jeito que come, deveria ser do tamanho de um elefante, mas continua magra como um palito.

Aonde quero chegar mesmo? Ah, sim: minha mãe não é exatamente o que se pode chamar de uma pessoa empolgada. Mas não está sendo preguiçosa quando deixa papai definir as regras. É uma estratégia. Ela deixa que ele esbraveje até ficar roxo porque sabe que, se o deixar ter a palavra final, ele vai *pensar* que venceu. Mas não prestou atenção a uma única palavra do que ele disse. A vida continua como sempre, mas papai está feliz porque teve "A Palavra Final" (bem como a Primeira Palavra e Todas as Palavras no Meio).

Volto pra sala com xícaras de chá pra mamãe e papai e uma Diet Coke pra mim. Mamãe está completamente concentrada em *Sex and the City*, onde sei-lá-o-nome-dela está emitindo sexo na cidade. Emily ainda está dormindo. Papai está emitindo ruídos de desaprovação. — Nón puder assistir algo decente? — pergunta.

Essa é boa. Na última vez em que assisti à novela favorita dele, na RIK, um cara suado com um bigodão estava abandonando mulher e filhos para ficar com um burro. Ok, meu domínio do grego é uma porcaria, mas *parecia* ser isso.

— Ela nón ter vergonha? A gente ver tudo — ele continua.

— Fica quieto, Jimmy — diz minha mãe. — Eles estão apaixonados. (Parece que minha mãe acha que dar uma trepada suarenta, em um beco sujo, nos fundos de um bar em Nova York é sinal de amor verdadeiro. Tudo bem por mim.)

— Se ele amar ela, ele esperar até casar antes de fazer coisas safadas — meu pai declara.

É "A Palavra Final", porque minha mãe fica quieta. Satisfeito, ele vira pra mim e pergunta: — Então, este novo travalho de *chefe*... Eles dar aumento?

Merda. Ele me pegou de jeito. Jamie não falou nada em dinheiro e eu estava muito excitada/assustada/ocupada sendo Lara Croft para pensar nos detalhes.

— Claro que sim — respondi.

— Ótimo. Você ser garota inteligente Thaglottsa — ele diz.

Este é o elogio máximo que vou receber e tomo um gole da Coca para comemorar.

— Você ser inteligente como seu pai. Isso ser verdade. Mim ser o homem mais inteligente quí mim conhecer!

Provavelmente é. Mas isso não é um elogio. Você deveria ver as pessoas que ele conhece.

Depois de uma pausa, ele continua em voz baixa: — Claro quí se você ser realmente inteligente, fazer o quí Soulla fez. Ele arremessa com sutileza o comentário pelo carpete, como se fosse uma granada, e levo um segundo antes de o significado oculto da frase explodir na minha cara. Por que diabos eu deveria querer fazer *qualquer coisa* que a minha cunhada chata, grávida, a mais grega entre as gregas, tenha feito? Experiências anteriores me dizem que esta conversa vai tomar o rumo de sempre.

— O que você quer dizer com isso? — pergunto, tentando manter os alarmes ativados.

— Bom, você nón ver ela correr, travalhando como louca para *outras* pissoas, ver? Nón, ela casar com seu irmón, ficar em casa, ter vida boa. Seu irmón é quím dar duro, travalhando, travalhando, travalhando.

Olho pra mamãe esperando uma opinião, mas seus olhos estão completamente grudados na TV. Além disso, porque iria discordar? — justamente ela que vive sentada no sofá enquanto um homem corre pra cima e pra baixo, trabalhando, trabalhando, trabalhando, para manter o seu suprimento de batatinhas?

Não sei por que estou entrando em pânico, pois, na verdade, já passei por isso antes. No redemoinho alucinado das opiniões sempre em mutação de meu pai, a única coisa constante é a sua opinião sobre as mulheres: meninas devem ser *boazinhas*. Ser boazinha significa usar vestidos longos, estampados com florzinhas (e não tops decotados do The Zone), dois brincos (não cinco) e um cabelão bem armado (um estilo que, segundo meu pai, foi inventado pelos gregos antigos, e não pelos personagens de *Dinastia*, como diz minha mãe).

Existem dois estágios da Menina Boazinha. O primeiro é o estágio de treinamento, mais conhecido como Menina Gorry. É uma expressão estúpida. *Gorry*, em grego, quer dizer menina, portanto significa Menina Menina... Mas, pensando bem, não é tão estúpido assim porque Gorry é a dosagem máxima de menininha que se consegue obter. Emily é uma Gorry. Cabelo negro, pele morena, olhos negros enormes e lábios tão carnudos que, para cobri-los, é necessário meio tubo de brilho. Por mais que odeie dar algum crédito a essa pentelha mimada, tenho que admitir que ela é inacreditavelmente bonita. Ficou linda quando alcançou idade suficiente para manejar um par de pinças e descobrir que o ideal é que as sobrancelhas não se juntem no meio — pelos em lugares inadequados é a cruz que as garotas gregas carregam. Nas horas livres, ela se arruma toda e vai para o Wood Green Shopping City, onde se encontra com suas amiguinhas Gorry. Elas passam o tempo paquerando os meninos, trocando maquiagem, textos e toques de celular, paquerando os meninos, vendo vitrines, decidindo entre o Pizza Hut e o McDonald's, paquerando os meninos e paquerando os meninos.

Essa nunca foi a minha praia, e nunca chegarei ao segundo estágio da Menina Boazinha — ou seja, ser uma Gorry crescida e perfeitamente treinada. Em outras palavras, Soulla, minha cunhada.

— Você tón ocupada com estopida carreira, estar perdendo o barco — diz meu pai.

Ele está falando sobre o Barco do Amor. Como todas as meninas gregas (Ok, sou só meio grega, mas, segundo meu pai, já foi provado cientificamente que a metade grega é a dominante), nasci com um prazo de validade matrimonial. Deve estar impresso no meu couro cabeludo, como o número 666 na cabeça do Damien.

— Tudo bem, papai. Encontro vários rapazes no trabalho — respondo.

— Ser todos uns molditos bichas — ele diz. — E quantos deles ser grigo?

No que lhe diz respeito, dançar não é uma atividade de lazer, muito menos uma profissão para um Homem de Verdade — a não ser, claro, que seja uma dança folclórica grega. Nesse caso, é uma atividade pra machos, equivalente ao alistamento em uma das Forças Armadas.

— Pelo menos você não tem que se preocupar com uma eventual gravidez — respondo.

— Ei, você achar quí mim travalhar como burro de carga todos estes anos pra você sair por aí e virar vagabunda grávida recebendo ajuda do estado? — ele grita, mordendo a isca.

Até agora, a conversa está seguindo o curso habitual. Bem previsível.

Eu rebato: — Olha, você é quem está desesperado pra que eu case e tenha filhos.

— *Igsatamente!* Fazer *casamento*. Como seu irmón.

— Qual é a pressa? Ele e Soulla estão fazendo bebês em número suficiente para todas nós.

Soulla está prestes a estourar, carregando o bebê número dois. Pelo ritmo de dilatação, logo estará mais barriguda que meu pai.

— Soulla e *Andonih* deixar mim orgulhoso.

— E eu, papai?

— Você deixar mim louco.

— Vocês dois querem parar? Estou tentando assistir à TV — diz mamãe, que não lembra que já assistiu a Sarah Jessica Parker e companhia na primeira vez, e vai rever tudo inúmeras vezes, nas intermináveis repetições via satélite.

— TV moldita. Seu filha disperdiçar a vida e você quirer ver TV? Mim tentar fazer ela entender — meu pai diz. — Ela ter quí ter prioridades.

Mamãe revira os olhos. A revirada de olhos quer dizer, *não ligue para ele*, e eu não ligo.

— Talvez mim convidar aquele rapaz — ele resmunga.

Eu continuo sem ligar. Vou tomar um banho de banheira, mas antes disso *preciso* apagar as mensagens de texto de Harvey no celular. Faz mais de um mês que terminamos, por que ainda continuo lendo? Pareço um cachorrinho abandonado sedento de amor, o que não sou — juro, ia dar o fora nele, mas ele agiu primeiro. E Emily andou xeretando, leu algumas mensagens e, desde então, tem usado isso pra...

Espera um minuto, que rapaz?

— Que rapaz? — pergunto.

— Jimmy, disse pra você calar a boca — minha mãe cochicha.

Mas ele ainda não respondeu. Agora estou realmente em pânico.

— Que rapaz, papai? — repito.

— Ele ser médico e se nón fizer algo diprissa...

— Pronto, chega, cale a boca — decreta minha mãe. — Já disse que não quero ouvir nada sobre este maldito médico *agora*. Você sabe que adoro esta série.

— *Que* médico? — pergunto.

— Quem é o médico? — Emily repete sonolenta, acordando com o aumento da tensão no ar.

— Quem é o médico? Não sei, tem um monte na série *Plantão Médico* — minha mãe dá uma gargalhada, obviamente esperando conseguir criar paz momentânea com a piada mais estúpida do mundo (pelo menos a pior desde o guaraná cheirando coca, que parece ter saído da minha boca há milhões de anos).

Mas agora meu pai está em uma missão.

— Theglitsa, mim arranjar incontro entre você e rapaz — diz.

— De jeito nenhum — digo em voz alta e com um tom de voz muito, muito firme, porque ouvi-lo dizer as palavras *arranjar*, *encontro* e *rapaz* na mesma sentença tem o resultado de costume: causar pânico total. — *Mamãe*, diga pra ele me deixar em paz — peço.

Não é a primeira vez que temos esse tipo de conversa. Desde que completei vinte anos, meu pai está desesperado pra que eu me case. Vive dizendo que fez a escolha correta se casando jovem, criando uma família e, agora, ainda tem toda uma vida pela frente. Mamãe sempre diz pra ele largar do meu pé. Ela quer que suas filhas aproveitem a liberdade, que se divirtam enquanto podem. Sempre nos diz que poderia ter tido mais anos de liberdade pra assistir ao que quisesse na TV antes de se casar e ter que levar as preferências de outras pessoas em consideração. Puxa vida, as coisas que ela sacrificou por amor!

— Deixe a menina em paz — minha mãe repete automaticamente, novamente hipnotizada pela TV.

— Mãe, estou falando sério — agora grito com ela. Quero que lute por mim como sempre faz. Pelo meu direito a uma vida libertina no mundo livre, ao invés de ser a escrava de um camponês (Ok, um camponês que é médico) em algum fim de mundo, sem celulares e revistas impressas em papel brilhante, em uma terra distante chamada Chipre.

— Pare de gritar — grita Emily. — Afinal de contas, Charlie, você precisa de ajuda. Você bem sabe que não consegue encontrar um cara *decente* sozinha.

O comentário está carregado de significado. Harvey e eu namoramos por seis meses e ele era bom em escrever mensagens de texto. Todas pornográficas. Quando não estávamos fazendo sexo, ele enviava mensagens dizendo como gostaria que estivéssemos — e era melhor nos textos do que na cama. Na época achei divertido, mas agora queria ter apagado todas assim que as li. Como pude ser tão estúpida e esquecer que, assim que o celular estivesse longe de mim, Emily leria as mensagens? Ela pode ser jovem demais para entender metade do que ele escreveu (espero), mas, desde então, a miserável chantagista tem usado o que leu contra mim.

Eu a ignoro e grito — Mãe, diga algo.

— Por quí você gritar? — Meu pai também está gritando agora. — Calar boca e iscutar. O pai dele e mim, nós amigos quando crianças, mas perder contato. Entón, como mágica, ele aparecer na lunchonete. Ele nón saver ser minha lunchonete. Ser igual milagre. Nós reconhecer um ao outro e ser como velhos tempos novamente. Estou dizendo, ele estar indo muito bem. Ele ser grande nome na moda. Ter cunfecçón em Fonthill Road.

Um grande nome na moda. Tenho que impedir uma gargalhada neste ponto. Fonthill Road, em Finsbury Park, é o mais longe que se consegue estar das passarelas de Milão sem abandonar o planeta. Longe de fabricar modelitos sensacionais para marcas como Dolce & Gabbana, ou mesmo Marks & Spencer, o amigo de papai está fabricando vestidos largos como barracas para mulheres com problemas de proporção (caso você more no bairro politicamente correto de Islington), ou vacas gordas (se mora em outro lugar).

— Nón interessar, nós convidar eles para jantar no domingo — ele continua. — Você dizer olá, ter prazer em conhecer, tchauzinho. Simples. Nada complicado.

— Jimmy, não vou fazer um jantar pra desconhecidos, muito menos neste domingo.

Isso é engraçado. Minha mãe nunca cozinha pra pessoas *conhecidas,* como nós, não importa o dia da semana.

— Sim, mim tilefonar amanhã. Convidar pra vir domingo — meu pai responde, participando de uma conversa completamente diferente da que estamos tendo.

— Bem, me diga a que horas vai ser, porque quero ter certeza de que não estarei aqui — resmungo.

— Mulher moldita — ele resmunga de volta. E então, como se a discussão nunca tivesse acontecido, ele se empina na poltrona.

— Ei, adivinhar o quí trazer do cunfeitaria hoje... Nón, vocês esperar. Mim ir buscar na perua.

Dá um salto e sai pela porta da frente.

Olho pra minha mãe, que voltou a encarar a tela. Não parece muito perturbada, mas ela não vai deixar que ele se safe dessa, vai? Preciso falar com ela. Ter certeza de que não está atravessando algum estágio estranho da menopausa que fará com que concorde com os planos de meu pai para me vender em um acordo de casamento.

Esta ser oferta final. Cinquenta cabras e o garota ser sua. Melhor ainda, cinquenta e cinco cabras.

Antes que possa dizer algo, meu pai reaparece e pergunta: — Quím quirerpidasso de bolo? E mostra o bolo de chocolate mais espetacular que já vi.

— Eu não — digo, emburrada.

Dez minutos depois, só resta metade do bolo gigantesco sobre a mesinha. E tudo está desaparecendo rapidamente pela goela abaixo de minha mãe, meu pai e Emily. Eles têm chocolate no rosto e parecem bebês que acabaram de comer pudim. O *filho-da-mãe*. Ele sabe como adoro chocolate. Não aguento mais. Eu me inclino e passo disfarçadamente uma fatia para um prato. Meu pai vê e pisca para mim: — Ser gostoso, nón? — e sorri quando mordo um pedaço.

Gostoso? É divino. Merecia que uma canção fosse composta em sua homenagem, que uma rua fosse batizada com seu nome.

— Não é ruim — respondo. Isso pode ser lido assim — *Ao aceitar comer uma fatia deste bolo de chocolate, não estou, de maneira alguma, abrindo mão de meus direitos de recusar suas tentativas desastradas de me jogar nos braços do primeiro homem que aparecer com o título de doutor.*

o pedaço em que navego suavemente pelo meu primeiro dia como gerente (nos meus sonhos)

Quando sento na poltrona e prendo o cinto de segurança, uma voz computadorizada anuncia:

— Explosão prevista em quinze segundos... Todo o pessoal não autorizado deve abandonar a área... A explosão será em dez segundos... O pessoal não autorizado deve...

Não, não estou em uma nave espacial. Isso seria ridículo. Tô no metrô a caminho do trabalho. De Wood Green a Piccadilly Circus. Doze estações. Na verdade, a voz informa que um trem quebrou na estação de Caledonian Road e que haverá um atraso — novamente.

Mas a viagem — de casa para o trabalho — faz com que eu *sinta* como se estivesse viajando entre dois planetas. Minhas duas vidas não poderiam ser mais diferentes se todo mundo no The Zone tivesse orelhas pontudas e falasse *klingon*.

Trabalho: sete andares de madeira encerada, mármore e cardápios macrobióticos.

Casa: dois andares de confusão, mais confusão e bolos de chocolate enormes.

Trabalho: aparelhos de ginástica de última geração, em quantidade suficiente para transformar todos os americanos balofos da Disney World, na Flórida, em magricelos.

Casa: um aspirador de pó velho, cujo saco não é esvaziado desde 1998.

Trabalho: homens suados nas bicicletas ergométricas, falando no celular com fones de ouvido:

— Diga a ele pra fazer uma oferta para três álbuns, e eu assino o contrato em Cannes.

Casa: um homem suado no sofá.

— Mim conseguir um desconto difícil no pão de forma hoje. Mim dizer você: ninguém vencer mim nos negócios.

Esta tem sido a minha vida nos últimos três anos e pouco. Entre estes dois mundos tão distintos. Não é só a viagem que mexe com a minha cabeça. É a mudança completa de personalidade que tenho que atravessar. De Theglitsa a Charlie em vinte movimentos enlouquecedores. Foi mais fácil para a Sigourney Weaver. Ela teve que lidar com um alienígena desconhecido, mas pelo menos não precisou reinventar a si mesma na viagem entre os planetas.

Quando o trem do metrô começa a deslizar novamente, tento condicionar meu cérebro para entrar no ritmo da Ótima Forma Física. Tudo mudou. Não sou mais uma simples funcionária. A partir de hoje, sou a chefe, a gerente geral. Dona Manda-Chuva.

E, pra falar a verdade, tô me cagando de medo.

Paro na esquina das ruas Brewer e Glasshouse e olho pra cima. As paredes de vidro do The Zone espelham o exterior. Se estiver do outro lado da rua e ficar na frente delas, verei um reflexo distorcido de mim mesma, parecendo ter dois metros de altura, um corpo hiperesguio e ombros largos. Uma boa ideia dos arquitetos. Todo mundo entra na academia achando que já tem o corpo de um atleta e que só precisam puxar alguns ferros/fazer umas aulinhas de aeróbica pra ter um corpo olímpico. Na verdade, essa é a realidade corporal da maioria dos nossos sócios.

Agora que tô no comando, posso dizer *meus* sócios.

As portas automáticas deslizam fazendo um barulhinho de ar ao abrir. Na minha frente, bastando atravessar seis metros de piso brilhante, está a mesa de controle da espaçonave. O balcão de mármore da recepção. O meu balcão da recepção.

Acima dele, suspenso por cabos de aço, está outro pedaço de mármore branco, rachado e fragmentado nas bordas, como se tivesse sido arrancado de uma ruína romana. E, em letras esculpidas na pedra, lê-se: VOCÊ AGORA ESTÁ NO THE ZONE.

DezAjustada

Minha Zona.

Sete andares turbinados com máquinas de alta tecnologia, ultramodernas, um ambiente que diz: entre em forma ou morra. Não tenho a mínima ideia do que metade delas faz. Quem liga? O ponto é que tudo isso é meu. Ok, não é exatamente meu. É de Jamie. E não estou no comando de metade delas. Todas essas máquinas complicadas são de responsabilidade do Sr. Steve Zangado. E a piscina, o salão de beleza e as salas de terapias alternativas ficam sob o controle das pessoas da piscina, do salão de beleza e das salas de terapias alternativas. Mas tô no mesmo nível que eles. E, quando alguém cruzar a porta, quem é a primeira pessoa *no comando* que verão? Isso mesmo. *Eu.*

E, sendo honesta, é isso o que está me fazendo cagar de medo. Gostaria de passar meu primeiro dia no comando escondida lá no Aqua Zone, que fica no subsolo, junto das pessoas na piscina e na sauna. Ou escondida na Sala das Trepadas nas Alturas, de Daniel, lá no sétimo andar. Poderia dar conta disso — e ir aprendendo os truques de como ser a chefe, escondida por um tempo no armário das vassouras. Mas não, tenho que aprender na frente de todo mundo, com meia tonelada de mármore pendurada sobre a minha cabeça — a pedra deve estar conectada a um controle remoto na sala de Jamie para que ele possa derrubá-la em mim assim que fizer uma bobagem.

Apesar do atraso no metrô, cheguei cedo. Isso porque programei o alarme do despertador para as cinco da manhã. Ainda faltam vinte minutos para abrirmos. Todos os ratos de escritório estressados precisam esperar até às 7h30 antes de poderem entrar e se exercitarem o suficiente para compensar o almoço de três horas de duração que farão mais tarde.

Fora o pessoal de limpeza que ainda está saindo, tenho o lugar todo só pra mim. Passo pela recepção e vou pra sala de Lydia — não, *minha* sala. Coloco a bolsa no chão e sento à mesa dela — não, *minha* mesa. Desde o jardim-de-infância, não tenho uma mesa só pra mim. Em cima da agenda grande, está um envelope pra "Charlie". Abro e um crachá cai de lá de dentro. Debaixo do logotipo The Zone, está impresso CHARLOTTE CHARALAMBOUS — GERENTE GERAL. Também há um bilhete:

Charlie — Nem queira saber o problema que tive esta noite para imprimir o seu nome no crachá, mas não queria que você chegasse aqui no seu primeiro dia como gerente e se esquecesse de que a promovi. Bom, não vou estar aqui para pegar na sua mão por causa da convenção da indústria da boa forma em Longborough por 2 dias. Não posso perdê-la. Vi os horários e parece tudo OK. Tenho certeza de que você vai ficar bem. Só não estrague tudo, senão vai desejar estar em casa com a Lydia — J

Um lindo final, Jamie — um equilíbrio perfeito entre bom humor e afeto para encher minha alma de confiança. Nada feito. Olho para o meu novo crachá. Um retângulo de plástico barato, mas é a prova do meu sucesso. Somente vinte e quatro anos e olhem só pra mim. Está aqui, em preto-e-branco — na verdade, azul Zone e verde Zone: CHARLOTTE CHARALAMBOUS — GERENTE GERAL.

Maravilhoso.

Impressionante.

Fantástico.

Mas quanto mais olho pra ele... Mais horrível ele parece ser. *Charalambous*. Malditos nomes estrangeiros. Ele pelo menos poderia ter escrito *Charlie* Charalambous. É assim que todos me chamam. Menos papai, mas esta é outra história. Tenho pensado recentemente em mudar meu sobrenome para Charles. Enche menos a boca. E cansa menos — Charalambous é enorme.

Charlie Charles. Isso seria bobo? Talvez um pouco afetado?

Meu nome artístico.

Meu nome de gerente geral.

Vou pensar um pouco a respeito. Mais tarde. São sete e trinta e cinco. Hora de aparecer na mesa da recepção. Coloco o crachá no meu top Zone e espeto meu seio.

Não, isto *não* é um maldito mau agouro, certo?

Oito e dez: até agora estamos indo bem. Com que estava me preocupando? Posso ser demais neste trabalho... Pelo menos enquanto ele envolver fazer exatamente o que andei fazendo nos últimos quarenta minutos. Ou seja, nada além de sorrir calorosamente pros sócios quando entram, nenhum deles precisando de nenhum tipo de ajuda porque já são sócios há muito tempo e sabem exatamente pra onde ir.

DezAjustada

As portas automáticas se abrem, e Daniel salta por entre o vão. Está dez minutos atrasado. Lydia teria usado este tempo para digitar uma advertência por escrito que estaria pronta para ser entregue assim que ele chegasse. Mas eu nunca faria isso. Embora ache que deva pelo menos olhar de modo significativo para o meu relógio de pulso enquanto ele coloca a mochila atrás da mesa.

Mas, antes que possa fazer algo ele cai de joelhos, abaixa a cabeça até o chão e estica os braços para frente como se fosse um muçulmano e eu fosse Meca. *Rá!* Ele sabia que tentaria dar uma de chefe e está usando o golpe baixo de me fazer rir. Ele fica de pé novamente.

— Eu, Daniel Conrad, estou aqui pra servir minha mestra em tudo que lhe agradar — declara.

— Cala a boca, seu filho-da-mãe dramático, e pegue um café para a gente.

Ele diminui minha gargalhada com um beijinho desajeitado nos meus lábios, antes de sumir em direção à lanchonete.

O telefone toca. Atendo no segundo toque, com a saudação corporativa na ponta da língua — bem, tenho que dar o exemplo mesmo quando não há ninguém por perto pra ver.

— Bom-dia, você está no The Zone, Charlie falando, como posso...

— Já chega — Jamie me corta.

Não sei qual o seu problema — estou seguindo as regras *dele*.

— Oi, Jamie. Como vai?

— Estou na rodovia — diz, irritado. — Está desabando um temporal e há um puta caminhão tentando se enfiar no meu cu. E então, tá tudo bem?

— Sensacional — respondo.

— Ótimo. Esqueci de avisar uma coisa. Uma produtora do Channel Four vai aparecer hoje ou amanhã. Quero que você dê a ela o tratamento puxa-saco máximo.

— O que ela quer? — Pergunto, tentando não parecer animada demais. É o primeiro ato dele delegando poder e é algo relacionado à televisão. *Amo* o meu novo cargo.

— Ela está fazendo um *reality show* sobre a indústria da boa forma física e quer conhecer a academia. Faça a visita completa com ela. Puxe todo o saco que houver para puxar — ele diz, com um risinho devasso.

— Não se preocupe. — Minha atitude ainda é bastante descontraída, de modo que, quando Daniel volta com o café, nem se dá ao trabalho de tentar ouvir a conversa. — Qual o nome dela?

— Não me lembro. Mas não há como se enganar. Ela é um mulherão — absolutamente *enorme*... Não vá me deixar na mão, tá?

— Claro que não, não se preocupe, posso cuidar disso — digo, e na hora lamento tê-lo dito, porque em todos os filmes de terror um idiota diz "*Não se preocupe, eu cuido disso*", e logo depois a música assustadora começa a tocar e tudo vira de ponta-cabeça.

— Ok — diz Jamie. — Não se esqueça de que ela é muito impor... merda, um carro de polícia. Ele me viu falando ao celular. E o maldito agora está atrás de mim. Preciso desligar.

— Tchau, Jamie — respondo, mas ele já desligou.

Daniel entrega o café e pergunta:

— O que ele queria?

— Nada que sua linda cabecinha precise saber — respondo. — Daniel, eu pareço com a Angelina Jolie?

— Bem, você também tem um beição, né? — ele responde.

— Vá se foder.

— Estou brincando. Na verdade, você parece um pouco com a Lara Croft.

— Jura? — digo, tentando controlar minha emoção.

— Sim, mais ou menos na metade do filme, depois dela ter levado uma tremenda surra.

De maneira provocadora, ele estica a perna e puxa a barra da calça para cima, até mostrar o logotipo da adidas na meia. — Vamos lá — diz —, desafio você. — Me despede.

— Vá se *foder*, Daniel.

Ele abaixa a cintura da calça, mostrando a marca Hilfiger na cueca.

— Veja e chore, neném — ele provoca, enfiando a bunda na minha cara.

— Pronto, acabou, você está completamente despedido — digo, fazendo um estilingue com um elástico e empurrando-o pro chão. Ele se levanta com esforço e me prende em seus braços. Tento acertar o calcanhar no seu saco, mas erro, então me viro e puxo o seu cabelo. Ele grita e... Assim começa o meu primeiro dia como gerente.

Não sei por que Lydia fazia tamanho escândalo sobre tudo. Já sei como é o The Zone: uma versão gigante de uma das esteiras ergométricas da academia. Tudo simplesmente anda sozinho e cuida de si mesmo. Mas acho que Lydia não podia se dar ao luxo de mostrar que as coisas eram fáceis assim. Precisava justificar o salário gordo.

E este é um ponto importante: salário. Meu pai estava certo na noite passada. Deveria ganhar mais, agora. Preciso encontrar uma maneira de abordar o assunto quando Jamie voltar. Pensando bem, talvez devesse seguir o exemplo de Lydia — ou seja, andar por aí como um besouro zangado, gritar com algumas pessoas, dar a impressão de que o meu trabalho é muito duro e depois discutir o salário.

Existem três etapas em um dia no The Zone. Primeiro chega a tropa superativa, que malha antes de ir trabalhar e que não pensa em nada além de correr/nadar/remar oito quilômetros antes de um dia duro no escritório assinando contratos importantes. Depois deles, chega a turma do dia, formada por uma mistura confusa entre ricos desocupados (a maioria mulheres, diga-se de passagem), que vêm fazer os tratamentos de beleza e passar o tempo à beira da piscina exibindo o silicone nos seios, e dançarinos profissionais que vêm participar das turmas avançadas de dança. E, encerrando o dia, temos a turma que chega depois das 19h, que é a que está entrando agora. Executivos na casa dos trinta e poucos anos em busca do tórax perfeito, junto com adolescentes e garotas de vinte e poucos anos que fazem as aulas de *street dance*. Este foi um dia absolutamente normal, só com sócios entrando e saindo, de modo que, além de enrolar e brincar com Daniel, não fiz muita coisa.

— Você vai fazer a aula de Jenna esta noite? — Daniel pergunta.

Ele está falando da aula de *Street Sweat* de Jenna Mason. Esta é uma das vantagens de se trabalhar aqui — poder fazer tudo de graça, incluindo as aulas. Nem morta me pegam em uma das aulas dadas durante o dia, principalmente porque estão lotadas de *profissionais* do ramo. Se você fosse tão ruim quanto eu sou, também não iria querer ficar muito perto de uma dessas pessoas quando a música começa a tocar. Mas geralmente consigo acompanhar o ritmo das classes por volta do happy hour. Mas é uma chatice saber que é Jenna quem dá aula hoje. Não vou com a cara dela.

— Sim, devo ir — respondo.

— Humm, você tá mesmo com um pouco de banha ao redor da cintura. O exercício vai lhe fazer bem — Daniel diz e belisca minha dobrinha.

Dou um empurrão nele e puxo a barriga pra dentro.

— Não enche. Vou porque Sasha pediu que fizesse companhia a ela.

— Essa garota não dá um passo sem ter você do lado. Não me chocaria saber que ela também pediu pra você ir segurar a mão dela lá na loja.

Sasha trabalha na Zone Clone — a loja onde vendemos nossos produtos. Daniel vive pegando no pé dela. Diz que ela é tão lerda que seria eliminada logo no início do Show do Milhão, pois gastaria todas as ajudas antes de ganhar 100 reais. Ele é bem perverso. Ela não é burra, apenas precisa acreditar mais em si mesma. Sasha era nossa professora em período integral de aeróbica até que as aulas saíram de moda. Agora só dá duas aulas por semana. O que não dava para pagar o aluguel. Consegui que dessem a ela um emprego na loja. Ela é um amor de pessoa. Não existem muitas pessoas doces por aqui e eu quis ajudar. Vender produtos da Zone até parece um tipo de rebaixamento depois de ter sido professora, mas pelo menos ela ainda está conosco.

Sua absoluta falta de confiança chega a ser enlouquecedora. Às vezes, tenho vontade de lhe dar um tremendo chacoalhão e gritar: "Recupere o bom senso, mulher!", mas sei que isso acabaria com ela. Ok, ela pode nunca ganhar o prêmio de melhor professora do mundo, mas é uma excelente bailarina. Mas tente dizer isso a ela. Tente dizer que ela poderia competir com os melhores. Se quer saber a minha opinião, ela é tão boa quanto Jenna, mas não tem nem coragem de participar da aula dela, a não ser que eu esteja junto.

Estou sempre ajudando Sasha nas suas batalhas, e estou a ponto de ajudá-la mais uma vez, quando duas pessoas que nunca tinha visto antes entram no edifício. Ele: alto, em forma, sorrindo, um sósia do Nelly. Ela: cabelo escuro, nenhum sorriso, uma sósia de alguém realmente obesa. Deve pesar uns 150 quilos (e eu estou sendo gentil na estimativa). Não acho que estejam juntos.

— *Vixe*, Biggie Smalls* reencarnou — Daniel sussurra. — Quer ligar para os Comedores Anônimos ou ligo eu?

Piso no pé dele por baixo da mesa, mas ele tem razão. Temos que cuidar da situação com cautela. Não há nenhuma regra definida, e não se fala a respeito, mas temos uma política não verbalizada sobre... Meu Deus, como posso dizer isso gentilmente?

Não tem jeito. O The Zone não gosta de gente gorda. Pronto, já disse. Não é culpa minha. Só trabalho aqui. A culpa é de Jamie. Sua obsessão por ganhar dinheiro só perde para a sua obsessão com a perfeição física. Ele não gosta de pessoas com *o tipo errado de corpo* na academia. Eu sei, eu sei, as pessoas com problemas de peso deveriam ser bem recebidas e incentivadas quando decidem entrar em forma. Deveríamos recebê-las com braços (muito) abertos, mas Jamie prefere que se enfiem em alguma academia de ginástica bem longe daqui até que tenham emagrecido e alcançado um manequim aceitável. O The Zone existe para sarar os sarados. O resto não precisa nem aparecer por aqui. Vou ser absolutamente honesta: Jamie é um nazista corporal. Isso ficou provado quando ele achou que estrabismo serve como justa causa para uma demissão. Só a perfeição serve.

Nelly e Gorducha caminham em direção ao balcão. Ele movendo elegantemente suas pernas compridas e esguias, e ela bamboleando como se fosse uma gelatina com perninhas. Daniel e eu damos nossos melhores sorrisos *Bem-vindos ao The Zone*. Penso comigo mesma: *Aposto que a Gorducha vai sobrar pra mim* e, com certeza, ele está pensando: *Aposto que Charlie vai ficar com a Gorducha*, porque, bem, é sempre assim.

Daniel começou a trabalhar aqui na mesma semana que eu. No terceiro ou quarto dia, o telefone tocou no momento em que Sting entrou na recepção. Eu atendi ao telefone — e era um vendedor tentando empurrar papel higiênico extra-absorvente —, e foi Daniel quem acompanhou Sting ao estúdio de ensaios. Ok, admito que entra gente famosa o tempo todo no The Zone, mas Sting era a minha primeira celebri-

---

* Biggie Smalls era um rapper americano, assassinado em 1997, extremamente obeso e alto. (N.T.)

dade e queria babar em cima dele (Já não babo mais. Aprendi a disfarçar. Mas ainda posso *olhar*, né?).

Daniel sempre fica com a melhor parte.

Mas não dessa vez.

Agora eu sou a chefe.

— Você cuida *dela*, eu cuido *dele* — digo baixinho enquanto *ela* vem na minha direção.

Ah, que chefe que nada!

Usando minha visão periférica altamente desenvolvida, morro de inveja de Daniel. Nelly está prestando muita atenção enquanto Daniel descreve todas as opções de inscrição que ele pode fazer (sim, faça *já*!) *sem* descontos e — preste atenção! — *nenhuma* vantagem especial (a não ser que Nelly transe com ele/ou tenha um cartão do sindicato dos atores).

Enquanto isso, tenho que lidar com *ela*, que não para de falar um minuto sequer, o que não deixa de ser bom, porque como é que posso dizer "Meu chefe prefere perder um encontro tórrido com a Miss Perfeição Física 2004 e sua irmã gêmea Miss Gênio das Finanças 2005 a deixar você tornar-se sócia", sem ofender a mulher? Ninguém abordou esse problema quando fiz o treinamento básico. Malditos sejam Jamie e Lydia. Pensando bem, vai ser um pesadelo lidar com essa regra implícita. Como posso falar a respeito dela com as pessoas? É uma regra *não verbal*. Daniel e eu nunca tivemos permissão de chegar perto de alguém cujo manequim fosse maior que 42. Lydia é quem cuidava desses "problemas". Ah, queria tanto que ela estivesse aqui agora. Mas só por ora, que fique bem claro.

Jacqueline, "Jacqueline, meu bem, *nunca* me chame de Jackie", não para de falar, com um tom de voz bastante alto, sobre o seu problema de peso, e começo a pensar que, se ela é membro dos Comedores Anônimos, não se comporta muito anonimamente.

— ... Nada de gordura, quase nenhuma proteína, basicamente só carboidratos. E kiwi — ela explica. — Perdi vinte e cinco quilos depois de alguns meses.

Ah, isso explica o tom de voz ribombante. Ela está orgulhosa de si mesma. E acho que deveria estar mesmo. *Vinte e cinco quilos.* É mesmo um feito que deve ser comemorado em voz alta. Mas isso não a ajuda a chegar perto de uma carteirinha de sócia.

Acabo de descobrir por que a situação está me deixando apavorada. Não é por causa dos problemas de politicagem interna, tampouco porque tenho problemas com pessoas gordas. Como poderia? Minha vida está cheia de pessoas gorduchas e fofas. Minha vida *doméstica*, quero dizer — a família do meu pai não tem o gene da magreza. O The Zone é o ponto de encontro para as pessoas com corpos durinhos e supersarados, e ver Jacqueline aqui atrapalha tudo. É o choque dos meus dois mundos — como se ela tivesse entrado clandestinamente na minha nave espacial nesta manhã. E agora meu trabalho é fazer com que ela volte para o local de onde saiu.

— Agora, antes que eu me matricule...

Matricule? Quem disse que você pode fazer isso?

— ... gostaria de visitar todas as dependências da academia. Como é o vestiário? — a voz de Jacqueline ressoa.

Meu Deus, o que é que eu digo? O que Jamie faria se estivesse falando com ela? Ou Lydia? Ai, meu Deus, preciso parar de pensar em Lydia, quem está no comando agora sou eu. Pense, Charlie. Você tem um cérebro. Use-o. O que Daniel faria...?

— Os vestiários? — ela repete.

— Desculpe — respondo. — Sim, vestiários. Temos vestiários.

— Claro que têm, mas quero inspecioná-los. Eu era sócia da Cannons — antes de me destratarem. — Eles não tinham...

Não presto atenção. Tenho que fazer com que ela vá embora. Dou uma nova olhada de esguelha para Daniel, que ainda está ocupado seduzindo o sósia de Nelly com sua conversa fiada. Dou uma olhada no relógio. A aula de Jenna começa em poucos minutos, e estou presa aqui, literalmente, com Jacqueline.

— Por que não vai ler nosso folheto na lanchonete? — digo, na esperança de que as mensalidades astronômicas e (o mais importante) as fotos de corpos perfeitos no papel brilhante lhe deem uma dica.

— Não quero ir pra lanchonete. Quero falar com você.

— Sim, mas você pode relaxar lá. Sentar, aliviar o peso...

Putz! Escolha errada de palavras.

Ela está me encarando. Claro que está. Essa frase não soou como deveria.

— Vá até...até os elevadores. É logo ali. A comida é deliciosa. Baixa cal... — Hã... *cal...local*. Isso mesmo. Produtos orgânicos, montanhas deles.

Do que é que estou falando? Produtos orgânicos? Pêssegos dos pomares da Praça Leicester? Camarões e lagostas recém-pescadas nos esgotos da Avenida Shaftesbury? Meu Deus, quanto mais falo, mais pioro as coisas, e estou me enterrando em um buraco tão fundo que já não vejo a luz do dia.

— Você está tentando gozar da minha cara? — ela bufa, sarcástica.

— Não, de jeito algum. Queria dizer que desse modo você pode ter uma noção do quão grande somos... — Hã... Quero dizer, grande em metragem quadrada... Não grande como em... Ugh...

Minha voz desaparece com a fuzilada que ela me lança com o olhar, antes de arrancar o folheto da minha mão e seguir em direção ao elevador. Afundo na cadeira, aliviada, antes de puxar minha barriga pra dentro, que é o lugar dela. Acabo de perceber que estive empurrando-a ao máximo para frente enquanto falávamos. Uma tentativa inconsciente de fazer com que ela se sentisse melhor com o corpo dela, acho.

Daniel ainda está grudado no sósia de Nelly, que deve ser gay. Azar o meu. Viro para pegar minhas coisas para ir à aula de Jenna quando o telefone toca. Eu me inclino para atender quando me recordo de quem sou — Atenda por favor, Daniel. — Digo em um tom levemente autoritário. Ele me dá uma encarada feia, mas faz o que digo. Enquanto isso, o sósia de Nelly olha pra mim e lança um sorriso de vinte e quatro quilates — literalmente, porque tem o mais lindo dente de ouro no canto da boca. — Grandalhona, ela — diz, acenando na direção do elevador, onde Jacqueline se esforça para entrar. *Capacidade máxima: dez pessoas*, é o que diz a placa dentro dele, de modo que acho que terei que chamar a assistência técnica logo, logo.

— Acha? — respondo, batendo as pestanas de um modo que, espero, pareça com uma piscadela do tipo esta-é-a-minha-piscadela-engraçadinha.

Ele dá uma gargalhada e desliza do outro lado do balcão em minha direção. Daniel me fuzila com os olhos enquanto fala ao telefone. Se um olhar pudesse matar, eu estaria a caminho do necrotério agora.

— Então, você é quem manda aqui... Charlotte Chara...

Ele se inclina para ler meu nome — ou será uma desculpa pra olhar pros meus seios? Talvez seja bom reconsiderar minha impressão sobre este sósia do Nelly. Talvez ele não seja gay.

— Me chame de Charlie — digo, fazendo uma voz que dê a impressão de que sempre-falo-deste-modo. Pareço a versão feminina do Barry White. Você precisa se acalmar, repito, *você precisa se acalmar*.

Estendendo a mão, ele se apresenta: — Meu nome é Karl.

— Quer dizer que... você está pensando em se tornar sócio? — pergunto, controlando melhor a voz sedutora.

— Sim. Estou em busca de inspiração.

— Inspiração é nossa especialidade. Daniel mostrou a grade de aulas?

— Sim. Mas tenho uma dúvida.

— Diga.

— Quando termina o expediente?

— Bem, a última aula acaba às...

— Não, quando termina o *seu* expediente?

Uau. Ele, definitivamente, não é gay, porque, a menos que eu seja uma tapada completa, este cara está me convidando para sair. Ok, devo responder de um modo um pouco evasivo. Não posso demonstrar que estou completamente disponível, posso?

— Sete horas — respondo. Sim, claro, estou mesmo no controle da situação.

— Posso te convidar para um drinque? — Karl sugere.

Olho nervosa pra Daniel, que está desligando o telefone. Estou invadindo o seu espaço. Parece que Karl não joga no time dele, mas isso não significa nada pra Daniel. Para ele, todos os homens são gays — a única diferença é que alguns precisam de mais incentivo antes que possam se divertir de verdade. Se algum dia quiser matar Daniel, basta convencê-lo a provar esta sua teoria com meu pai.

— Você vai pra aula da Jenna, Charlie? Daniel dá um sorrisinho que diz eu-sei-direitinho-qual-é-a-sua-jogada.

Filhodaputa. Tenho dois problemas agora. O número um: se aceito tomar um drinque com Karl, ele vai saber que mudei meus planos por causa dele. O número dois: não quero que o cara mais gostoso que apareceu na minha frente em meses fique por ali, assistindo enquanto dou pulinhos como uma velha idiota no meio de uma aula onde todos têm dezesseis anos e são descolados e modernos. Ok, sei que ter vinte e quatro anos não me qualifica para entrar na fila da terceira idade, mas é assim que me sinto no meio de adolescentes de quinze anos. E, pior, *eu* sou a única no meio deles que tem espinhas.

Karl olha para a grade de aulas.

— Jenna Mason. Eu a conheço. Mas nunca assisti a uma aula dela. Acho que vou ficar por aqui e dar uma olhada...

Aaaaagggghhhhh!

— Quem sabe depois da aula podemos tomar aquele drinque...

Ele vai desaparecer em menos de dez minutos.

Sei a sorte que eu tenho.

— A... aula... de... hoje... está... boa — Sasha diz, sem fôlego.

Ela tem razão. A aula da Jenna está muito boa. É uma aula sensata. Não uma daquelas aulas que fazem com que os alunos tenham que dar saltos acrobáticos, girar como um pião de ponta-cabeça ou fazer contorcionismos — são movimentos que todos são capazes de realizar sem derramar uma gota de suor, enquanto eu quase quebro o pescoço. E não queria fazer nada disso na frente de Karl.

Não posso dizer que tenho sorte com os homens. Sim, tive uma boa cota de namorados até agora, mas nenhum deles significou muito pra mim. E, desde Harvey, nunca mais namorei ninguém, ponto final. Mesmo quando estávamos juntos, nossos torpedos via celular eram mais excitantes do que o nosso relacionamento. Acho que nunca irei transar — via torpedo ou por outros métodos — com Karl. Ele é muita areia para o meu caminhãozinho. Sarado, lindo de morrer, um tesão de homem. Mesmo que seja absolutamente heterossexual, acho que Daniel tem mais chances do que eu. Mas não se pode culpar uma garota por sonhar, certo?

Acho que ele ainda está assistindo à aula. Com minha visão periférica, consigo identificá-lo do outro lado da janela de vidro no fundo da sala. E tenho me controlado para não exagerar nos gestos. Acabei de colocar megahair e não sei se as raízes vão encrespar demais se ficarem encharcadas de suor. Também estou me esforçando para não olhar na sua direção. Estou na minha e numa boa. Representando este papel.

— Por que você não para de olhar para a janela? — Sasha pergunta.

— Não estou nada — respondo, desviando depressa os olhos.

Ela não sabe sobre Karl. Se soubesse da existência de um cara gostoso do lado de fora da sala, iria se comportar pior do que eu. *Nem mesmo uma ameaça de morte a impediria de olhar pra ele.* Juro por Deus. Se dissesse "Não olhe agora, mas temos um psicopata do lado de fora da sala, com uma arma apontada para a sua cabeça. Se você se mexer, ele vai atirar", ela giraria a cabeça dizendo: "Onde?"

Jenna dividiu a turma em dois grupos. Suas aulas têm gente demais e não é possível todos dançarem juntos. Vamos pro lado da sala com o nosso grupo e assistimos ao segundo grupo. Todas são bastante jovens. Ninguém com mais de vinte anos. E todas princesas. Devem ser, para terem pais que podem pagar a mensalidade deste lugar. Elas fazem o tipo de garota que quando marca a primeira aula na autoescola ganha uma picape cor-de-rosa, e não como recompensa por ter passado de ano na escola.

E todas amam Jenna. As aulas dela estão sempre lotadas. Em parte, porque Jenna é uma versão mais velha delas — uma princesa de vinte e seis anos que usa roupas cor-de-rosa. Mas principalmente porque ela é a sensação do momento, tão na moda que deveríamos fazer um outdoor com ela e pendurá-lo na porta da academia. São dela as coreografias que Kylie Minogue, Holly Vallance e o Girls Aloud apresentam nos shows. Tenho que admitir que ela é muito, mas muito boa mesmo — só ela conseguiu fazer Jay Kay dançar sem dar a impressão de que sofre de Mal de Parkinson.

Mas também devo admitir que ela me dá nos nervos.

Meses atrás, Christina Aguilera apareceu aqui para gravar uma entrevista pra MTV. E agiu como todos esperavam que uma superestrela da música pop americana agisse. Mimada, cheia de frescuras, metida à diva.

Mas isso não é nada comparado com Jenna Mason.

Ela age como se fosse a dona do lugar. Jamie, que é o dono daqui, não age como ela. Jesus, até ele puxa o saco dela. E *Lydia*, que nunca babava por ninguém. A não ser, claro, por uma pessoa vestindo roupas rosa-bebê com o nome de Jenna. Se ela espera que eu faça mesmo só porque consegue lotar a sala de aula, pode tirar o cavalinho da chuva. Não puxo o saco de ninguém. Tá bom, admito que dei umas puxadinhas de saco na Lydia... Algumas... Um pouquinho só. Mas foi diferente. Você *tem que* puxar o saco do chefe, não tem?

— Eu *amo* a Jenna — Sasha exclama enquanto aplaudimos as meninas do outro grupo. Elas ainda têm mais uma música e, quando Jenna se levanta para dançar com elas, recebe uma enorme salva de palmas. Definitivamente, faço parte da minoria por conta do que penso sobre a Princesa Cor-de-Rosa. — Se tivesse metade do talento dela, provavelmente não estaria trabalhando na loja.

— Sasha, quer parar de se desmerecer? — Este é um daqueles momentos em que fico tão frustrada que gostaria de dar um chacoalhão nela. — Você é uma bailarina sensacional. Olhe pra você, você...

— Elas acabaram de dançar. Vamos lá, é a nossa vez.

Ela não me escutaria nem mesmo se a gente não estivesse no meio de uma aula entupida de gente.

Começamos a dançar e minha mente vagueia em direção a... Karl. Fico pensando em como ele é... sabe... na cama. Meu Deus, menina, lave a boca com sabão. Ah, que se foda! Os rapazes pensam nisso o tempo todo. Por que nós não podemos? Uma vez perguntei sobre isso a Daniel, e ele respondeu que, no caso dele, costumava ser ao contrário, ou seja, enquanto transava, imaginava como a pessoa seria *fora* da cama. Ou do armário da despensa, ou de outro lugar parecido.

Perto do fim da aula, Sasha se inclina na minha direção e segreda:
— Estou amando.
— Jura?

Estou chocada. Porque ela costuma ser a maior chata com os homens, que têm mais chances de ganhar na loteria do que sair pela *segunda vez* com ela. E agora ela me diz que está apaixonada.

— O nome dele é Ben — diz, sonhadora. — Acho que ele é perfeito.

Ben é um sortudo, porque Sasha é muito bonita e muito exigente.

— Você já transou com ele?

— Charlie! Você é tão grossa — ela diz com um gritinho, sem responder à minha pergunta. — Escuta, você se importa se cancelar o que combinamos pra hoje?

— Hoje à noite?

— Combinamos de ir naquele novo bar em Beak Street, lembra?

Aceno com a cabeça e faço a cara mais desapontada e triste do mundo. Não é necessário que ela saiba que havia me esquecido completamente.

— É que Ben pode telefonar e não quero, você sabe... estar fora de casa.

— Tudo bem, Sash. Posso ir com Daniel — desconverso, pois é ainda muito cedo pra falar sobre Karl. — Preciso que você me faça um favor. Não ligue pra minha casa hoje à noite, tá bem? Se eles perguntarem por que cheguei tarde, vou usar *aquela desculpa*.

— Ok, tudo bem — ela responde. — Caso algum dia precise dizer algo a respeito, me diga, como vou indo?

— Oh, os fisioterapeutas estão muito impressionados. Você não deveria ser capaz sequer de mexer os dedinhos do pé, mas, com a *minha* ajuda, já deu três passos.

— Sou surpreendente, não sou?

— Um puta milagre, menina.

— Obrigada e boa-noite — grita Jenna, e a sala explode. Os aplausos de praxe, além de assobios, gritos de guerra e vivas. Todos suplicam por um bis e, depois de fingir não querer, Jenna cede — e qualquer imbecil teria adivinhado que isso iria acontecer. Este é o problema com pedidos de bis. Todo mundo sabe que vai acontecer, então me explique por que cantores, bandas (e Jenna) fazem tanta fita, fingindo que estão cansados?

— Ok, só mais uma vez — ela grita, colocando a música novamente. — Cinco, seis, sete, oito... — e lá vamos nós.

— Você não está indo embora, tá? — Sasha repara que estou de olho na porta.

— Sei que deveria ficar. Estou um bocado inchada hoje — respondo, enquanto olho minha barriga, lembrando o beliscão que Daniel me deu.

— Não seja ridícula! Você é uma *tábua*. Eu não. Meu Deus, estou ficando tão gorda. Jamie vai me despedir logo — ela diz, tentando beliscar um pneu imaginário na cintura.

— Isso se chama pele, Sasha — digo. — Sabe o que é, não? Aquela coisa que impede que seus órgãos internos caiam no chão.

Se alguém nos ouvisse, ficaria confuso. Parece que somos uma Jacqueline pesando 150 kg, e não duas mulheres manequim 42 (se bem que não tenho certeza, acho que as etiquetas das minhas roupas estão erradas). Mas, afinal de contas, se as pessoas que estão dentro de um *Empório Completo para o Corpo* não forem obcecadas com o seu peso, vão ser obcecadas com o quê?

Sasha corre para participar da parte final da aula. É a minha deixa para agarrar minha sacola e fugir. O ar da sala está muito úmido e estou seriamente preocupada com o megahair. Tudo bem que o cabeleireiro disse que posso ter uma vida normal, mas, pelo montão de dinheiro que paguei, não quero correr riscos.

Quando saio da sala, procuro por Karl como quem não quer nada. Nenhum sinal dele. Sigo pelo corredor em direção à lanchonete e, agindo o mais casualmente possível, percorro o ambiente. Estou simplesmente verificando tudo, no meu papel de gerente geral. Verifico mesa por mesa. Todos as superfícies estão limpas e brilhando. Minha presença aqui não tem nada a ver com checar se Karl estaria aqui. Não está. Mas não reparo nisso porque a ideia de que ele pudesse estar aqui nem sequer passou pela minha cabeça.

Vou para a recepção e encontro Rebecca e Daniel.

— Como foi a aula? — Daniel pergunta.

— Ah, o de sempre — digo, sem querer dar crédito ao trabalho de Jenna. — Ele se matriculou? — pergunto de modo extremamente casual, porque não estou nem aí.

— Quem? — Daniel pergunta, franzindo a testa.

— Você sabe, aquele sósia de Nelly, para quem você estava dando trela.

— Oh, ele... Não. Ele foi embora faz tempo.

— Não faz mal — respondo, porque não ligo mesmo nada. *Nadinha*.

— Mas ele deixou isto aqui pra você. — Daniel me entrega um *Post-it* com um número de telefone e a frase *"Me liga — Karl"* rabiscada embaixo. — Coitado do bofe, ainda acredita que gosta de mulher. Você vai telefonar, não vai?

— Não — respondo, e não é uma mentira porque não vou ligar para ele... hoje. Talvez amanhã.

As portas da entrada deslizam, e Jamie entra.

— Oi, Jamie. Achei que você estava em Loughborough — Daniel sorri, assumindo rapidamente a pose corporal que diz bem-vindo-ao-templo-do-corpo-perfeito.

— Uma perda de tempo. Não aguento a turma dos profissionais da boa forma física.

Sei que Jamie é o Sr. Representante das Academias de Ginástica, mas ele não tem nada em comum com as pessoas desse ramo. Por baixo do terno caríssimo, está um corpo que não faz exercícios desde o último exame físico obrigatório para o serviço militar. Ele consegue convencer qualquer um, mas não está no ramo pra ficar mais em forma. O que ele quer é o dinheiro que isso gera.

— E que tal a nova chefe, Rebecca? — ele pergunta.

A pobre coitada não sabe onde se enfiar. O Poderoso Chefão tá falando diretamente com ela, chamando-a pelo nome, e isso é assustador demais.

— Não se preocupe — Jamie diz. — Depois, você me conta em particular que ela é uma megera. — Em seguida, ele se vira para mim: — Vamos pra sua sala.

Faço o melhor que posso para ignorar o ar de deboche de Daniel e acompanho Jamie até a *minha* sala. Ele se senta na borda da *minha* mesa e diz:

— E aí, como foi o Primeiro Dia?

— Bem, obrigada — respondo. — Excelente. Nenhum problema.

— Ótimo. Sabia que podia confiar em você. Você vai ser uma estrela, Charlie. — Sorrio e fico vermelha ao mesmo tempo. Gostaria de poder filmar este momento. — E aí, ela apareceu? — ele pergunta.

— Quem? — pergunto.

— A minha garota do Channel Four.

Ohputaquepariu.

Minha mente repassa como um raio o telefonema de Jamie desta manhã. Como foi que ele a descreveu? "Ela é um mulherão — absolutamente *enorme*..." Meu cérebro rebobina a fita e para na única pessoa desgraçadamente *enorme* que eu vi o dia todo: todos os cento e tantos quilos dela tremendo de indignação na frente do balcão da recepção.

"Dê a ela o tratamento puxa-saco máximo", Jamie disse. "Puxe tudo o que houver para puxar." Bom, acho que consegui ofendê-la ao máximo. "Faça a visita completa com ela", ele dissera. Será que despachá-la pra lanchonete com um folheto conta? Acho que não.

— Não, ela não apareceu — digo, com o coração na garganta.

— Não se preocupe. Ela só vem para dar uma olhada, não disse quando viria. Quem sabe aparece amanhã — diz, levantando-se e caminhando em direção à porta.

Um pensamento surge na minha cabeça:

— Jamie — digo, fazendo com que pare — você não se importa, quero dizer, com o tamanho dela?

Ele cai na gargalhada.

— E deveria? Não é uma falha dela, é? É genético. Por que pergunta? Não me diga que é uma daquelas garotas implicantes? Não achei que você fosse assim, Charlie.

— De jeito nenhum! Não sou nenhuma patricinha idiota! — disparo de volta.

— Acredito em você. Nos vemos de manhã.

Meu Deus, agora fiquei confusa. Talvez tenha entendido tudo errado. Este é o problema com as regras ocultas — você nunca pode ter certeza absoluta dos pequenos detalhes porque os malditos são *secretos*! Talvez Jamie não seja o fascista que pensei que fosse. O que é uma coisa boa.

Por outro lado, parece que ferrei tudo com a gordona-do-Channel-Four.

E isso não é nada bom.

o pedaço em que você descobre o quanto minha mãe é esperta

Não me sinto nada melhor quando chego em casa. Eu me sinto pior ainda, se isso é possível.

Papai está com os olhos grudados na RIK. Mamãe está completamente concentrada na leitura de uma revista de fofocas da TV, lendo avidamente quais serão os próximos acontecimentos nas novelas. Não sei por que ainda se dá ao trabalho de vê-las. Já sabe o que vai acontecer antes mesmo dos atores. Nenhum sinal de Emily. Deve estar no andar de cima fazendo a lição de casa — ouço o secador de cabelos ligado.

— Oi, Charlie. Como foi o trabalho? — Mamãe pergunta sem tirar os olhos da revista.

— Para dizer a verdade, foi um dia horrível. Eu...

— Caliaboca — diz meu pai. — Estar no milhor momento. Ser *ele*. Ele moldito monte de merda.

Ele aponta para a tela da TV. Um homem acaba de entrar num cenário que balança a cada passo que dá.

— Ele ter caso com o própria *irmón* — meu pai esclarece. — Poder acreditar nisso? Revoltante. Você dever assistir. Ser sensacional.

— Como pode ser sensacional se é revoltante? — pergunto, esparramando-me no sofá ao lado de minha mãe.

— Porquí, sua estopida, ele nón saver quí ela ser irmón dele.

Bem, *ora bolas*, isso tá na cara.

Ficamos assistindo à TV, o silêncio interrompido apenas pelo som das páginas da revista viradas por minha mãe.

— Entón, como ser no trabalho, Thaglotta? — Meu pai pergunta durante um intervalo no incesto.

É melhor explicar essa coisa de Thaglotta/Theglottsa/Theglitsa. Meu pai tem mil e um nomes para mim — bom, são oito, para ser exata

— e usa cada um deles de acordo com seu estado de espírito. Meu nome é o melhor exemplo da estratégia inteligente de minha mãe para deixá-lo pensar que a Última Palavra foi a dele.

Minha certidão de nascimento diz que meu nome é Charlotte. Não é um nome muito grego, certo? Não sou a filha mais velha. Meu irmão Tony tem vinte e nove anos. Tony também não é nada grego, mas seu nome de batismo é Antoni (ou *Andonih,* quando meu pai o pronuncia). Quando ele nasceu, meu pai decidiu vestir a camiseta dizendo é-claro-que-eu-sou-um-grego-da-gema e exigiu seus direitos de seguir a tradição e batizar o filho com o nome do pai *dele*. Mamãe concordou e, com o passar dos anos, *Andonih* virou Tony. Quando eu nasci, a camiseta é-claro-que-eu-sou-um-grego-da-gema saiu novamente da gaveta, e papai decretou que eu teria o nome da mãe dele. Theglou.

Isso mesmo. *Theglou.*

Minha mãe não iria concordar com ele, de jeito nenhum. Deixou meu pai anunciar aos quatro ventos que uma pequena princesa Theglou havia nascido e, quando chegou a hora do registro em cartório, mandou o tabelião manter Charlotte na certidão. Aparentemente, meu pai não estava prestando atenção — ele sempre deixa minha mãe cuidar das coisas chatas, como o preenchimento de formulários. Mas teve um ataque de nervos quando descobriu tudo, e só se acalmou quando ela explicou que o nome Theglou era derivado de Charlotte. Minha mãe disse que tudo estava muito bem explicado em qualquer livro sobre nomes de bebês que ele quisesse consultar (sabendo muito bem que ele não se daria ao trabalho). E descreveu a evolução do nome:

Charlotte,
Charlotta,
Chaglotta,
Thaglotta,
Theglottsa,
Theglitsa,
Thegla,
Theglou.

Como você vê, está tudo muito claro.

E cá estou eu: *Charlotte* (graças a Deus): prova viva de que (a) com um pouco de planejamento é possível enrolar meu pai e (b) quando realmente importa, é minha mãe quem manda aqui.

DezAjustada

Mas não acabou aí. Emily chegou nove anos depois. "Nosso pequeno acidente", minha mãe deixou escapar uma vez, com um sorrisinho que pode ser traduzido como: "*Veja só, eu e seu pai ainda fazemos sexo. Quem diria?*" Informação demais pro meu gosto. Olhando a montanha de álbuns de fotografias que está no armário, sei que os dois eram lindos quando jovens, mas não faço questão de ser informada sobre os detalhes sórdidos da possível vida sexual de ambos, muito obrigada.

A atitude de minha mãe com relação aos nomes de batismo gregos se suavizara um pouco quando Emily nasceu. Exausta, depois de quarenta e oito horas de trabalho de parto e com um bebê recém-nascido berrando nos braços, mamãe não estava disposta a enfrentar outra batalha e fez uma lista. Todos os nomes eram gregos. Androulla estava no topo da lista.

— O quí você estar a falar? — meu pai gritou. — *Androulla*. Quí nome estopido. Meu bebê ser uma rosa inglisa. Nós ir chamar ela de Emily.

Não respondi à pergunta de meu pai sobre como havia sido meu dia, porque sei que não está mesmo interessado. Está sendo educado — à moda dele.

— Vamos lá, contar — ele insiste. — O quí acontecer? Mas como preciso muito contar para alguém sobre o dia infernal que tive, decido arriscar. — Foi um dia horrível, papai. Você nem vai acreditar na tremenda bobagem que fiz. Jamie me disse pra ficar de olho em uma produtora do Channel Four, mas...

Minha voz desaparece porque ninguém está escutando. Meus pais estão perdidos em seus mundos do entretenimento televisivo, e os dois estão cagando e andando para os meus problemas.

Olho pro meu pai, esparramado na poltrona, com uma barriga tão dura e redonda que consegue apoiar a xícara de café em cima dela. Olho pra minha mãe no sofá, agarrada ao exemplar do guia de TV. Por mais que tente, não consigo ver nela a mesma mulher dos álbuns antigos de fotografias — fotos que mostram uma mulher usando roupas colantes de cores fortes e penteados extravagantes, que queria ser a cantora morena do Abba. Hoje em dia, ela se contenta em passar o dia sentada na frente da TV e reviver sua juventude assistindo às reprises de todos os programas do canal UK Gold. Há vinte e quatro anos minha mãe criou uma estratégia antiTheglou imbatível. Hoje só se interessa pelas tramoias das suas novelas favoritas. O que terá acontecido com ela?

Também serei assim daqui a vinte e quatro anos? Ficarei com a barriga do meu pai e o vício na TV da minha mãe? Será que terei filhos incapazes de acreditar que a mãe deles um dia foi parecida com a Lara Croft? Ou ao menos fantasiou sobre isso?

Eu me sento perto de minha mãe e posso ver as raízes brancas dos cabelos. Ela nunca mais vai ser a morena de coisa alguma.

— Quer uma xícara de chá, mamãe? — pergunto.

— Seria ótimo, queridinha — ela responde

O pedaço em que você descobre a grande porcaria que sou

A noite anterior foi horrível. A manhã seguinte é um pesadelo gigantesco.

Quase não dormi de tanta preocupação. E isso não ajudou em nada. Não tive uma única ideia útil para salvar o contrato de Jamie com a TV e, com isso, salvar meu emprego. Estou fodida e mal paga. É só uma questão de tempo. Quanto tempo tenho antes de ele começar a pensar no motivo pelo qual Jacqueline não apareceu e resolver telefonar pra ela? Aposto que estarei em casa para o almoço, com o cartão vermelho no bolso.

— Acabo de ser demitida, mamãe.

— Que bom. Ligue a chaleira elétrica.

Preciso começar o dia devagar, ter tempo pra acalmar a mente, ligar meu cérebro e descobrir como sair dessa enrascada. Vejo minha aparência nos espelhos que revestem o edifício e subo os degraus. As portas deslizam e sou recebida por...

Caos. Um pandemônio total de gritos. São só 7h15. Nem sequer estamos abertos. Que diabos está acontecendo?

Olho a multidão que lota o saguão. Levo só um segundo para descobrir que todos são bailarinos. As bandanas, os tops colados no corpo e as calças largas ao redor de quadris muito, muito estreitos, são uma boa pista. Venhamos e convenhamos, a não ser que de um dia pro outro o estilo de vestir de todo o mundo tenha mudado, acho que eles não são executivos que vieram fazer uma auditoria em nossos livros. Mas por que cinquenta e poucos bailarinos lotam nossa recepção às 7h15 da manhã?

Abro caminho com dificuldade pra chegar até o balcão, onde encontro Rebecca. Para minha surpresa, seus olhos ainda estão secos.

Só Deus sabe como conseguiu manter o controle no meio deste caos. Tenho que ser cuidadosa com ela. Respiro profundamente, dou um sorriso doce e pergunto:

— Que merda de confusão é essa, Becks?

— Não tenho certeza — ela sussurra.

— Você perguntou?

— Uma das garotas disse ter recebido um telefonema.

— Para quêe Uma chamada de elenco? Não fui informada de que um ensaio estava marcado para esta manhã.

— Achei que era, sabe, uma chamada normal — diz Rebecca. — O que é uma chamada de elenco?

— É uma...

Para que perder tempo? No momento, Rebecca é tão inútil quanto aquele executivo endinheirado que ocupa o cargo de Diretor da Completa Inutilidade. Mas a culpa é só minha. Sou eu a encarregada pelo maldito treinamento dela, não sou?

Respire, respire fundo. Fique calma. Vamos resolver isso juntas.

— Ok, Becks, vamos pra sala da Lydia... *minha* sala, telefonar pro Daniel. Vamos ver se ele sabe o que está acontecendo.

Ela sai correndo, mas para e diz:

— Ah, quase esqueci. Julie alguma coisa, da agência alguma coisa, está à sua espera na lanchonete.

Do que ela está falando?

Espere um pouco, tudo começa a fazer sentido. Como em uma maldita avalanche.

Eu me lembro de que uma Julie Alguma Coisa, da Agência Alguma Coisa, telefonou há uns dias dizendo, com uma voz horrivelmente fanhosa, que era a agente de Blaize. Blaize é uma estrela pop. Estrelas pop precisam de bailarinos. Junte tudo e você tem um ensaio. Mas ensaios não acontecem como nos filmes, onde alguém grita *"Vamos fazer o ensaio já, aqui e agora!"*. É necessário organizar tudo, dar telefonemas, reservar um estúdio. Então por que diabos não estou sabendo de nada sobre este ensaio? Sou o raio da gerente geral, encarregada dos malditos *estúdios*. Pode apostar que uma coisa dessas não teria passado despercebida por Lydia.

Puxa, sou pior do que pensava neste cargo.

Enquanto Rebecca vai telefonar pro Daniel, vou ver o que consigo descobrir. Eu me sento na frente do computador, tento ignorar a confusão e vou direto para a agenda.

E lá está. O estúdio do sétimo andar está reservado para a Mission Management, das 7h30 até às 17h. Estaria tudo bem se o estúdio não fosse propriedade particular do metido do Philip e seu piano. E hoje ele vai dar as cinco aulas de balé de costume. E temos aula de sapateado às 15h. Merda, esta é uma reserva dupla que foi feita por alguém saído diretamente do inferno. Investigo as agendas para ver o que está disponível. Nada. Tudo lotado.

O que fazer, o que fazer?

Ter um ataque de asma? Má ideia. Começar a rir? Pode ajudar. Impossível.

Já sei. O Estúdio Quatro está vago o dia todo (o que pode ser explicado pelo fato de que o ar-condicionado está quebrado e estamos esperando a assistência técnica).

Resolvido.

Enfiamos todo mundo no Quatro e instalamos vários ventiladores elétricos para impedir que morram sufocados. Se não funcionar, mando Rebeca abanar as pessoas com um pedaço de papelão.

Puta merda, sou *brilhante* neste emprego.

Beija meus pés, Lydia.

Sorrio para mim mesma e vou pro meio da multidão tentar encontrar Julie. Mas ela me encontra primeiro. Posso ouvi-la antes de vê-la, o som fanhoso de sua voz pairando acima do barulho feito por cinquenta bailarinos animados. Depois a vejo. Baixinha, ligeiramente atarracada, usando roupas Prada e um par de óculos da linha Anastacia, que não a deixam nada parecida com a verdadeira Anastacia. Esboço o meu melhor sorriso e estico a mão.

— Oi, você deve ser a Julie.

— E você é?

— Charlie, a *nova* gerente geral — respondo, colocando muita ênfase na palavra "nova", para deixar claro que *não* sou a vaca rude e imprestável que bateu o telefone na cara dela há alguns dias (esperando que ela não ache que a minha voz é parecida com a da primeira vaca rude e imprestável que bateu o telefone na cara dela, antes que pudesse falar com a segunda vaca). — Coloquei vocês no Estúdio Quatro — digo, sorrindo. — Fica no terceiro andar.

— No terceiro andar? — ela reclama. — Recebi garantia do rapaz que fez a reserva de que teríamos uma área privada no sétimo andar.

Que rapaz? Só pode ser Daniel. Vou matá-lo.

Mas só mais tarde. Antes, tenho que me livrar desta merda.

— Ah, mas o estúdio do sétimo andar é completamente desprotegido. — (É *verdade*. Temos pombos no telhado — o maior problema para as estrelas pop desde a invenção dos *paparazzi*). — Você vai ver que o Estúdio Quatro é muito mais discreto. (Bem, será, assim que mandar Rebecca fechar as cortinas.) — Madonna gostou muito dele quando esteve aqui. (Contar uma mentirinha não faz mal a ninguém. Madonna *ficaria* feliz com ele, se algum dia aparecer aqui.)

— Se você acha — Julie diz, meio resistente. Depois levanta a prancheta (gente como ela sempre carrega pranchetas) e bate nela com a mão. — Senhoras e senhores, vamos para o Estúdio Quatro, no terceiro andar. Vamos botar este show em movimento.

Ela dá as costas e vai para as escadas. Os bailarinos saltitam atrás dela como se ela fosse o Flautista Encantado. Quando chega à porta automática, gira a cabeça e grita:

— Diga à coreógrafa onde estamos.

— Quem é a coreógrafa? — grito, mas ela já sumiu.

O saguão fica vazio. Despenco em uma cadeira e respiro fundo. Estou dando graças a Deus porque tudo está resolvido, e apreciando o relativo silêncio, quando as portas abrem e Jamie entra.

— Bom-dia. Tudo bem? — pergunta.

— Tudo beleza — respondo, enquanto ele desaparece no elevador. E não sinto nada além da minha cabeça zunindo em pânico.

Prioridade máxima: descobrir como encontrar Jacqueline.

Rebecca volta.

— Daniel pede desculpas, mas ele esqueceu de comentar sobre essa coisa com a Blaize...

Esqueceu-se de mencionar que a estrela pop do momento iria fazer um teste de elenco no The Zone hoje? Vou acabar com a raça dele.

— Ele disse pra você não se preocupar porque resolveu tudo e os colocou no estúdio de balé.

— Bem, coloquei todo mundo no Estúdio Quatro. Quero que vá até lá agora e verifique se as cortinas estão fechadas. Depois saia, pegue uns ventiladores e leve pra lá. Será que você consegue cuidar disso?

— Cortinas e ventiladores — ela repete, balançando a cabeça, antes de sair correndo.

Sento e tento descontrair, pensando em maneiras criativas para assassinar Daniel. Preciso me acalmar e pensar em Jacqueline. Talvez ela volte. Ou talvez telefone para saber detalhes da sauna. Não é costume as pessoas usarem a sauna pra derreter as banhas? O telefone toca. Quem sabe Deus atendeu às minhas preces! Talvez seja ela.

Atendo.

— Bom-dia, você ligou para o The Zone...

— Pare, pare, sou eu.

— Oi, Sasha. O que houve?

— Escuta... Sinto muito mesmo, mas vou cancelar a aula de hoje. Você se importa de avisar aos alunos?

Meu coração salta. Ela só dá duas aulas por semana e está cancelando uma delas. Mas a voz dela está horrível. Coitada da Sasha.

— Sasha, você não pode fazer isso. Suas turmas estão começando a embalar — digo.

— Não é verdade. Nós duas sabemos que só estou perdendo o meu tempo.

— Estão sim — digo, porque, tecnicamente falando, é verdade. A última aula de aeróbica dela tinha quatro alunos — um aumento *enorme* de 100% se comparado com a aula anterior.

— Ah, deixa de ser boazinha e diga a verdade, Charlie — ela responde, suspirando alto. — É pura perda de tempo. — Pobre, *pobre* Sasha. Todos nós temos inseguranças, certo? Por exemplo, meu nariz é grande demais, minha barriga é pontuda, tropeço nos meus próprios pés, e meu cabelo é mais espetado do que todas as perucas afro da Beyonce juntas. Mas não acho um só defeito em Sasha. *Nenhum*! Mas, se pedir que ela faça uma lista de seus defeitos e falhas, ela escreverá um livro — e dos bem grossos. Uma loucura. Como é que alguém tão linda, tão fofa e uma bailarina tão *fantástica* — uma versão com seios de Justin Timberlake — pode ter uma autoestima tão baixa?

Tenho medo de que ela nunca seja um sucesso porque, neste ramo, ter confiança em si mesma é ainda mais importante do quer ter ritmo. Basta ver Jenna. Ela é boa, mas *acredita* que é uma maravilha, e é isso o que importa. Quando saiu da escola de dança, seu primeiro trabalho foi em uma turnê do Boyzone, depois participou de um videoclipe da Kylie e a seguir de um show com Will Young... Sua carreira deslanchou e, além de dançar com os astros da música pop, também é coreógrafa — e ainda consegue achar tempo para dar seis aulas por semana, disputadíssimas, no The Zone.

Do outro lado da moeda, assim que saiu da faculdade, Sasha ficou completamente aterrorizada com o processo dos testes de elenco. Começou a acumular rejeições, enquanto bailarinas com metade da habilidade dela conseguiam o trabalho simplesmente porque entravam na sala com ar de quem sabe o que faz — peito erguido, ombros retos, nariz empinado. Com o passar do tempo, desenvolveu fobia por testes. E foi assim que nos conhecemos. Ela estava do lado de fora do Estúdio Dois, assustada demais para entrar e fazer o teste de elenco de um comercial.

Conversamos um pouco, e não levou muito tempo para eu perceber que a garota ia mal. A coitada não teria conseguido nem um emprego de dançarina num cruzeiro, onde tudo que precisava fazer era dar uns saltinhos, usando uma roupa cheia de plumas, para um grupo de aposentados viciados em bingo que não consegue ver um palmo na frente do nariz — o fundo do poço pra qualquer bailarina.

Queria ajudá-la, mas não sabia o que fazer. Jenna já trabalhava aqui e tínhamos um monte de professores ensinando *hip-hop, locking* e *body-popping*. (Não me perguntem o que tudo isso significa. São apenas termos técnicos para estilos de dança impossíveis, criados para pessoas anormais que têm articulações duplas.) Sasha estava pronta para fugir correndo, mas achei que estava desistindo cedo demais. Foi quando sugeri aeróbica.

Pedir que uma bailarina dê aulas de aeróbica é quase como pedir a um grego que cante o hino nacional turco.* Na verdade, acho que a segunda opção seria até mais fácil. A turma da dança não vai muito

---

* Grécia e Turquia têm uma longa história de hostilidade entre os países. (N.T.)

com a cara da turma da aeróbica, e vice-versa. Não brigam como os rappers das Costas Leste e Oeste dos Estados Unidos, mas acho que, se alguém colocar umas metralhadoras em suas mãos, teremos uma repetição da briga entre os rappers Biggie e Tupac.

PROFESSORA DE STEP ASSASSINADA POR OCUPANTES DE UM CARRO QUE SAIU EM FUGA — A POLÍCIA SUSPEITA DE BAILARINOS

Levando tudo isso em conta, além da personalidade confiante de Sasha (pelo menos quando está longe de um teste de elenco) e seu talento, achei que ela poderia se dar bem nisso. Havia um buraco na agenda a ser preenchido e, depois de convencê-la de que era a coisa certa a fazer, pedi a Lydia para dar uma chance a ela. A época não poderia ter sido pior, pois a primeira aula de Sasha coincidiu com o exato momento em que as aulas de aeróbica saíram de moda.

Spinning foi o que assumiu o lugar. *Spinning*. Façam-me o favor, alguém me diz o que é aquilo? Um bando de idiotas pedalando em bicicletas ergométricas, debaixo de luzes de discoteca, ouvindo música tecno. Não deveria estar criticando algo que nos rende uma fortuna, mas, falando sério, se alguém precisa andar de bicicleta, não pode simplesmente pegar uma e dar uma volta no quarteirão?

No entanto, é mais uma nova moda e vai acabar como todas as outras. A aeróbica vai voltar... Não vai?

— Sasha, não é pura perda de tempo. Você tem que aguentar mais um pouco — digo. — Tente manter o pensamento positivo.

— Cansei — diz ela. — Tudo é deprimente demais. Minha vida é uma *merda*.

— Mas não é tão ruim assim — digo, tentando animá-la, porque, bem, não é tão ruim assim, é? — E o que me diz sobre o seu novo namorado? Aquele de quem você me falava...

— Nem me fale dele!

— Espere um pouco, Sash. Alguém apareceu.

Jenna acaba de entrar. O que está fazendo aqui a esta hora do dia?

— Bom-dia, Charlie — ela cantarola. — Onde você os colocou?

— Quem? — Respondo como uma tonta.

— Meus bailarinos, bobinha.

Os bailarinos *dela*. Então é ela quem vai coreografar o show de Blaize. Deveria ter adivinhado.

— Estão no Quatro — digo.
— Quatro? O ar-condicionado já foi consertado? Que maravilha! — ela diz.

Observo enquanto ela segue em direção ao elevador — feliz como o gato que apanhou um rato, cobriu com creme de leite e colocou uma cereja em cima. Espero que Rebecca encontre alguns ventiladores ou vou me arrepender de ter nascido.

— Desculpe, Sasha — digo, quando pego o telefone. — Escuta, venha dar aula hoje. Conversaremos melhor depois.

— Não vou e ponto final. Falo com você mais tarde. — E desliga.

Quando ponho o telefone no gancho, tomo uma decisão. Já faz muito tempo que Sasha anda sem rumo. É muito talentosa para desperdiçar seu tempo dando uma aula que odeia (além disso, não sei por quanto tempo conseguirei enganar Jamie sobre o número de participantes na aula). E nem preciso fazer comentários sobre o emprego como vendedora na loja, preciso? Vou convencê-la a voltar a dançar. Dar um rumo à sua vida, de algum modo. Agora tenho esse poder — o de mudar a vida das pessoas. Sou a gerente geral. Mas não por muito tempo, se não conseguir encontrar Jacqueline.

Antes que possa pensar no que fazer, o telefone toca novamente. Agarro o fone e digo:

— Bom-dia, você ligou para o The...

— ... Zone, quem fala é Charlie, como posso ajudar? — Daniel completa a frase.

— *Daniel*, vou matar você — grito. — Por que não me contou sobre essa coisa com a Blaize?

— Porque fiz a reserva depois de você ter saído. Liguei pra sua casa pra contar, mas seu pai atendeu e disse que você tava tomando banho. Na verdade, ele disse: "Ela na banho. Você quirerfalar de travalho, isperar até a porcaria da hora de travalho." — A imitação que ele faz de meu pai é tão boa que chega a me assustar.

— Daniel, não seja tão grosseiro — digo, irritada. Ninguém pode tirar sarro da minha família a não ser eu. — Afinal de contas, por que fizeram a reserva tão em cima da hora?

— Acho que a agente de Blaize deu uma mancada. Se vier toda cheia de pose pra cima de você, é só pra esconder o fato de que ela é uma bosta, por isso não deixe que ela encha o seu saco.

— Tarde demais. Mas tá tudo certo. Eu *coloquei* todo mundo no Estúdio Quatro.

— Quatro? Vão derreter lá. Foi por isso que troquei com Philip. Disse que, se ele estivesse disposto a passar um dia derretendo os miolos no Quatro, receberia a visita de um afinador de pianos *e* uma das minhas chupadas especiais.

Talvez Daniel devesse estar no meu lugar — pelo menos até que possa acrescentar chupadas especiais à minha lista de habilidades gerenciais.

— Bom, não posso ficar batendo papo o dia todo — ele diz. — Preciso ir trabalhar. Se chegar atrasado, a vaca da minha chefe me mata.

Desligo o telefone e Philip chega, deslizando na ponta dos pés pelo saguão. — Bom-dia, Charlie — ele fala, todo feliz.

— Oi, Philip... Houve uma mudança nos planos. Você continua no sétimo andar.

Ele fica visivelmente desapontado — já percebeu que chupadas não estão no cardápio do dia.

— Não fique triste. Ainda vou chamar o afinador de pianos — digo, mas duvido que isso sirva de consolo.

— O que quero mesmo é um piano novo — ele diz, fazendo beicinho. — Me prometeram um piano novo.

Só por cima do meu cadáver, sua bichinha irritante.

— Vamos ver o que o afinador diz, tá bem? — respondo. Ele faz um movimento afetado com a cabeça e caminha para o elevador como se estivesse numa cena de balé. Finalmente estou sozinha.

Tempo para pensar. Tenho que achar um modo de sair desta confusão em que me meti. O que vou fazer com relação à Jacqueline? Será que Daniel falou com ela? Quem sabe anotou o número dela quando esteve aqui? Nunca se sabe, já aconteceram coisas mais estranhas. Estou quase telefonando novamente para ele quando minha visão periférica percebe uma mulher passando pelas portas automáticas. Na verdade, minha visão periférica não conseguiria deixar de vê-la. Ela tem o maior par de seios que já vi na vida. Estão chamando a atenção de todo mundo por baixo da camiseta, como se seu sutiã fosse o local onde se realiza o campeonato mundial de sumô. Quando ela chega ao balcão, eu me esforço pra olhar nos olhos dela e dizer:

— Oi, como posso...

Não consigo terminar a frase porque as portas da escadaria se escancaram e surge meia dúzia de bailarinos suados e furiosos.

— Que vaca *filhadaputa*, meu — grita um deles, um mulato. — Isto é uma tremenda armação.

— É isso mesmo. Devia ter dado uma bofetada nela — acrescenta uma das garotas.

Chegam ao balcão como um grupo compacto e empurram Tetas Grandes para o lado. Olho pra ela pedindo desculpas, mas ela faz um gesto dizendo *não-ligue-para-isso* e se move sensatamente pra longe da linha de tiro. Olho rapidamente pro grupo e reconheço um rosto — é uma menina que participa das aulas de *Garage Jam* que Fenton dá.

— Por que não me dizem qual é o problema? — Digo com a voz suave que aprendi no seminário de atendimento ao consumidor que Lydia me incumbiu de fazer no ano passado. (A regra de ouro é: ouvir é entender, entender é ter empatia, ter empatia não é revirar os olhos de saco cheio — pelo menos não quando o cliente está olhando pra você. Ok, a última parte é acréscimo meu, mas é um ponto importante.)

— Eu conto qual é a merda do problema, Charlie — grita a dançarina de *Garage Jam*. — É aquela maldita *filhadaputa* mentirosa.

Posso *ouvir* e *entender* que ela está *muito* irritada — mas não precisava passar dois dias em um seminário (lanches incluídos) pra descobrir isso.

— Desculpa, mas de qual *filhadaputa* você está falando? — pergunto gentilmente.

— Jenna, caramba. Quem mais poderia ser?

Charlie pra torre de controle — estabelecemos contato e temos empatia.

Antes que possa perguntar o que ela fez, as portas se escancaram novamente e outro grupo de bailarinos furiosos aparece. No mesmo instante, dois homens carregando caixas de ferramentas entram pela porta da frente. Caminham na minha direção, depositam o equipamento na superfície do lindo balcão de mármore de Jamie.

— Bom-dia, benzinho. Somos da Vias Aéreas do Sul — diz um deles, sem sequer notar a multidão enfurecida em volta dele.

Olho pra ele sem saber o que dizer: (a) por que pilotos de aviação estão carregando caixas de ferramentas e (b) o que diabos estão fazendo aqui?

— Viemos arrumar o ar-condicionado — ele diz.

Ah, *esse* tipo de vias aéreas.

Jesus, tinha me esquecido deles. Devem estar quase derretendo lá em cima. Onde diabos se enfiou Rebecca? Quanto tempo se leva pra pegar alguns ventiladores?

— Lamento, mas vocês não podem trabalhar no local hoje — respondo. — O estúdio está sendo usado. Vai ter que ser em outro dia.

Outro grupo de bailarinos furiosos aparece no saguão — nessa velocidade, o estúdio vai esvaziar em breve.

— Se formos embora, terão que pagar pela visita do mesmo jeito, benzinho — diz o cara do ar-condicionado. — Por que não nos deixa dar uma olhada no equipamento, já que estamos aqui?

— Não dá. O local está sendo usado para um teste de elenco. Vão ter que fazer isso outro dia — respondo. — Lamento.

Mas ele não se mexe. E por que deveria? Está cercado por um monte de bailarinos em forma, metade mulheres, todas exibindo uma boa quantidade da barriga e dos seios, sem falar em uma calcinha visível aqui e ali. E, nesse momento, ele avista um bônus inesperado — o maior par de peitos que vai ver o dia todo, a menos que Jordan* esteja na casa dele preparando o jantar. É claro que ele e o seu colega não têm pressa alguma de ir embora. Deram uns passinhos para o lado, de modo que agora estão perto de Tetas Grandes.

Rebecca aparece. Está indo em direção ao elevador.

— Becks — grito —, já resolveu o problema dos ventiladores?

— Estou indo agora — ela grita de volta.

Uma garota zangada, com trancinhas rastafari, abre caminho até o balcão. Finalmente, um rosto conhecido.

— Charlie, você precisa fazer algo a respeito. — O nome dela é Courtney, e você precisa ver esta garota dançando. Ela é maravilhosa. Não dá pra acreditar que não foi aprovada por Jenna.

---

* Jordan é uma famosa coelhinha da Playboy britânica com seios bastante avantajados. (N.T.)

— Meio tumultuado aqui, não? — diz o cara do ar-condicionado. — Quer ajuda? Trabalhei como segurança no controle de multidões no estádio de Wembley.

Finjo que não ouvi o comentário e presto atenção em Courtney.

— O que está acontecendo lá em cima?

Ela não responde porque sua atenção está voltada para as portas da escada, que abrem — *novamente*. Dessa vez apenas uma bailarina aparece, mas os gritos furiosos dela valem por dez.

— *Kristine!* Você também? Não! — diz o bailarino mulato, enquanto ela recebe vários abraços reconfortantes.

— Puxa vida — Tetas Grandes murmura para o cara do ar-condicionado. — Não a Kristine.

Agora chega. Já aguentei ao máximo.

— Todo mundo, CALE A BOCA! — Grito a plenos pulmões. Foda-se a voz gentil do atendimento ao cliente. Como é que posso ouvir/entender/ter empatia quando mal posso ouvir os meus próprios pensamentos? O grito funciona maravilhosamente bem. O silêncio é total.

— Ok, Courtney — digo, voltando a usar a voz suave. — Conte tudo.

— É a Jenna. Todos nós recebemos uma ligação ontem — ela conta — pra comparecermos aqui ao nascer do sol.

— E ela nem quer ver o que podemos fazer — diz outra bailarina.

— Ela chama isso de um teste?

Agora, todos estão dando as suas opiniões.

— E adivinhe quem são os escolhidos.

— Quem? — perguntamos em uma só voz, eu, o cara do ar-condicionado e Tetas Grandes.

— Os bailarinos que ela sempre escolhe.

— Os puxa-sacos que ela escolheu para o Blue...

— E pra aquela porcaria do videoclipe da Lisa Maffia...

— E pra Christina Milian...

— É uma tremenda vergonha — diz o cara do ar-condicionado, parecendo zangado e olhando pra mim enquanto fala.

— Meu Deus, poderia estar no teste do Robbie desta manhã — geme o cara mulato. — Pelo menos Fenton me deixaria dançar antes de me mandar desaparecer da frente dele. — De repente tudo faz sentido. Então há um teste para o Robbie Williams esta manhã, e quem está no comando é Fenton Brown. Ele também dá aulas aqui, e Jenna o odeia, principalmente porque ele é uma ameaça. Qual é a melhor maneira de ferrar a vida dele? Chamar todos os melhores bailarinos da cidade no mesmo dia do teste dele. Jenna nunca teve a intenção de usar noventa por cento deles — só queria ter certeza de que Fenton não poderia contratar ninguém. A politicagem do mundo da dança é de enlouquecer. Se alguém deseja treinar um pouco antes de tentar resolver os problemas do Oriente Médio, basta passar algumas semanas tentando manter a paz aqui.

Não sei o que posso fazer. Mesmo se soubesse, não tenho chance de fazer nada. Julie, da Mission Management, vem em direção ao balcão.

— Com licença, quer me dizer com que direito você autorizou o público a assistir a um teste *privado*? — ela questiona, com um tom de voz que poderia congelar o inferno.

— Desculpe, não entendi — respondo, completamente confusa.

— Sua assistente acaba de pegar uns joão-ninguéns na rua e levá-los pro estúdio.

— Mas simplesmente pedi que ela levasse alguns...

"Reúna alguns ventiladores" — foi o que disse. Que merda, quem é mais burra aqui? Rebecca, por não ter entendido absolutamente nada do que disse, ou eu, por não lembrar que Rebecca não iria entender absolutamente nada do que eu disse?

— Sinto muito, mesmo. Foi um problema de comunicação bobo — digo, enquanto a minha boa e velha visão periférica capta uma Rebecca com o rosto molhado de lágrimas, acompanhando um bando de adolescentes cheios de espinhas de volta à rua de onde os tirou.

Isso é tudo culpa minha. Deveria ter explicado *melhor* para Rebecca, fazendo desenhos se fosse necessário.

— Como disse, lamento muito. O que podemos fazer para consertar a situação? — respondo. Se puxar saco é a solução do momento, então vamos lamber o chão pra ela passar.

— Você pode consertar o ar-condicionado. A sala parece uma prisão em Calcutá — ela diz, dando as costas e indo em direção ao elevador.

Olho pro cara do ar-condicionado, implorando.

— Nem precisa dizer, meu bem — ele diz, agarrando o colega, a caixa de ferramentas e indo atrás dela... mas não antes de dar abraços e trocar apertos de mão com meia dúzia de bailarinos. Merda, ele está fazendo o Aperto de Mão — aquele que requer movimentos e coreografia complicada com o punho, os dedos e o polegar. Trabalho aqui há mais de três anos e ainda não consigo fazer isso. Como é que ele aprendeu tudo em dez minutos?

Fecho os olhos e respiro fundo... mais uma vez. Quando abro novamente os olhos, o lugar parece ter acalmado. Os bailarinos já não estão gritando impropérios contra Jenna e, embora não devessem invadir a minha recepção maravilhosamente calma com vibrações emputecidas, cheguei a um ponto em que não ligo mais.

Olho pra Tetas Grandes. Ela dá um sorriso simpático e dou graças a Deus pela sua paciência.

— Sinto muito — digo. — O que posso fazer por...

O telefone toca pela décima vez desde que a confusão começou. Onde diabos Rebecca se meteu? Deve estar soluçando no banheiro. Preciso ir falar com ela. Mas não agora, só mais tarde.

— Desculpe, tenho que atender — digo. — Vá em frente — diz Tetas Grandes, ainda conseguindo ser agradável.

É Sasha. De novo. E está chorando. Chorando *muito*.

— O que é, Sash? — pergunto suavemente.

— Não contei tudo pra você — ela soluça. — Você sabe, sobre Ben.

— E quer contar agora? — pergunto, tentando dar a impressão de que tenho todo o tempo no mundo, mas desisto. — É só isso? Porque esta não é a melhor hora.

Tetas Grandes ainda está apoiada no balcão, ouvindo atentamente cada palavra.

— É tão injusto — Sasha soluça.

— O quê?

Ela está chorando demais e não consegue responder.

— Conte logo, Sash. E depressa, se puder. — Tento dar a impressão de que estou brincando.

— É fácil pra você. Você consegue todos os homens que quer. Eu sou uma desgraçada... — Não entendo a última palavra porque ela assoa o nariz perto do fone.

— O que você disse? — meio que grito.

— Ele me deu o fora! — ela choraminga.
— Deu o fora? — choramingo de volta.
— Ele deu o fora nela? — Tetas Grandes pergunta baixinho, e dá a impressão de estar tão chateada quanto eu.
— Por quê? — pergunto. — Achei que dessa vez era amor de verdade. — Isto desencadeia uma nova onda de soluços, e ela não responde.
Balanço desconsoladamente a cabeça pra Tetas Grandes. — Lamento Sasha, mas vocês não estavam namorando há muito tempo e não é o fim do mundo...
— Sabia que você iria dizer isso! — ela grita. — Você mudou muito desde que colocou megahair e conseguiu esta promoção imbecil. Você acha que tudo é muito fácil. Bom, *não* é.
Isso é injusto. Coloquei as extensões no cabelo há cinco dias e fui promovida há dois — não é tempo suficiente para uma mudança de personalidade radical.
— Ok, escute. Vamos conversar longamente a respeito quando você vier trabalhar. Hã, você vem trabalhar hoje?
— Ele me *deu o fora*, Charlie. Você não entendeu? — ela grita a plenos pulmões.
— Ok, você não vai dar aula hoje. Certo, vamos almoçar juntas. No Billy's. Conversamos lá... tudo bem?
Ouço soluços abafados. Considero-os como um sim.
— Vejo você lá. E *não* se preocupe. — Bato o telefone porque acabo de ver alguém passar pelas portas automáticas e estou subindo no balcão para recebê-la.
— Volto outra hora, quando você estiver com menos... problemas — diz Tetas Grandes.
— Você é quem sabe — respondo, porque, apesar de ela ser legal, não me importo mais com nada. Já subi no balcão e estou abrindo caminho entre os bailarinos em direção à salvação da lavoura...
Que é *Jacqueline*!
Apareceu carregando uma sacola de ginástica, vestindo um horrível agasalho roxo e amarelo, com munhequeiras combinando e, mesmo assim, ela é a coisa mais linda que já vi.
Chego perto dela ao mesmo tempo em que a porta do elevador abre e Jamie sai de dentro dele. A hora não poderia ser mais imprópria — precisava ter a chance de primeiro puxar descaradamente o saco da

mulher — mas vou ter que fazer o melhor que puder. Pego no braço dela e a puxo na direção de Jamie.

— Ela acabou de chegar — digo num só fôlego quando nos aproximamos dele.

— Quem? — ele pergunta, confuso.

— Jacqueline — respondo, olhando para o anjo do Channel Four. Ela parece estar tão confusa quanto Jamie.

— E quem diabos é Jacqueline? — ele pergunta, olhando horrorizado pra mulher gigantesca parada na frente dele.

— A tal produtora? Do Channel Four? — acrescento, embora muito baixinho, porque começo a perceber que esta é a mancada mais monumental que já dei.

— Não trabalho no Channel Four — Jacqueline responde, olhando-me de cima a baixo com desprezo.

— Não, *aquela ali* é quem trabalha na merda do Channel Four — Jamie cochicha. E aponta, furioso, em direção à rua — na direção de Tetas Grandes, que acaba de entrar num táxi preto.

Mas, claro, eu já tinha adivinhado isso.

o pedaço em que você descobre para que servem os apoios no banheiro para deficientes físicos

Sasha está atrasada.

Estou numa mesa no Billy's Bar com uma garrafa de vinho aberta. Não vou esperar por ela. Eu me sirvo e tomo um golinho... Depois, um golão... Foda-se. Seco o copo e me sirvo novamente. Só Deus sabe como preciso disso. Ninguém pode estar mais surpreso com os acontecimentos do que eu.

Jamie e eu observamos boquiabertos o táxi de Claire Eastman partir. Você sabe quem é, *Claire Eastman,* vulgo Tetas Grandes, a grande produtora do Channel 4 que Jamie esperava.

"*Tchauzinho, contrato com a TV*", é o que *ele* estava pensando.

"*Olá, emprego no McDonald's*", era o que *eu* estava pensando.

Daniel aparece e tem a cara de pau de dizer:

— Olá, perdi alguma coisa interessante?

Jamie o fuzila com os olhos, depois faz o mesmo com Jacqueline, e depois olha para mim enquanto rosna:

— Você tem cinco minutos pra passar as informações pro Daniel e arrastar sua bunda até a minha sala. — E sai, batendo os pés.

Fiquei ali, paralisada, com pés de chumbo, pronta para morrer. Como pude ser tão estúpida? Como não percebi que, quando Jamie disse "Não há como se enganar. Ela é um *mulherão*", estava referindo-se aos seios dela. Ele é homem. Poderia estar falando de outra coisa? "Puxe tudo o que houver para puxar", ele disse, com um risinho devasso. Ora *bolas*! — finalmente a ficha caiu, ele estava sendo bem claro. Ainda estava agarrada ao braço de Jacqueline, mas somente porque, se o largasse, cairia sentada no chão. Felizmente, Daniel sentiu meu desespero e entrou em ação. Removeu minha mão do braço dela, dizendo:

— É melhor ir andando, Jacqueline. A turma da sua aula de ioga já começou o aquecimento.

Enquanto ela se afastava bamboleando, consegui sussurrar:

— Ela é sócia?

— Assinou comigo um contrato de Sócio Platina na noite passada, enquanto você estava na aula da Jenna.

— Mas...

— Sim, sei o que você está pensando. Ela não tem exatamente um corpo no estilo do The Zone, mas deixou escapar que era uma cantora de ópera. Jamie adora todas essas bobagens, e ela ia se inscrever como Sócio Platina, de modo que abri uma exceção.

Jamie e ópera? Ele é um metido a besta. Tem algo a ver com o preço dos ingressos. Se a Royal Opera House fosse o Teatro Odeon, com ingressos baratos e plateia comendo baldes de pipocas durante o espetáculo, ele provavelmente detestaria tudo.

Enquanto me acompanhava em direção ao balcão, passando por meio dos bailarinos, Daniel perguntou: — Que diabos está acontecendo aqui? Parece uma reunião do sindicato dos atores em um campo de refugiados.

— Jenna aprontou novamente.

— E é por isso que Jamie quer dar uma bronca em você?

— Bem que gostaria que fosse por causa disso — respondi, indo em direção ao elevador.

Menos de um minuto depois, estava de pé na frente dele.

— Pelo amor de Deus, Charlie — exclamou. E não disse mais nada por um tempo. Só balançava a cabeça. Depois: — Que merda!

— Sinto muito — murmurei.

— Sinto muito? A recepção parecia Bagdá em um dia ruim. Já vi ambientes mais controlados em um concerto do Sex Pistols. E você permitiu que ela visse tudo aquilo?

— Sinto muito — sussurrei.

— E depois, pra completar, permitiu que ela fosse embora.

Dessa vez não disse que sentia muito. Pareceu inútil. Principalmente porque todo o meu corpo contraído descrevia SINTO MUITO em letras de néon com dez metros de altura.

— Você faz ideia da cagada monumental que fez?

Balanço a cabeça — bom, ele não me contou tudo o que deveria contar, não foi? Em seguida, acrescentou:

— Talvez tenha fodido tudo. Talvez estivesse louco ao promover você. Jesus, nunca pensei que sentiria saudades de Lydia.

Estamos os dois de acordo nesse ponto.

— O que vamos fazer? — ele perguntou.

Não achei que estivesse sendo incluída neste *nós*, e só conseguia pensar que *nós* estávamos prontos para me despedir. Mas então o telefone tocou e eu fui salva. E não quero dizer que ganhei uma pausa para respirar fundo. Quero dizer que o telefonema salvou minha vida. Jamie atendeu e ouvi o lado dele na conversa.

— Alô... É ele... Oh, oi, Claire... Que bom que você telefonou, estava muito chateado por ter perdido... Sim, vi você entrando num... Escuta, preciso pedir desculpas. Você nos pegou num dia muito ruim. Na verdade, as coisas não costumam ser tão caóti... Oh... Verdade?... Era exatamente o que você estava procurando?... Bom, veja, quando digo que as coisas não são tão ruins, quero dizer que são... Hum... Piores... Sim, o lugar está cheio de personagens interessantes... Egos, sim, egos aos montes... Ahã, o The Zone é, sem dúvida, cheio de tensão... Charlie? Ora, o que posso dizer sobre Charlie?... Sim, ela é genial, né? Ela tem algo, sei lá... especial...sem dúvida alguma... Você também acha? Bom, como dizem, pessoas geniais pensam da mesma maneira... Excelente! São ótimas notícias. Não sei como dizer o quão animados... Sem dúvida... Ok, ligue quando estiver com a agenda na sua frente. Estou esperando ansiosamente... Tchauzinho... Tchau.

Desligou o telefone e ficou me encarando por alguns segundos, que pareceram semanas. Parecia estar em estado de choque, atordoado, como se não conseguisse entender como é que a merda de cachorro na sola do sapato dele cheirava a Chanel Nº5. Não que soubesse explicar o que havia acontecido, mas sabia o suficiente: estava salva.

— Parece que lhe devo desculpas — ele finalmente disse. — Ela adora você. Puta que pariu, não sei como você conseguiu, mas fechamos o negócio.

— O que você quer dizer com isso? — perguntei. Tinha certeza de que ele queria dizer que conseguimos o negócio, mas não sabia que negócio era.

— Um *reality show*, no horário nobre, no Channel Four, sobre o lado chique da indústria da boa forma, sobre... nós. Ou seja, uma *hora* inteira de propaganda gratuita, Charlie.

Jamie levantou e abriu um painel na parede, onde ficava uma geladeira. Pegou uma garrafa de champanhe.

— Que tal um brinde? — perguntou. Não eram nem oito e meia da manhã, mas fiz que sim com a cabeça. Enquanto soltava a rolha, comentou — Se esta fosse uma comemoração normal, estaria abrindo uma garrafa daquela marca vagabunda, a Lanson. Esta é uma Krug, safra 89, cada garrafa custa mais de 100 libras. E ainda nem tomei o café-da-manhã. A produtora do Channel 4 estava em dúvida entre três academias. A Cannons, a Third Space e nós. Graças a você, passamos na frente de todas, garota. Vamos ser famosos!

Dessa vez, quando Jamie disse *nós*, queria mesmo dizer *nós*.

Quando cheguei ao Billy's, ainda estava meio tonta por causa da champanhe no café-da-manhã. E agora já estou na segunda taça de vinho e não sei se estarei suficientemente sóbria para ouvir Sasha.

Sasha.

O que vou fazer com ela? Por algum motivo desconhecido, tendo a me considerar a segunda mãe dela, o que é uma loucura. Mal consigo lidar com os meus problemas, que dirá com os dos outros. E do jeito que ela estava ao telefone, parece que vai precisar de muita ajuda.

— Nunca pensei em ver um rosto conhecido aqui — diz uma voz atrás de mim. Viro, vejo Nelly, e sinto vontade de começar a cantar sobre como está quente aqui e que sinto uma necessidade incontrolável de... Sei lá... tirar a roupa. Ou algo parecido. Ok, não é *aquele* Nelly. Mas o melhor que se pode encontrar depois dele.

— Oi... Karl, né? — É claro que sei o nome dele, mas não quero dar a impressão de que andei treinando minhas falas na frente do espelho ou coisa parecida.

— Hora do almoço? — ele pergunta.
— Sim.
Sozinha?
— Estou esperando alguém.

— Você se importa se eu esperar com você? — E, antes que eu possa dizer alguma coisa, ele se esparrama na cadeira na minha frente, mas, ora bolas, não ia mesmo dizer não. — Amigo ou amiga? — ele pergunta.
— Quem?
— A pessoa que espera.
— Amiga — e dou um sorrisinho, porque, bem, ele acaba de dizer que ainda está interessado. Afinal de contas, não devo ter feito uma exibição bizarra durante a aula de Jenna na noite passada.

Ainda bem que não sou uma daquelas pessoas que precisam de espaço à volta para se sentir confortáveis, porque ele só conseguiria ficar mais colado em mim se sentasse no meu colo. Na verdade, *sou* uma dessas pessoas, mas resolvi abrir uma exceção porque ele é maravilhoso. E também é enorme. Uma massa de músculos negros tensos, contidos por uma camiseta branca apertada, e preciso me controlar para parar de imaginar como é o resto do corpo, se é que você me entende... claro que entende.

— E o que você está fazendo aqui? — pergunto.
— O mesmo que você. Vim encontrar alguém — ele responde, indicando o balcão do bar com a cabeça. O local está lotado e não sei dizer se o alguém é homem ou mulher. Mas não pergunto, o que só comprova que, quando quero, *posso* parecer estar muito na minha e numa boa.
— Escute, desculpe por ontem à noite — ele continua. — Não costumo sair correndo sem dar explicações, mas surgiu algo inesperado.
— Não tem problema. Essas coisas acontecem — respondo toda controlada, como se tivesse esquecido da existência dele no fim da aula e não tivesse passado meia hora revirando a academia atrás dele.
— Mas gostaria de compensar você... — E penso, "*Legal. Sair pra tomar um drinque, jantar, talvez ir dançar...*"
— ... gostaria muito de dar uma tremenda trepada com você. — Como é que é? Ele disse: "Tenho que ir senão perco o ônibus" ou "Minha mãe fez brócolis para o jantar de hoje, meu prato favorito", porque, com certeza, ele não pode ter dito...
— Estou falando sério. Tenho que te comer. Agora mesmo. — Ok, meus ouvidos não me enganaram, mas ele deve estar enganado. Este é o tipo de coisa que só acontece com garotas gostosonas. Nunca comigo. Não sou nada parecida com a Cameron Diaz. Sou uma garota

simples e comum, tenho que encolher a barriga o tempo todo e meu sobrenome é Charalambous. Mas ele está mesmo falando a meu respeito porque seus olhos estão grudados nos meus. Não é como se estivesse olhando distraído para mim enquanto fala com a Cameron Diaz sentada à mesa do lado. Reajo como a maioria das garotas reagiria nesta situação (quero dizer, como uma das garotas que não lhe dariam uma bofetada e sairiam gritando "estupro"). Dou uma risadinha nervosa, mas não desgrudo meus olhos dos dele.

— Agora mesmo — ele repete de modo muito, muito insistente. E então respondo...

Mas, antes, posso esclarecer umas coisinhas?

- Não sou o tipo de garota que faz essas coisas — tipo, concordar em trepar com um cara que mal conhece só porque ele pediu.
- Não sou o tipo de garota que dá rapidinhas na hora do almoço.
- Nem mesmo com os namorados.
- Simplesmente não sou este tipo de garota.
- Juro por Deus que não sou.

Então respondo: — Onde?

O que é quase um sim, mas nem tanto.

— Vem comigo — ele diz, pegando na minha mão e me puxando. E — puta que pariu — vou atrás dele. Mas... Bem, quer dizer, você não faz ideia de como esse cara é gostoso. E a voz dele! É como estar ouvindo o Barry White — faça um esforço para imaginar a "Baleia do Amor"* com maçãs no rosto, um tônus muscular decente (e, claro, estar vivo) e você vai entender. Ele abre caminho lentamente através da fumaça, das risadas, dos copos nas mãos de pessoas que não vão fazer sexo antes de a noite chegar, se tiverem sorte, até chegarmos a uma porta no fundo do bar. Ele a abre e me puxa para dentro. Estamos na escadaria escura que leva aos banheiros e à cozinha e tento imaginar — enquanto ouço meu coração disparando — se ele está pensando como o Daniel e vamos acabar no depósito. Parece que não, porque chega-

---

* Barry White era conhecido por seus fãs como "The walrus of love", em referência ao seu tamanho, ao alcance de sua voz e ao fato de ser um dos cantores de R&B mais famosos de sua geração. (N.E.)

DezAjustada

mos ao porão e ele me empurra para o fim do corredor, onde ficam os banheiros. E penso "Por favor meu Deus, não no banheiro. Não consigo fazer nada em um maldito cubículo". Passamos pela porta com o bonequinho, depois pela porta com a bonequinha. Agora estamos na frente da porta com... Aquilo é uma cadeira de rodas? Não entendo como é que os proprietários do estabelecimento acham que um deficiente físico consegue descer uma escada íngreme, estreita e mal iluminada, mas não perco muito tempo pensando nisso. Karl abre a porta extralarga e me arrasta para dentro. Enquanto ele tranca a porta, olho ao redor. É bem espaçoso. E, fato raro em um banheiro no Soho, está limpo. Mais raro ainda (e não acredito que estou prestando atenção nestas coisas), tem um rolo de papel higiênico. Mas é claro que tem. Um banheiro para deficientes no fim de uma escadaria? Aposto que não foi usado desde a inauguração.

Karl vira e nos olhamos. O silêncio faz com que ele perceba que estou ofegante. Estou sem fôlego por causa da corrida escadaria abaixo? Ou é porque me sinto culpada por ter lembrado que é falta de educação tirar proveito dos menos afortunados (que é como me sinto quando meu pai estaciona na vaga para deficientes no supermercado)? Ou será porque estou salivando de desejo? Karl me agarra, me puxa em sua direção e me beija. Tenho que admitir que nunca babei tanto por alguém na minha vida... E percebo que ele está ofegante também.

O beijo dura... Dura... E dura... Na verdade, acho que paramos somente porque percebemos que, se não o fizéssemos, iríamos morrer sufocados sem fazer o que viemos fazer aqui embaixo. Ele me vira de costas e cambaleio para frente. Minhas mãos agarram os dois trilhos de suporte amarelo-brilhante nos lados do banheiro. Ele puxa minha camiseta Zone e aperto os apoios com tanta força que minhas juntas dos dedos ficam brancas... E não consigo parar de pensar em como os danados desses apoios são úteis.

Estou de pé na frente do espelho, desejando ter minha bolsinha de maquiagem comigo para disfarçar o visual recém-fodida. Observo Karl se aproximar por trás de mim. Ele abraça minha cintura e enfia o rosto no meu pescoço.

— Me fala o número do seu celular — ele diz. — Precisamos fazer isso novamente.

— Tem uma caneta? — pergunto.

— Não preciso. Tenho memória fotográfica.

E, enquanto recito meu número em voz alta, penso, que desculpa esfarrapada! Ele não vai memorizar nada. Está apenas sendo educado. E, embora ache que é uma pena, também estou um pouco feliz — afinal de contas, não tenho certeza se quero ver novamente o homem com quem fui tão devassa.

— Preciso ir — ele sorri. — As pessoas vão notar.

Ele vira, destrava a porta e quase faço xixi nas calças. Quem poderia imaginar? Do lado de fora, está um homem em uma cadeira de rodas. — Vocês terminaram? Porque estou explodindo — ele diz de modo casual.

— Desculpa, cara — Karl diz enquanto passa por ele. Saio logo em seguida, mas não consigo evitar, paro e olho pra ele. Não vejo sinais de uma queda recente pela escada — cortes, membros deslocados, coisas assim — e pergunto — Como é que... você sabe...

— Desci até aqui ou perdi o uso das pernas?

— A primeira opção — murmuro, muito envergonhada. Rá, como se já não estivesse envergonhada antes.

— Existe um elevador — ele responde, inclinando a cabeça na direção dele. Eu não havia notado. — E agora, será que posso entrar? Vou mesmo mijar nas calças.

— Desculpe — murmuro, saindo da frente dele e indo atrás de Karl.

Voltei pra minha mesa. Sozinha. Karl saiu há alguns minutos — missão cumprida. Cruzo as pernas como uma menina de colégio de freiras, dou um golinho superafetado na taça de vinho e estou fedendo a sexo. O cara na cadeira de rodas reaparece e vai para uma mesa no final do salão. E me cumprimenta, erguendo a garrafa de cerveja na minha direção. Desvio o olhar, e me ajeito na cadeira. Não posso acreditar no que acabei de fazer. Não sou mesmo ESTE TIPO DE GAROTA. Eu me sinto enjoada, suja, barata... Mas também sinto uma espécie de eletricidade surpreendente percorrer todo o meu corpo, porque, embora a experiência não tenha durado mais do que dez minutos, foi o melhor sexo da minha vida. E essa é a parte mais assustadora de todas.

— Desculpe, estou atrasada — Sasha diz sem fôlego.

Olho pra ela e me encolho na cadeira. Ela vai sentir o cheiro em mim — l'Air d'Orgasm. Agora me sinto horrível. Ela está deprimida, precisa de carinho, abraços e conselhos maternais de uma amiga que acabou de dar uma trepada frenética com um completo estranho no banheiro para deficientes físicos.

Sasha senta, pega a garrafa e enche seu copo. Olho para ela e não vejo nenhum dos sinais da Sasha que estava ao telefone horas atrás. Onde estão os olhos vermelhos e inchados, as unhas roídas, todos os sintomas de uma crise histérica?

— Você está bem, Sash? — pergunto suavemente.

— Deus, como pude ser tão estúpida? — ela grita. — Uma completa idiota.

Bem, é o que todos dizem, mas sempre fiquei do lado dela.

— Por quê? — O que aconteceu?

— Ele me ligou assim que desliguei com você. Será que sou louca? — Agora está gargalhando, sem qualquer traço do desespero anterior.

— Então... Hum, ele não te deu o fora?

— Não! Meu Deus, estou tão sem prática para lidar com homens. Quando ele ligou na noite passada para dizer que não podia me ver, achei que queria dizer não me ver nunca mais, mas ele só não podia me ver hoje por causa de um contratempo.

— Ok. Entendi. Qual foi o contratempo?

— Oh, ele não disse. Mas não importa, está tudo bem agora. Na verdade, mais do que bem. Tudo está maravilhoso.

Sendo assim, conselhos maternais saem da pauta de atividades. Suspiro aliviada.

— Escuta, Sasha, queria conversar mesmo com você sobre sua carreira.

— Qual o problema? — ela responde, dando um golinho no vinho, ainda esfuziante.

— Você está perdendo tempo na loja Zone Clone. Não acho que deva abandonar o cargo de professora.

— Por que não? Fico uma pilha de nervos na frente dos alunos. Ao contrário de Jenna. Ela é tão confiante. Não posso competir com ela.

— Pare de se comparar com ela. E Jenna é um pouco mais velha do que você, ou seja, tem mais experiência. Quem sabe o que pode acontecer se você fizer outra tentativa? Acho que você deve ensinar dança. Você é boa nisso. Agora estou no comando e posso abrir um espaço pra você no horário de aulas, sem ter de implorar nada a Lydia. Estive pensando. Por que não experimentamos voltar à boa e velha tradicional aula de jazz? Ninguém mais oferece este curso, e acho que em breve isso vai voltar à moda...

Por que me dou ao trabalho? Ela não tá nem me ouvindo. Está a quilômetros de distância, revirando a bolsa. É a mesma coisa que conversar com meus pais, mas sem uma TV pra nos distrair. Meu Deus, talvez *eu* seja o problema. Quem sabe sou mesmo chata, ou coisa parecida.

— Bom, como ia dizendo — continuo. — Acho que você deve ensinar dança sadomasoquista. Sabe, com tutus de borracha. E protetores com enchimento para os rapazes. O que acha?

— Sim, talvez — ela diz de modo sonhador, tirando da bolsa algo enrolado em lenços de papel. — Você gosta?

Removo o papel e olho para um objeto prateado.

— É lindo — respondo. — Hã, o que é?

— É um porta-cartões de visita. Para o Ben. Olhe, tem um B na lateral. Vi na vitrine quando vinha pra cá e tive que comprar pra ele. Ele é um cara fantástico, não acredito na sorte que tive.

— Isso é ótimo — digo, e sou sincera. Sasha nunca se deu bem com rapazes, o que é de surpreender, levando-se em consideração sua aparência e sua doçura. Só espero que não esteja botando o carro na frente dos bois com esse tal de Ben.

— Agora temos que dar um jeito em você — ela continua. — Achar alguém pra que possamos sair em quatro.

Penso em contar sobre o que aconteceu com Karl, mas decido não fazer isso. Ainda não. Mal o conheço, mas acho que ele não é do tipo de fazer saídas a quatro. E Sasha definitivamente não é do tipo de dar-uma-trepada-no-banheiro-para-deficientes-físicos. Não. Ela só transa em uma cama com lençóis brancos e limpos, velas aromáticas e trilha sonora de Enrique Iglesias. Ficaria horrorizada se soubesse o que aconteceu, e eu morreria de vergonha. É melhor contar essa pro Daniel. Sexo selvagem em locais públicos é a especialidade dele. E resolvo contar tudo sobre o pesadelo que foi a manhã. Sobre a confusão e o aparecimento, seguido do desaparecimento, da mulher do Channel Four.

— Channel Four? — ela solta um gritinho. — Não vamos aparecer na TV, vamos?

Opa. Não devo contar a ninguém. Jamie me fez jurar que manteria segredo. E me ameaçou de morte. Sendo assim, digo:

— Sim, no horário nobre!

Conto tudo sobre o reality show O Fator da Boa Forma. Sobre como o Channel Four pretende gravar um programa falando sobre o desenvolvimento da indústria da boa forma desde que Jane Fonda abriu o caminho com suas fitas de exercícios, anos atrás. E eu serei o centro das atenções. Bem, sou a gerente-geral, e a produtora sênior do Channel Four me adora. Se isso fosse um filme, Jennifer Lopez faria o meu papel. Não há dúvida.

— É inacreditável, Charlie — Sasha exclama. — Posso aparecer?

— Claro. Todos nós vamos aparecer. Mas você não pode contar a ninguém ainda, Ok?

— Você acha que eu diria algo?

— Sim. — Sasha é famosa por ser indiscreta. Como eu.

— Meus lábios estão selados. Juro.

— E então, que tal o namorado novo? — pergunto. — Conte tudo sobre ele. Como vocês se conheceram?

— Acredite se quiser, ele é bailarino. Lembra quando dei um pulinho no Danceworks no mês passado pra participar daquela nova turma? Eu o conheci lá. Ele...

Ela para porque meu celular bipa. É uma mensagem de texto.

VENHA EM CASA AMANHÃ. 8.
Ñ TEMOS Q FAZER AQUILO EM CIMA DO VASO...
A MENOS Q VC QUEIRA... BJ

— Quem é? — Sasha pergunta.

— Só um amigo — respondo enquanto olho concentrada para a pequena tela azul. Penso na resposta. Preciso de algo enigmático, evasivo, misterioso, sexy, levemente críptico, inteligente, sofisticado...

MANDE ENDEREÇO

Está bom pra mim.

— Acabei de dar umazinha — sussurro pro Daniel enquanto largo a bolsa atrás do balcão.
— Deu o quê?
— Umazinha. Com o sósia do Nelly.
— Sua vagabunda depravada e nojenta. Onde?
— No banheiro para deficientes no Billy's. Não sabia que eles tinham um.
— Eu sabia. Testei o lugar assim que foi inaugurado. Aqueles apoios são um presente dos céus, não são?

o pedaço com a longa despedida

Coloco a chave na fechadura e a giro devagarzinho. Já entrei escondida em casa várias vezes. Quase sempre depois da meia-noite. Nunca às 19h30. Mas tenho meus motivos. Eu me sinto imunda, como se tivesse passado a tarde toda envolta por uma nuvem de sexo sujo. Estou paranoica só de pensar que meus pais irão sentir o cheiro, portanto pretendo passar pela sala de estar e ir correndo tomar um banho. Vai dar certo. Cronometrei minha entrada com o começo da novela *Coronation Street*. Que, segundo a opinião de expert de minha mãe, é A Melhor Telenovela do Mundo Inteiro (de todos os tempos), e ela a acompanha respeitosamente, com o volume no nível de uma rave em Ayia Napa.*

Entro em casa e congelo.

Por que tudo está tão silencioso? Onde está o barulho ensurdecedor dos personagens falando com sotaque de Manchester? Talvez tenha entrado na casa errada, mas uma rápida olhadela ao redor confirma que estou no lugar certo. O silêncio não é total. Ouço vozes no outro lado da sala de estar. Meus pais estão recebendo visitas? Durante a semana? Jamais. Deve ser outra coisa. Talvez vendedores de janelas antirruído. Ou Testemunhas de Jeová — meu pai sempre discute com eles pra se divertir.

Fico parada, bem quietinha, ouvindo. Posso escutar minha mãe. Está falando com seu sotaque chique.

— Chá ou café, Maroulla? E George, quer outra cerveja?

Quem diabos são Maroulla e George além de, é claro, serem obviamente gregos?

A porta se abre e minha mãe aparece no hall. Ela me vê e diz:

---
* Balneário cipriota famoso pelas casas noturnas. (N.T.)

— O que está fazendo aqui escondida?

— Quem está aqui? — sussurro, ignorando a pergunta.

Minha mãe me agarra e me empurra para a cozinha. Fecha a porta e fala:

— Quero matar teu pai. Você sabe que estou perdendo a novela. — (Eu sei.) — Hoje eles iam mostrar quem é o ladrão.

Não sei por que ela se incomoda tanto. Depois de ter lido todas as revistas de TV que existem, há semanas ela sabe quem é o ladrão.

— Quem foi que ele trouxe aqui? — pergunto.

Minha mãe me ignora e liga a chaleira elétrica. Depois me encara.

— Olhe só pra você. Você está horrível. Vá pentear o cabelo, passar um batom ou outra coisa. Parece que você foi...

Aargh! Fodida em um banheiro, como uma prostituta?

— ... arrastada pelas ruas por uma carroça.

Ufa.

Mas minha pergunta ficou sem resposta.

— Mamãe, quem está aqui? — pergunto novamente, com mais urgência na voz.

— Olhe, não fique toda irritada. Seu pai convidou uns velhos amigos, Ok?

Ouço alarmes disparando.

— São aqueles malditos pais do médico, não são? Achei que ele os traria aqui no domingo.

Minha mãe não responde, mas a cara dela diz tudo.

Agora estou realmente arrasada. Desde que meu pai mencionou o médico há alguns dias, tenho planejado cuidadosamente minha saída de emergência. Domingo seria o dia em que levaria a tragicamente deficiente Sasha a um encontro com um curandeiro texano, de passagem por Londres para uma rápida visita. Mas meu pai deve ter lido meus pensamentos. E é por isso que montou esta armadilha no meio da semana. Que talentoso *filho-da-puta*!

— Mamãe! Por que deixou que ele fizesse isso? Não vou entrar na dele. *Livre-se deles.* — Devo estar parecendo um pouco histérica. Por que não pareceria? Estou histérica.

— Calma — ela diz com firmeza. — Pra dizer a verdade, eles são boas pessoas. Não fará mal algum aparecer e dizer oi, né?

— Sim, fará. — Já estou vendo meu pai à minha espera na sala de estar, com um padre grego contratado para fazer uma cerimônia instantânea "*Ok, mim estar segurando ela firme, você casar ela. Nón ligar para os gritos. Ser porquí ela estar feliz*".

— Não acredito que você está entrando no jogo dele, mamãe.

— Não estou jogando coisa nenhuma. Só estamos conversando. E Dino não veio com eles.

— Quem diabos é *Dino*?

— É o médico.

Dino, o médico. Melhor seria Dino, o maldito dinossauro, porque ele deve ser um homem pré-histórico para concordar com o antigo ritual de vender as filhas a quem oferecer mais.

— São só os pais dele — minha mãe diz. — Não há nada de sinistro acontecendo.

Não entendo por que minha mãe está entrando no jogo de meu pai, e só posso esperar que ela tenha um plano malévolo em mente, um que seja melhor ainda do que o usado para transformar Theglou-em-Charlotte. Ela passou todos esses anos de casamento resistindo às ocasionais explosões gregas de meu pai. E também, graças a Deus, passou os últimos quatro anos debochando das constantes tentativas de meu pai com relação ao tema do Meu Casamento. Mas sinto uma ligeira modificação na atitude dela. Não consigo identificar bem o que é, mas algo definitivamente mudou.

— Vamos, querida — ela diz, dando-me um empurrãozinho na direção da sala de estar. — Eles vão embora logo. Tudo vai ficar bem.

Decido disfarçar meu pânico e me obrigo a ficar calma. O que é que posso fazer?

— Pessoal, Charlotte chegou — ela diz enquanto empurra meu corpo rígido em direção à sala.

— Ah, Chaglotta — meu pai troveja —, finalmente chegar em casa. Vir conhecer George e Maroulla.

Eles se levantam juntos, e tento esboçar um sorriso no rosto enquanto aperto suas mãos. Olho para eles. Ambos são pequenos e redondos. Com bigodes iguais. Excelente material genético. Doutor Dino tem poucas chances.

Sentamos e nos olhamos sem jeito. E, neste momento, vejo Emily. Está afundada no sofá ao lado de Maroulla, mas se levanta pra servir chá. Está representando o papel da menina de ouro com perfeição, mas não consegue resistir à tentação de dar um sorrisinho debochado na minha direção. Tá adorando tudo isso.

— Então, você travalhar em um academia? — Maroulla pergunta, conseguindo pronunciar a palavra academia como se fosse um sinônimo de *bordel*. — Você chegar *sempre* tarde em casa? — A pergunta está carregada de significado. Chegar tarde em casa não é uma das qualidades na lista de atributos pra uma esposa adequada — está acima de ser HIV positiva, mas abaixo de fumar crack.

— Ah, sim, chego tarde quase todas as noites — respondo, feliz em poder criar uma má impressão.

— Theglitsa estar no comando — meu pai anuncia, de repente orgulhosíssimo com a carreira de sua filha.

— Dino vai estar em breve no comando — diz George, aceitando o desafio irresistível do diálogo *meu-filho-é-melhor-do-que-o-seu*. — Apostar quí em breve ele tomar conta de todos os morcegos...

Morcegos? Sobre o que este homem está falando? Achei que o filho dele era médico.

— ... sim, eles sortudos de terem ele com eles, no Hospital Morcego.

Ah, ele quer dizer Hospital Mercego. Deveria ter imaginado. Ouço este sotaque há vinte e quatro anos.

— O montón de horas quí ele travalhar — continua George. — Caramba. Mas eles ter quí salvar montón de pessoas, né? — E senta-se sorrindo. Está na cara que acha que venceu.

Mas ele não conhece meu pai: o homem que *nunca* perdeu uma discussão. Pelo menos na cabeça dele.

— Vocês achar quí Charlotta nón salvar vidas no academia? — ele pergunta a todos na sala. — Se mitade de pessoas no hospital ir pra academia, nón estar em hospital, estar?

Meu pai está compensando de modo exagerado por todos os anos em que ridicularizou a importância de estar em forma. Ele ajeita o corpanzil na poltrona enquanto devora o último docinho no seu prato.

— Ela ser como Molher Moravilha! Ela ser igual o pai. Um dia ela ir modar o mundo — ele proclama, agarrando com ambas as mãos o que imagina ser a Palavra Final.

Se você já passou algum tempo com pais gregos, saberá que esta conversa pode não ter fim. Nunca. Mas Maroulla dá o seu pitaco, lembrando a todos qual o motivo verdadeiro da visita. Esta não é uma reunião calorosa entre amigos, é uma entrevista de emprego.

— Se ela tón ocupada modando mundo — ela diz —, como ir ter tempo para cozinhar pra família?

Mas meu pai, é claro, já tem a Última Palavra Final na ponta da língua:

— Ela tón inteligente quí conseguir fazer os duas coisas. — Dá uma gargalhada e brinda com George.

Todos esses elogios deveriam me deixar orgulhosa... Mas não estou. Meu pai age como um vendedor de carros — e adivinhe: eu sou o carro. Tá mentindo sobre a minha quilometragem e exagerando nos acessórios enquanto George e Maroulla andam ao meu redor checando os pneus. Sinto que deveria ter um adesivo grudado na testa dizendo OFERTA DA SEMANA.

— Entón, contar para mim, ser grande esta academia? — George pergunta.

— Ser gigante — meu pai responde por mim. — Ser muito chique, muito alta tegnologia.

Não sei como é que, de repente, ele está tão bem informado, já que nunca foi me visitar no trabalho. É um fato importante de ser mencionado, porque a lanchonete dele fica em Covent Garden — a dez minutos a pé do The Zone. É óbvio que nunca apareceu lá porque não liga a mínima. Mas veja: eu não me importo. Quase nunca vou à lanchonete dele. "O quí estar errado com meu comida?" — ele pergunta sempre. "Você nón quirer comer o melhor sunduíche de queijo com pickles de mondo?" *"Bem, papai, já que você perguntou... Não."*

E continuo ouvindo o discurso dele, vendendo melhor o The Zone do que nossos lindos materiais informativos impressos em papel superbrilhante. Acho que já é hora de sair de cena. Já devo ter ficado sentada educadamente na sala por tempo suficiente — não quero que George e Maroulla pensem que estou interessada no filho imbecil deles. Levanto quando meu pai começa a analisar a complexidade da ioga. Quer dizer, a versão dele.

— Para dizer verdade, ioga nón ser bom para saúde. Por quí vocês achar que hindus ter cor de pele engraçada? Ser o ioga que deixar pele deles amarela.

— Bem, vou tomar um banho — declaro. — Foi bom conhecer vocês. — Ninguém me ouve. Estão completamente fascinados com o discurso de meu pai. Na maioria das vezes, eu ficaria, pra poder me divertir, mas esta é uma oportunidade de ouro para escapar daqui.

Saio da sala na ponta dos pés, e somente Emily me observa.

Estou mergulhada em bolhas de espuma. O único lugar desta casa onde se consegue um pouco de paz é a banheira. Mas mesmo aqui não consigo escapar completamente. Ainda posso ouvir a conversa na sala.

A porta se abre, e Emily desliza por entre o vão.

— Quer fazer o favor de sumir? — grito enquanto arrumo um triângulo de espuma. — Meu Deus, não se pode ter um pouco de privacidade por aqui?

— Mamãe e eu suamos para limpar e arrumar a casa antes de você chegar. Fizemos tudo *sem* a sua ajuda — ela diz e senta no vaso sanitário.

Agora que ela mencionou, eu reparo. A casa está inacreditavelmente arrumada. O que está acontecendo? Porque minha mãe e Emily nunca arrumam bulhufas.

— Não pedi nada — respondo.

— Sasha já está andando? — ela pergunta.

Que *filha-da-puta* dissimulada. Ela *sabe*, sei que sabe. Mas pode ser um blefe. Não quero arriscar a minha melhor desculpa, e simplesmente respondo:

— Suma daqui, vá puxar o saco de papai ou seja lá o que for que você tava fazendo.

— Você é quem deveria estar na sala conhecendo seus futuros *sogro e sogra*.

— Ah, suma da minha frente, sua imbecil...

— Ora, veja só o que tenho aqui — ela diz, matreira. Está tirando algo do bolso da calça. — Olhe, é o seu celular. E, nossa, dê uma lida nesta mensagem. — E lê na tela. — *Não temos que fazer aquilo no vaso.* O que será que isso quer dizer?

A filha-da-puta fingida e fofoqueira!

Ela me pegou. Ela me pegou direitinho.

— Devolva meu celular, sua vaca. — Tenho que me controlar ao máximo para não gritar.

— Claro que sim — ela responde, balançando-o sobre a banheira.

— Mas me diga: o que é que você andava fazendo no vaso? Vai me contar ou devo ir perguntar pro papai?

— Se você deixar este celular cair, mato você.

Mas tenho que admitir que fui derrotada, pois ela está segurando minha vida na palma da mão, sobre uma banheira cheia de espuma.

Ela venceu. *De novo*. Por que nunca aprendo?

— O que você quer, Emily? — digo, com voz cansada.

— Tô dura — ela responde. — Dez pilas resolve.

— Pegue na minha bolsa. — O que mais posso dizer? Ela sabe demais, e dez libras para comprar seu silêncio é um bom preço.

— Você é fantástica — ela responde. Coloca o celular na pia e sai como entrou, silenciosamente. Que dia louco e *imbecil*!

Fecho os olhos e afundo na água até ela atingir a altura do meu nariz. Gostaria que eles se calassem. Por que os gregos precisam gritar sempre? O barulho aumentou porque agora estão no hall. Pelo menos isso significa que estão indo embora.

— Sua casa ser tón limpa — Maroulla diz. — Como você fazer isso? Geralmente os inglísis nón ser tón limpos.

— Obrigada, Maroulla, nós fazemos o possível — responde minha mãe, sem dizer que (a) ela não é, tecnicamente, inglesa e (b) que, como regra, ela não faz nem o possível. — Temos que tentar ser o melhor que podemos, não é?

Como é que é, que melhor? O que está acontecendo? Geralmente, quando meu pai convida pessoas e sugere que minha mãe deva, digamos, passar um espanador na casa, ela responde entediada *"Eles é que vejam como somos"*. Parece que ela se esforçou mesmo para impressionar essas pessoas. Por que está fazendo isso?

Não vale a pena quebrar a cabeça com essa história e eu me controlo. E volto a me lembrar do almoço e da melhor trepada da história do sexo. Funciona muito bem até que o maravilhoso Karl se transforma no filho de George e Maroulla Georgiou — vulgo Danny DeVito Jr., só que mais baixo, mais gordo e sem carisma.

Abro os olhos... e vejo uma luz no fim do túnel.
A ausência do Doutor Dino.
Isto *deve* significar que ele também acha que a ideia de um casamento arranjado é uma grande merda.
Bom, a esperança é a última que morre.

A água agora está fria, e a minha espuma fofa e linda murchou. Minha pele está tão enrugada e flácida que cabem duas de mim dentro dela. Mas não posso sair do banheiro porque ainda estão conversando no hall, e não quero que me vejam saindo em disparada do banheiro pro quarto, enrolada em uma toalhinha.

Qual é o problema dos gregos com as despedidas? Eles demoram mais na partida do que na chegada (e estas levam uma eternidade). Assim que colocam os casacos, centenas de assuntos novos materializam-se do nada. Estão no hall há pelo menos uma hora. Pelo que posso ouvir, papai e George estão tentando compensar os anos que passaram separados, revivendo cada segundo de sua infância no nosso apertado e abarrotado hall de entrada.

O que há de errado com essas pessoas? Nunca aprenderam a dizer algumas frases realmente úteis como "*Foi muito bom termos nos encontrado* e *Devemos repetir a dose qualquer dia*?" Não sabem que estou com hipotermia aqui em cima?

Ainda o pedaço com a longa despedida

A*aaaaaaarrrrrrggggggggghhhhhhhhhhhhhh!*
Já passa das duas horas da manhã e eles *ainda estão se despedindo*.
Pelo menos já estou na cama — consegui escapar do banheiro sem ser notada, arrastando-me pelo chão como um soldado num campo de batalha. Mas não vou conseguir dormir de jeito nenhum, não com meu pai e George ainda trocando lembranças em voz alta o suficiente para que todos os vizinhos ouçam as piadas.

Sei que os adeuses gregos são arrastados, mas isso já é ridículo. Pelo menos não gritam mais. Não sou capaz de ouvir todas as palavras, mas consigo sentir vibrações suficientes para descobrir que esses dois se *amam* (e digo isso em um modo absolutamente heterossexual, é claro. Na verdade, permita-me, a esta altura do campeonato, deixar uma coisa absolutamente clara: *não existem homossexuais gregos*. Entendeu bem? *Nenhum, jamais.* George Michael? Mentiras maldosas).

Os dois ainda estão falando sobre o tempo de escola. Acho que já chegaram aos doze anos. Fazendo as contas, sei que perderam contato quando tinham quinze anos... Então, só faltam três para relembrar. Talvez acabem lá pelas quatro horas... Talvez cinco, se resolverem contar mais uma versão da história absolutamente *hilariante* sobre quando cortaram uma oliveira do vizinho. Por favor, meu Deus, não. Já ouvimos isso três vezes...

— ... Isso lembrar mim — meu pai troveja, ficando novamente animado. — Você lembrar quando mim pegar machado e nós derrubar oliveira de Stavri?

Aaaaaaaaaaaaaaaaaaaaaaaarrrrggggggggggggggghhhhhhh hhhhhhhhhhhhhhhhh!

O pedaço no qual, definitivamente, não irei fazer isso

É um fato bastante conhecido que Victoria Beckham queria ser mais famosa do que as outras Spice Girls. Madonna apenas se concentrou em realizar sua ambição: ou seja, pura e simplesmente, controlar o mundo. Duas das mulheres mais bem-sucedidas do planeta têm uma coisa em comum (além de maridos sexy, crianças lindas e uma montanha de dinheiro tão grande que poderiam torrar um bocado em uma grande fogueira). Ambas tinham um plano e o seguiram à risca. Bem, penso eu, se elas puderam fazer isso...

Este era o *meu* plano:

Um: chegar pelo menos quinze minutos atrasada. No fim das contas, foram dez minutos atrasada, mas ele, ainda assim, disse: "Você está atrasada", quando abriu a porta. *Até aqui tudo bem*, pensei.

Dois: sentar e conversar. Preparei uma lista de assuntos enquanto viajava no metrô em direção à estação de South Kensington. Dança, música pop, o trabalho dele (seja qual for), filmes, um monte de coisas. Não importa o quê.

Meu pensamento era: terminar o encontro que começamos ontem na hora do almoço. Ontem fizemos tudo ao contrário — começamos com o que deveria ser o fim do encontro. Hoje vamos voltar ao ponto inicial e seguir as preliminares — o famoso vamos-nos-conhecer-melhor-antes-de-arrancar-as-roupas.

Funcionou muito bem... por cinco minutos.

Enquanto ele desaparecia na cozinha para pegar uma bebida, eu me sentei em um sofá branco e admirei a decoração minimalista do apartamento. Minimalismo, porra nenhuma. Algo mais parecido com não-estou-nem-aí-para-comprar-móveis. Mesmo assim, perto da bagunça da minha casa, era um local bacana.

DezAjustada

Karl voltou em minutos, com dois copos com algo gelado e espumante.

— Muito chique — disse, tentando fingir que não estava impressionada. Mas estava. Aquelas garotas idiotas dos comerciais da L'Oreal, que ganham mais do que devem, estão completamente enganadas. Mereço é uma taça de champanhe cara, por mais que elas se esforcem em me convencer de que mereço uma embalagem de xampu vagabundo.

Quando ele se sentou ao meu lado, fui tomada por uma súbita sensação de vergonha. Não estava muito bem vestida para um encontro. Usava a minha roupa de trabalho — camiseta Zone e shorts de corrida. A camiseta é muito bonitinha — colada ao corpo, branca, com um logotipo cor-de-rosa tipo *Garotas Superpoderosas* na frente —, mas, como disse antes, ainda é um uniforme de trabalho. Enquanto ele me olhava de cima a baixo, disse:

— Desculpa, estive tão ocupada que não tive tempo de me trocar.

E foi aí que o meu plano foi por água abaixo.

— Não ligo a mínima pro que você tá vestindo — ele respondeu. — Puta merda, você me deixa doidão. — E pulou em cima de mim.

Minha mente dizia "*Ôpa, peraí, vamos conversar, encontrar pontos de interesse comum que não sejam só transar*", mas meu coração (sem falar naquele ponto em alguma parte no meio da minha pélvis) não estava nem aí.

Então, resisti ao avanço dele? O que você acha?

Cá estou eu. Não resistindo a nada.

E o pensamento na minha cabeça é "*E daí?*" Não só este homem tem o corpo mais lindo que eu já vi na vida, como também sabe *exatamente* o que fazer com ele. O que mais preciso saber sobre Karl? Perdi a conta dos encontros que tive, em que fingi estar interessada no trabalho do cara em informática/na regra do impedimento/nos dias loucos que ele passou com os amigos em Ibiza, e no final ir até a casa dele e perceber que foi uma perda de tempo fingir tanto interesse, porque ele é muito pequeno/muito rápido/muito ruim de cama e não quero mais sair com ele. Porque não importa o que se diga — esquece os olhos, a personalidade, o senso de humor —, a única coisa que realmente importa é *fazer aquilo*. E juro: nunca mais vou me forçar a ouvir sobre o trabalho/a regra do impedimento/bobagens sobre Ibiza, porque isso aqui é o que se chama *conhecer alguém*.

Enquanto *estamos nos conhecendo* melhor, tensiono os músculos das pernas para que pareçam bem firmes. Também estou forçando a barriga pra dentro e contraindo a bunda. Juro que, daqui para frente, vou usar tudo o que existe na academia para transformar meu corpo em um templo — um templo que Karl irá frequentar e adorar pelo tempo que quiser.

— Pra que serve aquilo? — Digo, soltando sem querer todos os músculos que estava contraindo para impressioná-lo. É algo no canto do quarto, ao lado do guarda-roupa. Um tripé com uma câmera de vídeo. Já vi o equipamento antes, mas nunca no quarto de um homem.

— O quê? — ele pergunta sem interromper o que está fazendo.

— A câmera.

Ele dá uma risadinha e parece estar rindo de mim.

— Filmo a mim mesmo de vez em quando.

— Fazendo o quê? — pergunto, com uma sensação desagradável.

— Costumo treinar no quarto. Vê os pesos? — E aponta para um equipamento de ginástica no outro lado. — E também ensaio aqui. Filmar a mim mesmo permite rever o que fiz e descobrir o que funciona. Você vê algum problema nisso?

— Desculpe. Fiquei surpresa, só isso. Você é um ator, ou algo parecido? — *Agora você quer saber o que ele faz?*, pergunto a mim mesma.

— Algo parecido — ele responde, mas é melhor não conversarmos mais porque a boca dele está novamente ocupada. E, para dizer a verdade, não ligo a mínima para o que ele faz da vida, desde que não pare de fazer o que está fazendo neste exato momento.

O pedaço com os postes altos e reluzentes

Checagem no The Zone. Quem teve esta ideia ridícula? Detesto isso. Faz com que eu me sinta como uma guarda de trânsito. É o que estou fazendo agora, andando pelo prédio inteiro com uma pranchete na mão, assinalando uma lista de verificação. Toalhas na sauna? *Confere.* Papel higiênico no banheiro? *Confere.* Salva-vidas na piscina? Professores na sala de musculação? *Confere, confere.* Em resumo, sou a espiã de Jamie. E não sou uma espiã disfarçada. Afinal de contas, os agentes da CIA não andam por Bagdá segurando uma pranchete enorme nas mãos. Homens-bomba? *Confere.* Armas de destruição em massa? *Hum, seja como for, confere.*

Na verdade, sei de quem foi a ideia da checagem no Zone. Foi da Lydia. Para uma controladora obsessiva como ela, essa era a oportunidade perfeita para pegar as pessoas no ato. Só ficava verdadeiramente feliz quando voltava de uma dessas checagens com meia dúzia de escalpos pendurados na pranchete. Chegou a demitir um salva-vidas estagiário por estar andando na beira da piscina com os shorts molhados. Agora pergunto...

Lydia!

Meu Deus, como essa mulher mudou. Da espiã obediente de Jamie à mulher que quer vê-lo morto. E da vaca que adorava transformar minha vida em um inferno — pelo amor de Deus, ela implicava até com as minhas meias — em minha nova melhor amiga. Ela ligou ontem. A conversa foi assim:

— Charlie, tinha que telefonar e dizer como estou feliz por você.

— Jura? — Não consegui disfarçar a surpresa na minha voz.

— *Juro*. Sei que nem sempre concordávamos...

Ninguém neste mundo concorda com você, Lydia.

— ... mas, se alguém merece ocupar meu lugar, este alguém é você.

— Jura? — Não conseguia parar de repetir isso. Que sirva de lição a todos. Na próxima vez que seu chefe estiver enchendo seu saco por causa da sua atitude/postura/meias/qualquer coisa errada, lembre-se, ele só está fazendo isso porque vê em você um *material perfeito para a gerência*. Uma indicação definitiva de que você está subindo os degraus e, ao contrário do que pensava, não é porque você é uma porcaria de funcionário e ele te odeia.

— É claro que tô abaladíssima com o que aconteceu — ela continuou —, mas não tenho nada contra você, Charlie. Parabéns e boa sorte... Você vai precisar dela, trabalhando para aquele *filhodaputa*. Como pode ser tão cruel? Uma demissão... por causa da minha... *deficiência*.

Eu me senti péssima quando ouvi isso. Lembra que eu fazia piadas o tempo todo sobre... o *problema* dela.

— Sinto muito, Lydia — murmuro, enquanto ela funga de modo levemente melodramático.

— Ficarei bem — ela responde, controlando-se. — Tenho um excelente advogado. Cá entre nós, ele me disse que nunca viu um caso tão óbvio de discriminação trabalhista.

— Jura? — repito — *novamente*. Não sei o que dizer além disso. Ela está certa. Não foi justo. Não importa o quanto eu a deteste, não está certo demitir alguém por ser estrábica. Se Jamie tivesse dito que ela estava sendo demitida por ser uma filha-da-puta metida a besta, bom, *isso* seria perfeitamente adequado, mas não por causa do... *problema físico*. Mas não podia dizer isso a ela, porque Jamie ainda é o meu chefe. Além disso, nunca me maltratou. Pelo contrário, ele acha que sou *material perfeito para a gerência* — ou pelo menos foi algo parecido com isso que disse na noite em que demitiu Lydia.

— Sejamos honestas, Charlie — ela disse. — O preconceito de Jamie vai além do correto. Lembra da Fiona?

Pobre Fiona. Como poderia me esquecer dela? Ela cuidava da sauna. Um dia, abriu a torneira errada e recebeu um jato de vapor quente na cara. Ficou com uma grande cicatriz no rosto que todos tinham dificuldade de encarar. Menos Daniel. Que não tirava os olhos dela. Dizia que tinha a forma da Itália — e queria pegar uma caneta e marcar um pontinho para indicar onde ficava Milão.

— Jamie pirou quando ela voltou depois do acidente — Lydia continuou. — Começou a reclamar dizendo que os sócios iriam fugir da academia se a vissem. Você não tem ideia de como foi difícil convencê-lo a não demiti-la. No fim, foi a minha determinação em fazer a coisa certa que a manteve no emprego. Encare os fatos, Charlie: Jamie é nojento.

Concordei silenciosamente com ela. Mesmo levando em conta os pontos positivos — e lembro de pelo menos... um —, Jamie é pavoroso. Não suporta nenhum tipo de... hã... *defeito físico*. Cicatrizes, pneus de gordura, amputações, qualquer coisa. No mundo ideal dele, todos no The Zone receberiam a nota dez da perfeição. No mundo real, mal consegue tolerar a presença de alguém com a nota oito.

— Reze para que nada deixe uma marca em *você*, Charlie — Lydia conclui a frase.

Passo nervosamente o dedo na espinha que apareceu na ponta do meu nariz e fico pensando se isso é motivo para demissão.

— Quem sabe dou um jeito nele — digo, otimista. — Tento reeducá-lo ou algo assim.

Ela dá uma bufada de desdém ao telefone.

— Bem, não sei o que mais posso fazer, Lydia.

— Tem uma coisinha — ela diz baixinho, e suspeito que vamos chegar ao motivo verdadeiro do telefonema. Tem um e-mail dele pra mim quando aconteceu o acidente da Fiona. É chocante — todos os preconceitos dele, expostos preto no branco. Nunca joguei fora. Ainda está no computador da minha... *sua* sala... Você poderia encontrá-lo e mandá-lo pra mim.

— Lamento, não posso fazer isso — respondo.

— Oh. — Ela parece surpresa e desapontada.

— Escute, você o ferraria se estivesse trabalhando aqui?

— Não é esse o ponto...

— Sinto muito, mesmo — digo, de modo pouco convincente. Mas estava doida para poder fazer algo por ela. Mostrar que não era uma mera puxa-saco no regime fascista de Jamie. Bem, não *apenas* uma puxa-saco, quero dizer. Sou uma pessoa multidimensional. Parte puxa-saco, parte gerente-geral cheia de estilo, mudando o mundo em pequenos passos. — Olha, Lydia, posso fazer algumas coisas — digo com firmeza. — Agora estou no comando. Junto com Daniel, estou mudando algumas coisas. Noutro dia admitimos como sócia uma mulher muito gorda. — Fiz de conta que isso fora uma decisão deliberada de modificação na política.

— Parabéns — ela suspira fundo. — E acrescenta: — Bom, se você não quer... *pode* me ajudar, não vou mais desperdiçar o seu tempo. Boa sorte, Charlie. E não leve muito a mal.

— O quê?

— O fato de que, mais cedo ou mais tarde, todo mundo acaba odiando o chefe, ou seja, você. — E desligou.

Eu me senti uma merda. Todos estes anos aceitando o fascismo corporal de Jamie, debochando com Daniel de todos os que não tinham a forma Zone e nunca pensando seriamente a respeito. Decidi que precisava ler o e-mail. Sentei na frente do computador e revirei as pastas. Não demorei a encontrar.

Lydia — umas ideias sobre a situação da Fiona. Não posso me arriscar que ela nos processe, mas também não podemos continuar deixando que ela assuste os clientes. As pessoas não pagam 2 mil libras por ano para olhar para uma mulher que parece fugida do hospital de queimados. Mais do que isso: não quero ter de olhar pra ela quando vou para a sauna. Não podemos colocá-la em algum trabalho longe das pessoas? De preferência, numa sala sem luz. — Jamie

Lydia estava certa. Era chocante.

Mas Lydia não foi completamente honesta comigo. Pelo que me lembro, logo depois do acidente, Fiona foi transferida para um cargo escondido nos fundos da academia. Ok, pode ter sido ideia de Jamie, mas foi Lydia quem executou a ordem. Jamie não gosta de se envolver em negócios sujos como este. Jamie pode ser cruel, mas Lydia é igualmente ruim, e é um pouco tarde para fazer discursos a respeito dele — só porque foi vítima do mesmo tratamento dispensado a Fiona.

Jurei naquele exato momento que nunca, jamais, faria algo parecido.

DezAjustada

E, quanto ao comentário perverso sobre todos acabarem odiando o chefe... Bom, considero aquilo simplesmente um comentário perverso. Nem vale a pena pensar a respeito.

— A tarde apenas começou e estou completando minha segunda checagem Zone do dia. Ordens de Jamie. Tudo precisa estar imaculado, segundo ele, porque uma equipe de produção do Channel Four virá fazer uma visita de reconhecimento — ver onde podem instalar as câmeras, coisas do gênero. Não é só isso. Teremos uma visita da realeza. Não é o Príncipe Charles, William ou outro membro da família real. Falo da verdadeira realeza. A realeza pop. Também conhecida como Blaize.

Enquanto caminho em direção à recepção, vejo os primeiros bailarinos — os escolhidos — entrando no local. Vão passar mais ou menos uma hora fazendo aquecimento no Estúdio Quatro antes de Vossa Alteza Blaizeal chegar.

— Verificou tudinho? — Daniel pergunta.

— Ahã — respondo. — Inscreveu mais algumas pessoas especiais enquanto estive fora?

— Não, mas fiz um trabalho excelente convencendo um cara muito feio com uma prótese de mão. Ele vai trazer o cartão de crédito e se matricular mais tarde.

— Excelente trabalho — respondo. — Continue assim.

— Sim, ama.

Eu me encolho toda. Desde que Lydia fez aquele comentário, sinto uma leve pontada sempre que Daniel faz uma piada do gênero *você-é-a-chefe-eu-sou-o-escravo*. E, pensando bem, ele tem feito isso o tempo todo, ultimamente. Daniel nunca pareceu ser ambicioso, mas quem diz que não gostaria de ocupar o cargo principal daqui? Afinal de contas, temos a mesma idade e começamos a trabalhar na mesma época. Talvez, se Jamie o tivesse escolhido, eu é que estaria agora toda magoada...

Não, não, *não*, estou ficando paranoica. Estou falando de Daniel, o maior gozador da paróquia. Meu melhor amigo. Ele não pode estar ressentido.

As portas deslizam, e Jenna Mason faz sua entrada triunfante, caminhando em nossa direção de modo real — lembrando-nos de que, se Blaize é a princesa, então ela é a rainha.

— Oi, Jen — digo toda amiguinha, sabendo perfeitamente bem que ela detesta ser chamada de Jen. — Você está novamente no Estúdio Quatro. Alguns dos bailarinos já estão lá.

Ela nem se dá ao trabalho de parar.

— Reze para que o ar-condicionado não pife novamente — ela diz.

— Hoje pretendo fazê-los *suar*.

Lembro o recente quase-tumulto na recepção. Todos aqueles bailarinos arrastados até aqui ao nascer do sol só para a satisfação do enorme ego de Jenna.

— Não se preocupe, tá consertado — digo, e assim que as portas do elevador fecham, acrescento: — sua vaca mimada. — Daniel, se você alguma vez me pegar puxando o saco dela, faz um favor e me mata.

— Com prazer... Falando de sacos e de puxar, como vão as coisas com o supercaralho? — ele pergunta.

— Oh, sabe como é, tudo bem — digo, sonhando acordada com a noite passada. E eu que pensava que orgasmos múltiplos eram uma invenção dos jornalistas das revistas femininas.

— Então, me conte tudo sobre ele. Qual é o trabalho dele?

Droga. Queria que ele não tivesse perguntado isso. Ainda não sei muito bem como é que o Karl ganha a vida. Já estive cinco vezes no apartamento dele desde o dia D (Dia do Banheiro dos Deficientes) e ainda não *falamos* quase nada. Já fizemos muito barulho no apartamento, mas a maior parte não foi o que se pode chamar de conversa. Meu Deus, ainda nem sei o sobrenome dele.

— Ele... Ele...

— Você não faz ideia, não é?

Balanço a cabeça em negativa.

— Você está ficando igualzinho a mim. Uma vez estava saindo com um cara há mais de um mês e, depois de terminarmos, percebi que a única coisa que sabia sobre ele era o número do telefone. Não conseguiria descrever o rosto dele, mas posso desenhar um mapa das veias do pau dele.

— Obrigada, Daniel. Acho que tudo teria ficado igualmente claro se tivesse parado na parte do número de telefone.

O elevador abre, e Rebecca sai.

— Steve pede para aumentar o som das TVs — ela diz. — Parece que não consegue ouvir nada lá em cima.

— Então lhe diga para parar de gritar — responde Daniel, pegando o controle remoto e aumentando o som do especial de Kylie no VH1 ao nível de decibéis de uma discoteca.

DezAjustada

As portas se abrem e um entregador entra.

— Estamos aqui para instalar estes postes — ele diz, aproximando-se do balcão.

— Desculpe, que postes? — No exato momento em que pergunto, a recepção se enche com mais entregadores. Cada um carregando uma coisa com três metros e a forma de um poste, coberta com aquele plástico-bolha que a gente adora passar o dia estourando. O chefe deles olha para a prancheta e lê: — Canos de cromo de três metros para erguer e fixar antes de sair daqui. Diz aqui Estúdio Dois, — ele grita, tentando se fazer ouvir mais alto do que "I Should Be So Lucky", da Kylie.

Não posso acreditar. Aulas de dança do poste. Só pode. Jamie não disse nada a respeito, mas começo a perceber que, sendo a pessoa, como posso dizer, *responsável* por isto aqui, sou a última a saber das coisas. A dança do poste é o último grito da moda. A melhor coisa desde a última novidade. Pelo menos até que apareça a próxima, daqui a... ãh, um par de semanas. Meu Deus, estou ficando cínica, mas já vi mais manias de exercício chegarem e irem embora do que essas imprestáveis boy-bands. Pessoalmente, não consigo perceber o objetivo de enroscar as pernas ao redor de um poste de metal gelado e escorregar para cima e para baixo, como uma contorcionista de circo, usando apenas umas botas na altura das coxas e uma tanga minúscula... *Ora!* O que estou dizendo? É claro que sei qual é o objetivo — há homens por aí que não se importam nada em abandonar a prestação da hipoteca do mês para ficar babando em frente ao poste de metal, desde que este venha com uma mulher seminua, exibindo as suas trompas de Falópio.

— É melhor levar isso lá pra cima — digo. — No primeiro andar.

O homem enfia a prancheta na minha frente.

— Pode assinar no fim da página?

Enquanto garatujo o meu nome, eu me sinto como se estivesse assinando a sentença de morte de Sasha. Mas, por que estou me preocupando se ela mesma não parece ligar a mínima? Só deu duas aulas desde que fomos almoçar juntas, e só três pessoas em cada aula. Tenho enchido o saco dela para fazer alguma coisa com dança, mas ela não está interessada. É só Ben, Ben, Ben. Qualquer ambição que ela pudesse ter, passou a ser concentrada nele. Agora Kylie está cantando "Não consigo tirar você da minha cabeça". É mais ou menos isso. Bem, pelo menos ela está feliz.

Talvez devesse me mostrar entusiasmada com o seu trabalho na loja Zone Clone. Ok, é só uma loja de roupas, mas pelo menos é no Zone. Sim, talvez faça isso, e a ajude a acabar com as suas aulas. Afinal de contas, quem vai querer fazer uma aula velha e chata de aeróbica agora que há postes pra escorregar?

— Olha quem está aqui — diz Daniel, chamando-me pra realidade.

Olho pra cima e imediatamente pra baixo, checando se não há manchas de suco no meu top, se a minha calcinha não está aparecendo através da roupa, e se faltam unhas postiças nas minhas mãos. Depois respiro fundo e tento parecer o mais descontraída, não-estou-nem-aí de sempre.

— Oi, Karl — digo. — Isto é uma surpresa.

É muito difícil manter o ar descontraído, porque, lá dentro, meu coração está dançando "The Locomotion" junto com Kylie. *Sabia que ele não ia conseguir ficar longe, eu sabia!*

— E aí, Charlie — ele diz, mas, quando está quase saltando por cima do balcão, pegando-me apaixonadamente nos seus braços e me dando um belo de um beijo na boca (porque tenho a *certeza* de que é isso que ele quer fazer), é distraído pela confusão atrás dele. Blaize chegou.

Já viu que coisa? Malditas estrelas pop. Sempre aparecendo quando são indesejadas.

Vem cercada da sua comitiva. Lá está Julie, com os óculos à Anastacia, um cara do tamanho de um armário, que só pode ser um guarda-costas (ou talvez seja mesmo um armário) e um par de criaturinhas apressadas que, suponho, devem correr de um lado para o outro por ela. Mal consigo distinguir Blaize no meio dessa gente. É ainda mais bonita ao vivo. Mais baixa, mas decididamente mais doce.

Eu me sinto dividida. Parte de mim quer ficar olhando boquiaberta, mas outra parte — a ultraprofissional — está me dizendo para lidar calma e eficientemente com todos os caprichos de estrela pop, e ainda outra parte de mim quer agarrar Karl e arrastá-lo ao próximo banheiro para deficientes pra... Você sabe pra quê. É melhor ficar agora com a parte ultraprofissional. Karl vai esperar. Espero.

Contorno o balcão e fico de pé no meio da recepção enquanto ela se aproxima.

DezAjustada

— Olá, seja bem-vinda ao The Zone — digo, estendendo a mão a ela. — Sou a Charlie, a gerente-geral. Vou levá-la ao...

Paro porque ela está me ignorando. Minha mão fica abanando. Eu sou o quê? Invisível? Olho pro espelho atrás de mim pra verificar se, de repente, consegui dominar a arte de desaparecer como um passe de mágica. A expressão tonta e boquiaberta que me encara me diz que não. Blaize passa por mim, arrastando a comitiva atrás dela, até chegar perto de Karl. O que está acontecendo? Sei que ele é completamente irresistível, mas não fitei apaixonadamente seus olhos da primeira vez em que o vi. E o que é que ela está fazendo? *Merda*. Ela está *dando um beijo* nele. Peraí. Ela deve *conhecê-lo*. Ele nunca falou que conhecia estrelas pop.

Mas sobre o que é que ele falou realmente? Pergunto a mim mesma.

Depois do beijo, ela finalmente olha pra mim. — Tudo bem, o Karl pode me levar até lá. — Enfia o braço no dele e diz: — Você sabe onde é, certo?

— Sim, estamos no Estúdio Quatro, né? — Ele me olha esperando uma confirmação, e faço um barulho *unnnggh que* supostamente quer dizer *sim*. Lá se foi o ar descontraído e profissional. Estou ali de pé com o meu queixo caído, como uma perfeita imbecil. Mas — desculpe — *o que diabos está acontecendo?*

Eles vão em direção ao elevador e só posso ficar olhando.

Pouco antes da porta do elevador fechar, Karl pisca o olho para mim.

Filhodaputa.

Isso foi há quinze minutos.

— Onde raios está a Rebecca? — grito, irritada.

Sendo uma perfeita profissional, mandei-a pro Estúdio Quatro pra ver se querem bebidas... Ok, eu a mandei para espionar.

— Não sei por que você se deu ao trabalho — diz Daniel. — Estou dizendo, ele é um dos bailarinos dela. *Tem* de ser.

É quase certo que ele tem razão, mas, ainda assim, quero uma confirmação. E, é claro, quero saber se ele faz outras coisas além de dançar com ela.

O elevador abre e Rebecca sai apressada.

— Então? — pergunto.

— Eles se conhecem mesmo — ela responde.

— Isso está mesmo na cara. O que ele tá *fazendo* lá em cima?

— Tá de pé ao lado dela e fazendo assim. — Ela balança as ancas movimentando-se pra trás e pra frente. — E, quando Jenna diz "*cinco, seis, sete, oito*", ele é o primeiro a...

— Eu falei — diz Daniel.

Mas saber disso não me faz sentir muito melhor, e eu me jogo sobre o balcão. Sinto o braço de Daniel passar por cima do meu ombro. — Escuta, não se preocupe — ele diz. — Toda essa agarração não quer dizer nada. É o que todas as estrelas pop e os bailarinos fazem. Seja como for, ela não é nada que se compare a você em beleza.

— Mentira. Ela é linda de morrer. E teve *dois* sucessos número um nas paradas.

— Certo, tenho um plano — ele anuncia, decidido. — Pegue uma caneta e um papel, Becks. Vai precisar tomar notas.

Rebecca pega um bloco de notas do Zone e fica à espera.

— Ok, são 14h30. Se corrermos, podemos conseguir fazer isso...

Rebecca fica com ar entusiasmado. E tenho que admitir que estou um pouco intrigada.

— Primeiro, Charlie, você tem que fazer uma fita demo. Há um toca-fitas no escritório. Podemos usá-lo...

Oh, é um dos planos estúpidos dele.

— ... depois a Becks pode levar a fita pra gravadora do Simon Cowell. Fecha o negócio à tarde, pode gravar um single amanhã, *Top of the Pops* na sexta-feira, número um no domingo. Blaize nem vai saber o que aconteceu.

— Isso é *brilhante* — Rebecca aplaude. — Qual vai ser a música que vai escolher, Charlie?

Não consegui ver Karl novamente. Saiu quando estava ocupada com o pessoal do Channel Four. Tive de levá-los em uma visita pelo edifício e dizer aos xeretas que eles estavam tirando medidas para instalar um novo ar-condicionado — o *reality show* da TV ainda é um grande segredo, meu e de Jamie. Enviei um torpedo a Karl:

PINTUDÃO GIGANTESCO

Muito esperto, pensei, um pouco atrevido, sem uma ponta de desespero. Ele não respondeu. Mas não estou mesmo chateada. *A sério*. Se ele telefonar, tudo bem; caso contrário, não passo mal. Não é como se ele fosse o Homem Perfeito pra mim. Bom, na verdade até pode ser. Mas ainda nem sei o sobrenome dele, né?

Está garoando quando saio da estação de metrô de Wood Green indo pra casa. Espero que esta chuva não arrepie meus cabelos.

Falando do Homem Certo, nunca mais se falou do Dr. Dino desde que seus pais nos visitaram. O almoço planejado para domingo nunca chegou a acontecer. Nem se falou sobre o assunto. Talvez papai tenha tido outra ideia, talvez os Georgious não suportaram olhar pra minha cara. Seja como for, no que me diz respeito, tudo bem.

São 19h25. Hoje cheguei cedo. Tempo de sobra para tomar uma ducha antes do programa *Quem quer ser um milionário*. É tão triste. Uma noite de sábado e vou passá-la vendo TV. Devo estar ficando como minha mãe. Ora, isso não é assim tão ruim. Terei que me preocupar é quando começar a ficar como papai.

Abro a porta da frente e vejo meu pai gritando ao telefone. Está discutindo de novo. Levanta uma mão que quer dizer *pare aí mesmo*, e não posso me mexer. Ele quer público para esta briga.

— O quí quirer dizer, falar ingrís? Mim estar falando ingrís! Mim dizer você quí quirer incomendar *intriga*. O quí haver de errado? Isto ser século XX, até mulheres intrigam bebês em casa, e você nón poder nem...

A sua grande frase sobre partos em casa é interrompida e ele se curva para ouvir. Aparentemente, debruçar-se ajuda a ouvir melhor, e agora ele está quase dobrado ao meio. Olha pra mim e aponta pro fone como se estivesse falando com um idiota, e nós dois estivéssemos envolvidos na conversa. *Me deixa fora disso, papai*, estou pensando enquanto tento encontrar uma maneira de fugir. *Se quiser brigar com o restaurante grego do bairro, isso é problema seu. Só quero ver um pouco de TV antes de ir me deitar*.

— Você escutar mim... Nón, *escutar* mim... Falar *ingrís*. Mim nón entender uma palavra quí você estar a falar. Só quirer quí você trazer Chow Men no minha casa. Isso ser pedir demais?

Então hoje é a vez dos chineses. Não estou nem aí. Quando já estou farta de ouvir, eu me espremo para passar por ele e vou pra sala, onde mamãe está agarrada a uma lata de Pringles.

— Você quer ir dizer ao seu pai que tenho uns vinte panfletos de restaurantes de comida chinesa, indiana, pizza, grega e até o raio de comida libanesa, que *entregam em domicílio*, na gaveta do fundo da cozinha? Ele tá me deixando com uma maldita dor de cabeça.

Não preciso fazer isso (não que tivesse a intenção) porque papai bateu com o telefone no gancho e entra, irritado, na sala.

— Estopida gente moldita. As pissoas vóm pensar quí eles nón quirer dinheiro. Molditos estrangeiros. Eles nóm saver nada.

— Ah, fala o lorde inglês — responde mamãe, sem tirar os olhos da TV.

— É claro quí mim ser inglís. Se mim ser estrangeiro, ser filhodeputa preguiçoso e estopido como todos.

— Eu avisei que o Palácio de Jade não entrega — suspira mamãe. — Conheço você. Está simplesmente com vontade de brigar.

Papai se senta ao lado dela e passa o braço por cima dos seus ombros. — Quim dizer pra você quí mim estar com vontade de brigar? — Ele dá um beijo molhado na bochecha dela. Ela o empurra, fingindo estar tentando ver a TV, mas percebo que ela está adorando. *Arrrgghh*. Será que eles têm mesmo que fazer isso?

Saio e subo as escadas. Não era para uma garota como eu estar com o namorado no sábado à noite? Karl não deu notícias. Mas e daí, será que Karl é o meu namorado? Meu pau amigo? O que ele é? Não faço ideia. Decididamente, *mesmo*, não chamaria isso de amor, mas sei que estou pensando nele o tempo todo. Que não se passa um minuto sequer sem que eu me lembre do seu rosto e sonhe com a última vez em que o vi.

No meu quarto, pego o celular na bolsa e tento obrigá-lo a mostrar um aviso de uma mensagem de Karl.

Mas isso não tem nada a ver com amor.

Entendeu bem?

Nada.

O pedaço no qual os gregos oferecem presentes

Hummm, domingo de manhã.
Adoro acordar no domingo.
Posso olhar pro despertador e nem ligar pra que horas são.
Esticar meu braço e tocar...
Aarrggh!
Como é que esse homem enorme e nu veio parar na minha cama?
E por que esta não parece em nada com a minha cama?
Puta merda, começo a lembrar das coisas.
A noite passada. Sentada na sala com minha mãe e meu pai. Assistindo a *Pop Idol* e ouvindo meu pai contradizer tudo o que o apresentador dizia. Parecia que tinha sido o meu *pai* quem havia criado uma série de *sucessos musicais famosa* desde os meados dos anos oitenta, enquanto Pete Waterman* esteve esse tempo todo fazendo sanduíches.
O que estava fazendo ali? Uma jovem, livre e desimpedida, solteira (mais ou menos, se levarmos Karl em consideração), enfiada dentro de casa com os pais num SÁBADO À NOITE? Até Emily tinha escapado. Ok, ela não estava muito longe, estava no shopping center tentando descobrir se tinha dinheiro suficiente pra ir ao cinema *e* comprar pipoca, mas estava em melhor situação do que eu. Qualquer coisa no mundo é melhor do que ouvir meu pai dizer:
— Do quí ele estar a falar? Ela cantar muito linda. Ter voz de unjo. *Eu acho que posso voooooaaaar* — depois de uma exibição que teria sido vaiada até em uma noite de karaokê na escola de surdos-mudos.
Foi então que meu celular tocou. Atendi imediatamente, sem ligar pra quem poderia ser. Mesmo que fosse a Lydia perguntando se eu gostaria de ir ajudá-la a fazer exercícios de correção pro estrabismo, aceitaria o convite. Levantei e atendi no hall.

---
* Famoso compositor popular britânico. (N.T.)

— Quem era? — minha mãe perguntou, assim que voltei pra sala minutos depois.

— Sasha — respondi. — Preciso ir até a casa dela.

— Não me diga que você tem que ajudá-la com a fisio-qualquer-coisa na noite de sábado?

— Não... Ela está...hum... atolada.

— O que você quer dizer com isso?

— No jardim da casa dela. Saiu para tomar um pouco de ar na cadeira de rodas e ficou atolada... Na lama. Não espere por mim acordada. Ela diz que está muito atolada na lama.

Dez minutos depois, eu estava vestida como uma mulher fatal. Um top minúsculo, microminissaia e botas com saltos suficientemente finos para furar seu olho se você for suficientemente tolo para estar deitado no chão comigo por perto.

— Tem certeza de que esta roupa é adequada para andar na lama? — Ignorei a pergunta feita por minha mãe enquanto saía voando pela porta.

É óbvio que não era Sasha no telefone. Era Karl. Depois de ter ficado no amasso com uma estrela da música pop bem na minha cara, devia tê-lo mandado ir se foder. Mas lá estava eu, correndo pra pegar o metrô pra South Kensington, onde, com um pouco de sorte, Karl não teria que foder a *si próprio*.

Então ele é o cara enorme e nu, deitado a meio metro de mim. *Obviamente*. Mas por que estou ainda aqui em South Kensington, às — verificando o relógio do criado-mudo — 10h27 da manhã? Isso não era pra acontecer. Devo ter adormecido quando finalmente acabamos a coisa.

Quando finalmente acabamos a coisa. Que horas eram? Quem quer saber, porque foi *incrível*. Como se nós tivéssemos inventado o sexo, e não soubéssemos para que servia, e só conseguíamos trepar, trepar e trepar, caso nunca mais tivéssemos a oportunidade de trepar de novo.

Olho pro Karl dormindo ao meu lado. Exausto? Duvido. O homem tem uma tremenda *resistência*. Saio da cama e vou para o banheiro. Meu Deus, nem sei onde fica. Ando pelo corredor e tento abrir a primeira porta. Trancada. Ooh, muito misterioso. Tento abrir outra e sou atacada por uma pilha de toalhas fofas que caem de uma prateleira. Então este é o armário das roupas de banho. A próxima porta é a do banheiro. Vou pra pia e abro a torneira. Mas não quero me lavar. Como uma fã que acabou de apertar a mão de uma celebridade e resolve que nunca mais vai se lavar. Só que ele fez muito mais do que simplesmente apertar minha mão. Estou sendo piegas. Tenho que me limpar. Jogo água no meu rosto e axilas. Tenho um gosto horrível na boca. Mas não tenho escova de dente. Procuro a de Karl... E é neste momento que eu vejo algo. Uma bolsinha de maquiagem Louis Vuitton em uma prateleira acima da pia. Agarro e espio o conteúdo. Está entupida de coisas — batom, delineador, rímel, base. Um estoque completo. A menos que Karl tenha um lado sexual desconhecido, isso só quer dizer uma coisa.

Como me sinto? Não deveria me importar, certo? Não trocamos juras de amor. Não estamos nem mesmo *namorando* oficialmente. Amor não tem nada a ver com o que estamos fazendo... Então, por que me sinto tão mal?

Tenho que sair daqui. Volto para o quarto. Karl ainda dorme, e pego minhas roupas espalhadas no chão. Eu me visto silenciosamente, pois não quero que ele acorde. Finalmente estou pronta — saia minúscula, top minúsculo e tanga minúscula, perfeitas pra vestir tão rapidamente quanto foram despidas. Pego as botas e a bolsa e saio na ponta dos pés em direção à porta... E o celular toca. Dentro da minha bolsa. Karl rola na cama, abre os olhos e me encara. Pego o celular e olho o visor. CASA. É *claro*. *Sempre* posso contar com a ajuda da minha família para interferir na minha vida pessoal. Dou um sorrisinho sem graça pra Karl e faço um gesto que indica que vou atender a ligação lá fora. Viro, corro para a sala e atendo.

— O que foi? — disparo.

— Onde diabos você está, sua *vagabunda*? — Emily pergunta.

— Estou na casa de Sasha. Onde poderia estar?

— Ah, sim, acredito em você. Milhões de outras pessoas, não.

— Escute, Sasha está mesmo doente. Você não faz ideia do quanto necessita de ajuda.

— Blá, blá, blá. Não interessa, é melhor vir logo pra casa. Vamos sair cedo pra ver *nouna*.

Merda. Tinha esquecido completamente. Almoço na casa da *nouna* — vovó, em grego. Nounas são um assunto sério se você é grego, uma responsabilidade parecida com a de Don Corleone, em O *Poderoso Chefão*. Você deve estar pensando nos motivos que me impedem, aos vinte e quatro anos, de mandar o almoço de domingo na casa dela *à merda*. Mas quer saber a verdade? Posso ter passado a vida toda tirando sarro deles, mas uma parte minha adora essa coisa grega. A confusão, a barulheira, as ideias ultrapassadas, o sotaque, tudo. O que quer que eu faça? É uma coisa genética. Metade dos meus genes são gregos, ora bolas.

E como alguém pode não gostar disso? São pessoas afetuosas e generosas, sempre há um monte de boa comida à disposição e, bem, um domingo à moda grega sempre me dá material suficiente pra boas gargalhadas com Daniel na manhã de segunda-feira. E poderia ser pior. Poderiam estar me arrastando a força para encontrar o Doutor Dino. Felizmente, nunca mais ouvi falarem sobre meu... hã... futuro marido. Tá na cara que meu pai já se viu ao meu lado a caminho do altar. Estou algemada ao punho dele, tenho uma mordaça na boca e ele percebeu que este não é o cenário ideal. Sabia que ele iria recuperar a razão.

Desligo na cara de Emily assim que Karl aparece na sala. Ainda está nu e, de onde estou sentada, seu equipamento acena para mim na altura dos meus olhos. É impressionante o suficiente para me fazer esquecer que encontrei uma bolsinha de maquiagem de origem duvidosa minutos atrás, e que, durante os vinte minutos de conversa mole que conseguimos manter entre outras atividades, *não* cheguei a descobrir qual o seu relacionamento com uma certa estrela pop. Aquela que chegou às paradas de sucesso com "*Amor grande*" e "*Vamos fazer assim*". Quando ainda era uma jovem inocente — ora, há algumas semanas atrás —, essas músicas não tinham grande significado, mas agora, quando me lembro das letras, só consigo pensar em Karl, nu, corpo brilhando com suor e me comendo com vontade.

Blaize e Karl.
Karl e Blaize.
Hummm.

— Como a conheceu? — Consegui perguntar, de modo bem casual, quando ele começou a me dar uns amassos na noite passada.

— Quem?

— Blaize.

— Nos conhecemos há anos. Dancei no primeiro vídeo dela — respondeu, com a cabeça bem longe da conversa.

— Vocês são... hã... íntimos? — perguntei, e me arrependi imediatamente.

— Muito — a resposta veio acompanhada de um sorriso dourado —, mas ela nunca deixou que fizesse isto com ela. — Dei um gritinho alto nessa hora, porque nunca tinha deixado que alguém fizesse *aquilo* também.

Olho pra ele e me sinto corar com a lembrança.

— Café-da-manhã? — ele pergunta.

— Não... Tenho que... Tenho que almoçar com... Com alguém.

Ele me olha fingindo estar arrasado e diz:

— Não me diga que tem outro homem na sua vida.

Pouco provável — embora minha *nouna* tenha um monte de pelos no rosto.

— Não, é uma coisa de família, sabe como é.

Karl desaba no sofá ao meu lado, me puxa de encontro a ele e me beija, e devo admitir que é muito, *muito*... Mas não, não agora. Já estou encrencada o bastante chegando em casa neste horário. Sem falar na bolsinha de maquiagem. Fiquei mais chateada do que quero admitir. E, pensando bem, ela parece familiar. Onde foi que vi uma dessas antes?

E por que estou fazendo isso comigo mesma? Ele não é meu namorado. Somos o que Daniel descreve como amigos de trepada. É óbvio que ele teve/tem outras mulheres. A pergunta é *quando*? Mês passado? Semana passada? Poucos minutos antes da minha chegada ontem à noite? O pensamento me deixa enjoada.

Interrompo o beijo, e digo:

— Preciso ir.

— Que pena!

— Eu ligo, Ok? — Pego a bolsa e vou pra porta.

— Não precisa — diz ele. — Vou estar no The Zone quase todos os dias da semana que vem — os ensaios com Blaize.

Claro, como pude esquecer?

Os ensaios com Blaize.

Estou sentada no banco traseiro da Mercedes de meu pai. Finalmente, após ter passado a vida toda desejando uma Mercedes, comprou uma há seis meses. Tem dez anos, está enferrujada, é barulhenta e o rádio não funciona. Mas a estrela da Mercedes está no capô, e é isso o que importa. Alguns meses atrás, estávamos indo para um casamento em Southgate, e o carro quebrou. Enquanto uma espessa fumaça escura saía do capô erguido e esperávamos pelo reboque, meu pai, usando seu melhor terno, observava o tráfego que passava, apoiado de modo jovial no carro, com um sorrisinho convencido no rosto que dizia *"Olhar para mim. Mim ter um Mercedes-Benz."*

Agora não há qualquer sorrisinho convencido no rosto dele. E ele não para de me olhar pelo retrovisor. Não está nada feliz.

Bem, passei a noite fora, não é? E quando entrei pela porta da frente, não estava vestida de acordo com a sua ideia de uma fisioterapeuta.

— Onde você estar? — gritou. — Nós estar mortos de priocupaçón. Seu mãe, ela quirer quí mim chamar polícia.

Como sempre, minha mãe não poderia estar mais relaxada, nem se tivesse mergulhado de cabeça no tanque onde são preparados os comprimidos de Valium. A ideia de que ela estava preocupada com o paradeiro da filha, quando há programas excelentes — ou uma tremenda porcaria — na televisão, é simplesmente ridícula. Minha mãe só chamaria a polícia se alguém tivesse roubado seu exemplar do Guia da TV.

Depois disso, meu pai não falou muita coisa. Mas é sempre assim. Ele sabe que já tive namorados e deve adivinhar que estou mentindo quando digo que estou com *uma amiga*. Sei que não gosta disso e prefere não conversar a respeito. Mas *vai* me dar um gelo por algum tempo, pra mostrar que não está satisfeito comigo.

E agora está dando as encaradas feias de costume. Emily está sentada a meu lado. Todas as vezes que olho pra ela, sua boca se mexe dizendo *você está encrencáááda*, o que faz com que a belisque forte na coxa; o que faz com que ela chute minha canela; o que faz com que diga *vá tomar no cu*; o que faz com que ela responda *vá você tomar no cu*; *sua gorducha*; o que faz com que dobre o mindinho dela para trás até; quase tocar o punho... E a coisa prossegue nesse ritmo. Por causa da diferença de nove anos entre nós, perdemos a fase das brigas no banco traseiro do carro. E estamos compensando.

O carro atravessa o bairro de Friern Barnet a caminho de Whetstone. Os monótonos subúrbios do norte de Londres, cheios de gregos que abandonaram o velho e feioso bairro de Wood Green. Como minha *nouna*. Quando o marido morreu, comprou uma casa com três dormitórios. E acha que isso é prova da existência de Deus. Foi Ele quem deu pra ela uma casa na hora da necessidade. Não se lembra de dar crédito ao seguro de vida. Agora estamos chegando perto da rua dela... e passamos direto.

— Pra onde vamos? — pergunto.

— Ver a *nouna* — meu pai responde.

— Você errou de rua.

Silêncio. Fico desconfiada.

— Papai?

Silêncio. Olho pra Emily. Ela tem um sorrisinho debochado no rosto.

— *Mamãe?*

— Sua *nouna* não está na casa dela, querida — minha mãe responde baixinho.

— Onde ela está? — pergunto, pensando em um hospital. Não suporto hospitais. Não porque são lugares cheios de gente doente, não sou assim tão fria e insensível... Ok, eu confesso, é porque são lugares cheios de gente doente.

— Ela estar no casa de George e Maroulla — meu pai dispara. — Ir incontrar com ela lá. Qual ser o pobrema?

Agora Emily está gargalhando descaradamente e eu percebo que fui majestosamente enganada.

— Fiquem sabendo que não vou me casar com ele — grito. — Nem vou falar com ele.

— Quer se acalmar? — diz minha mãe. — Só vamos almoçar com eles. Ninguém falou em *casamento*.

— Por que todo esse segredo, então? — pergunto.

— Nón ser segredo — meu pai responde. — Mudança nas planos, ser só isso. Eles tilefonar noite passada quando você sair... vestida como uma *putana*.

Se meu pai acha que me chamar de prostituta vai calar a minha boca, bem, tem razão. Passar a noite fora foi um *grande* erro da minha parte, porque agora ele tem um argumento a seu favor. Se insistir na discussão, as coisas vão ficar muito complicadas. É melhor calar a boca e aguentar o que vem pela frente.

Estacionamos na frente de uma casa enorme em Totteridge, uma área cheia de gregos que saíram do velho e feioso bairro de Whetstone. A confecção de George deve estar indo muito bem. A garagem de seixos barulhentos tem espaço para seis ou sete carros. Já está lotada e temos que estacionar na rua. Tento adivinhar quem mais foi convidado enquanto meu pai abre o porta-malas e tira os pratos que minha mãe *preparou*. Uma torta de suspiro e uma torta de queijo com amoras. O único trabalho que ela teve foi retirá-las das caixas trazidas por meu pai da confeitaria. Emily e eu pegamos o resto dos presentes. Enquanto meu pai me dá várias caixas de bombons, sinto o cheiro dele. Papai tomou um banho com Old Spice. Quando cheguei em casa esta manhã, estava esvaziando o vidro no peito. Deveria ter adivinhado — as sobremesas, a montanha de presentes, o perfume — que este não ia ser um dia normal na casa da vovó.

Olho o meu relógio: Uma e quinze. Estamos respeitosamente quarenta e cinco minutos adiantados. É uma estratégia grega. Quando é preciso chegar absolutamente no horário, sempre, *sempre* se chega atrasado. Quando é delicado chegar alguns minutos atrasados, chega-se um dia antes.

— Não posso ficar muito tempo aqui — digo. — Tenho que ir para o escritório ajudar na atualização dos computadores. — É uma mentira, mas preciso de uma desculpa pra quando meu pai iniciar sua quinquagésima partida de gamão e já estiver dando a impressão de que vamos nos mudar para a casa dos Georgious.

— Moldito *travalho*. É só sobre isso quí você falar — meu pai grita. — Por quí nón ser como outras garotas e ter interesse em coisas normais?

Dez Ajustada

Será que existem pais que *encorajam* suas filhas na escalada profissional? Os meus vivem me puxando para baixo pelos calcanhares, com firmeza, e eu mal consegui subir alguns degraus.

Minha mãe coloca a mão em meu braço e diz:

— Pegue leve, Charlotte. Ultimamente, Marouila tem passado por maus momentos. O pai dela sofreu um derrame meses atrás.

— Foi? — pergunto, sentindo-me mal a respeito. — Quantos anos ele tem?

— Noventa e sete — acho.

— Ah, me poupe. Vamos ver se entendi direito. Um homem com *noventa e sete anos* tem um derrame e isso é um grande choque?

— *Charlotte* — minha mãe murmura.

Atravessamos os portões e seguimos pela entrada, carregados como mulas. Emily está atrás de mim. Cantarolando "a marcha nupcial". Paro e piso no pé dela bem, mas *bem* forte. E cochicho:

— Não se esqueça de uma coisinha, *Gorry*, ainda sou maior que você e posso arrebentar seus miolos.

Ela mostra a língua. Tão madura!

Meu pai toca a campainha e quase morro quando a porta abre.

— Olá, sogrinho e sogrinha, vocês chegaram. — É Soulla, a baleia da minha cunhada grávida. Georgina, com quatro anos, está escondida atrás da saia da mãe, fazendo uma careta pra gente. Essa menina é tão mimada que acredita piamente que a Disneylândia em Paris é dela e que as outras crianças só entram lá porque ela tem um bom coração. Tony, meu irmão, está atrás delas, todo sebento. Parece que está atravessando todos os estágios da gravidez junto com a esposa — bem, pelo menos está empatado no quesito peso. Pobre Tony. Não há dúvida de que herdou o formato e o tamanho de meu pai. Quando ficam lado a lado, parecem mais gêmeos do que pai e filho. Não acredito no quanto Tony envelheceu desde que Georgina nasceu. E, pensando melhor, não acredito que também tenham sido convidados.

Minha família me cerca, feliz em me ver. Como sempre. Sou a ovelha negra. Parece que aonde quer que vá, faça o que fizer, sou *sempre* a ovelha negra. Metade de uma coisa, metade de outra e um todo de nada. Em casa, espera-se que represente o papel da zelosa filha grega, mas, como meu pai pode confirmar, sou uma porcaria nisso. No trabalho, espera-se que seja ultraprofissional e esteja no controle de tudo, mas sempre parece que estou tentando arrumar a última crise. Trabalhar no The Zone costumava ser divertido: matar tempo com Daniel e as meninas, tirar sarro, ficar de papo pro ar. Mas agora que sou a chefe, eu me sinto como se tudo tivesse mudado. E desde que ouvi Lydia dizendo que todos iriam acabar me odiando, minha paranoia só tem aumentado. Agora vivo observando todo mundo, reparando se param de conversar quando entro na sala, porque, se fizerem isso, é claro que estavam falando de *mim*.

— Entrem, entrem — diz Tony, como se fosse o dono da casa.

— Desculpar atraso. Trânsito estar midonho — meu pai murmura enquanto entramos no hall e somos recebidos por George e Maroulla, que voam em nossa direção. São seguidos rapidamente por outras pessoas, a maioria mulheres idosas que, ou estão vestidas de preto dos pés à cabeça (as viúvas), ou usam vestidos estampados em cores berrantes (*Meu marido ainda está vivo, lá, lá, lá, láááá*). Uma Maroulla extasiada começa a fazer as apresentações.

— Estas ser minhas irmóns, Yirgoulla e Yianoulla... E estas ser os filhas de Yianoulla, Sodiroulla e Vasoulla. — O estoque de "oulla" parece ser inesgotável.

Estou sufocando debaixo de ondas de abraços e beijos que parecem vir de todas as direções. Quando finalmente as apresentações terminam, os corpos se movem e abre-se um espaço ao nosso redor. É a Hora da Oferta dos Presentes. A oferta de presentes é parte crucial do ritual seguido pelos gregos que visitam gregos. Só falta um rufar de tambores. A oferta deve ser feita de modo a parecer casual ("Ah, não, não é nada especial... *mesmo*") e ao mesmo tempo se deve usar um pouco de exibicionismo ("Embora, *é claro* que tive um certo trabalho"). É um complicado arranjo de linguagem corporal e são necessários anos de prática para obter o efeito correto.

Minha mãe é a primeira, entregando as sobremesas a Maroulla com a elegância de uma grega nativa. Emily é a seguinte, com os vasos de crisântemos, mais dois buquês de flores silvestres (comprados no posto de gasolina, só pra garantir, caso *três* vasos de flores não fossem suficientes). Depois meu pai, com quatro garrafas de vinho, várias cervejas em lata e dois barris de três litros de Diet Coke. Finalmente é a

Dez Ajustada

minha vez e entrego os bombons de marcas variadas: Milk Tray, Ferrero Rocher, Black Magic, Quality Street e Terry's All Gold.

Ninguém pode acusar os Charalambouses de entrarem em uma casa de mãos vazias. Se fôssemos convidados para uma bebedeira em uma cervejaria, mesmo assim levaríamos cerveja suficiente para continuar a farra na rua.

— Obrigada, obrigada, vocês não dever fazer isso — Maroulla diz, obviamente impressionada. Ela admira a torta de suspiro. — Ser linda, Maevou. (Dando ao nome Maeve a pronúncia grega original.) — Você ter quí contar como fazer seu mering*ou*... (E lá vamos nós com a pronúncia grega original novamente.) — ... tão branco. Meu suspiro ficar sempre prito.

Minha mãe responde ao elogio com uma atuação digna do Oscar:
— Não é difícil. — Gwyneth Paltrow devia estudar com ela.

Vamos pra sala de estar, que é enorme. E ainda bem, porque está entupida de gente. Isso significa nova rodada de apresentações. Somos levados até o que parece ser o casal mais idoso da sala, que, de algum modo, estava sentado bem fundo no sofá mais fofo. Seus olhos estão semicerrados e as mãos cruzadas no colo. Será que estão vivos? Sério, acho que alguém deveria checar.

— Estes ser meu pai e món — Maroulla anuncia, orgulhosa —, Yanis e Eleni. — Minha mãe me empurra na direção deles e eu me inclino para lhes dar um beijo. Os dois cheiram a formol e ela tem pelos duros no queixo. Parece que estou beijando uma tarântula embalsamada. Não consigo tirar os olhos dela enquanto Maroulla agarra mais pessoas para nos apresentar.

Que loucura! Nos últimos cinco minutos fui apresentada a todos os membros da família Georgiou, mais os agregados e — quem sabe? — provavelmente alguns desconhecidos, mas ainda não fui apresentada Ao Escolhido.

Não, sua tonta, não o Keanu (bem que eu queria).
Doutor Dino.

Começo a imaginar que a mulher semimorta no sofá é o Oráculo e penso se ela poderia fazer uma previsão rápida, quando vejo um rapaz entrar pelas portas-balcão que dão para o jardim. Não pode ser ele.

De jeito algum. Como posso saber disso? Bem, para começar, ele tem 1,80m de altura, e é bonito o bastante pra ser comparado a Keanu. O corpo dele não deve conter um único gene das barricas que são George e Maroulla. Portanto, a menos que tenha sido roubado de um carrinho de bebê no supermercado, este homem *não* é Dino Georgiou.

Portanto, você deve imaginar como fiquei abalada quando Maroulla agarrou o braço dele e o arrastou na nossa direção.

— Dino, onde você estar iscondido? Vir conhecer Theglitsa.

Sim, ela definitivamente disse Dino.

Não sou a única em estado de choque. Olho para Emily, que está em uma espécie de transe — do tipo que ataca garotas de dez anos de idade nos concertos de Gareth Gates. *Patético.* Não me importa o quão maravilhoso ele seja. Você nunca vai me pegar babando por um cara. E antes que você pergunte "*E o Karl?*", bom, isso é diferente. Não tem nada a ver. Nadinha.

Dino parece estar tão envergonhado com a situação quanto eu. Ficamos olhando um para o outro como dois idiotas enquanto Maroulla, George e meu pai cintilam de orgulho como se já estivéssemos casados e anunciando que estou grávida de trigêmeos. Ele sorri sem graça e estende a mão, apertando a minha com firmeza.

— Olá! — ele diz. — Finalmente eles nos colocaram na mesma sala.

— Parece que colocaram todos os familiares e conhecidos na mesma sala — digo, metida à esperta como sempre. Minhas palavras ficam suspensas no ar como flechas atiradas na direção dos pais dele, e eu me sinto uma tremenda vaca. Tento sorrir, mas não consigo. Meus músculos faciais, bem como o coração de Emily (se levar em conta a expressão no rosto dela), estão paralisados.

— Ora, você sabe como é. Você é grega, não é? — ele retruca na defensiva.

— Só metade.

— Sim, mas a ciência já provou que a metade grega é sempre a dominante.

Ele pisca para mim e, antes que eu possa dar uma resposta digna de ser registrada nos anais das respostas espertas (porque tenho uma na ponta da língua), ele é atacado. É cercado por uma das oullas que conheci antes.

— Ah, Dino — ela diz, séria —, quirer mostrar algo quí estar a priocupar mim. — Ela se inclina, ergue a saia farta e mostra um tornozelo inchado. — Ser meu perna. Meu médico dizer quí ser uma inflação, mas ele ser istrangeiro. Nón se poder confiar nos istrangeiros. Mim achar quí ser um *prublema*.

Mais uma coisa grega. Todos eles têm *pru-blemas* de saúde, quase sempre em estágio terminal e, se encontram um médico, caem matando em cima dele. Vá a um casamento grego, e é claro que todos estão em volta do noivo e da noiva... mas, se há um médico entre os convidados, a fila que se forma na mesa *dele* vai dar a volta no quarteirão. Dino se inclina e cutuca um tornozelo inchado que parece reter água suficiente para encher uma piscina infantil, e fico grata pela chance de escapar.

Viro e dou um pulo, sobressaltada quando uma mão agarra meu braço. É George.

— Vir comigo. quirer mostrar uma coisa — diz, animado. E, enquanto me leva para fora da sala, escadaria acima, começo a entrar em pânico. Mesmo, em pânico. Qual é a dele em me levar para o andar de cima sozinha? Ó meu Deus, ó meu Deus...

... Acho que vou vomitar.

Nada pode ser mais horrível que isso.

— O quí achar? — George pergunta, entusiasmado.

— É... bastante... *colorido* — respondo, olhando meu reflexo no espelho de corpo inteiro no quarto deles. Pra dizer a verdade, mal posso ver a mim mesma além da cabeça. Meu corpo está escondido atrás do enorme vestido de lantejoulas que seguro à minha frente. É em tons de rosa, roxo e amarelo-ouro, e acaba de sair da confecção de George. E agora, bom, é o *meu* vestido.

— Eu saber quí você ir gostar — ele diz, com voz triunfante. — Quando ver ele pendurado no arara da cunfecçón pensar na hora, *este ser a cara de Theglottsa...*

Pode ser a cara da Theglottsa, meu caro, mas não é nada parecido com Charlie.

— ... Quando você estar em moda há tanto tempo quanto mim, acabar tendo olho clínico. Ser como sexo sentido. Ir lá, isprementar!

— Oh, obrigada, mas acho que vou guardá-lo para outra ocasião... Para um dia muito, hum, especial.

— *Ah*, ser muito sinsato do seu parte. Nón mostrar para os outras ou todas vón quirer um igual!

Ele puxa o vestido rapidamente, e eu dou um salto por causa da descarga elétrica que sinto nas minhas mãos. Só Deus sabe de que material ele foi feito, mas está tão carregado de eletricidade estática que minhas extensões espetaram.

— Vir, nós ir jantar — diz George, pegando novamente no meu braço e me puxando para a porta do quarto. — Então, você gostar de Dino?

— Ele é... hum... muito...

— Mim saber quí vocês ir se dar bem. Quando ser pai há tanto timpo como mim, se saber estas coisas. Ser como sexo sentido.

Sexo sentido? Humm, quase tem razão.

Descemos e encontramos um grupo de convidados jovens e fortes tentando erguer os dois defuntos — perdão, os pais de Maroulla — do sofá. No hall, uma fila de mulheres sai da cozinha correndo, com travessas de comida. Até mesmo Emily, a adolescente delinquente do Planeta Bunda Mole, está ajudando. A comida — toneladas dela, até parece que vamos salvar os gregos da fome — está sendo levada para a enorme mesa de jantar no final da sala de estar. Ao lado dela, está uma mesa menor, com uma toalha com personagens de desenho animado. O que é estranho, porque não vi criança alguma, e elas são fundamentais nas reuniões gregas. Nesse exato momento, as portas-balcão se escancaram e uma dúzia de furacões gorduchos, com cabelos escuros, invade a sala. De quem são estas crianças? Quem liga? Do jeito que me sinto neste momento, só quero mesmo ir embora. Será que alguém perceberia se eu sumisse?

Antes de ter uma chance de testar a ideia, Maroulla agarra meu braço e aponta para uma cadeira na extremidade da mesa.

— Você sentar ali — ela informa. — Ao lado de Dino. Primeiro, vir ajudar no cozinha. Trazer galonha, peru e curdeiro. E a carne. Também

Dez Ajustada

ajudar mim a temperar a maionese de batata e ver se o *maccaronia* estar cozido. Ai, meu Deus, esperar ter feito bastante comida.

A conversa ao redor da mesa é em voz alta e animada. À minha esquerda, meu pai está se vangloriando das conexões com celebridades de meu irmão:
— Tony, vocês saber, ser um cuntador. — *Sim, todos nós estamos de saco cheio de saber disso.* — Ele cuidar do cuntabilidade do homem quí estar a vender o carro para o homem quí ser o motorista quí levar Terry Wogan* para a Bí Bí Cí todos os dias. Já imaginar? Terry *Wogan*. — Isso me faz ferver de raiva. Afinal de contas, grande coisa conhecer um cara que conhece um cara. Eu *conheci* quase todo mundo que está nas paradas de sucesso nos últimos três anos. Agendei massagens pra dois terços do grupo Sugarbabes e cuidei do cachorro medonho da Geri Halliwell enquanto ela ensaiava. Preparei chá pro desgraçado do Sir Elton John, amigo íntimo de Lady Di e de George Michael, Príncipe dos Gregos. E meu pai ligou? — Elton John? Moldito *filhodeputa* veado.

À minha direita, minha mãe e Maroulla falam de comida. Mamãe finge estar interessada na receita de charutos de folhas de uva de Maroulla e resolve entrar em território perigoso quando diz:
— Um dia desses, preciso preparar a minha carne chinesa apimentada pra você provar. — Perigoso, porque a receita dela de carne chinesa apimentada resume-se a:

1. Pegar o telefone.
2. Discar o número do Hong Kong Garden.
3. Pedir o número 24.

Pelo menos não sou obrigada a manter uma conversinha educada com Dino. Ele está do outro lado da mesa, a três metros de distância. Enquanto entrava na sala caminhando com dificuldade, carregando um peru praticamente do tamanho do território do Peru, Emily deslizava-se

---
* Conhecido jornalista britânico. (N.T.)

sorrateiramente para a cadeira destinada a mim. Agora estou olhando para ela, com os olhos vidrados em Dino, como se fosse a vencedora do concurso "Almoce com Robbie Williams". E quer saber? Poderia dar um beijo nela. Não, *cruz-credo*. Talvez apertar a sua mão.

Sabe lá Deus sobre o que conversam. Dino me apanha olhando pra eles e sorri. Não sei por que ele está fazendo isso. Aguentando numa boa a cilada dos pais (ou deveria dizer "cilouda"?). Essa tentativa maquiavélica de arrumar um casamento com uma perfeita desconhecida. Mas temos que tirar da equação o motivo dele ser feio demais. Então ficamos com apenas duas possibilidades:

a) Ele é completamente retardado, a ponto de ser anormal. O diploma de médico? Obviamente comprado por algumas centenas de libras em uma universidade falsa no Texas ou outro lugar.
b) Ele é gay e não assumiu.

Olho meu prato e fico deprimida. Costumo gostar desses almoços grandiosos e aceitá-los como parte importante de minha vida familiar. Posso sentir que não me enquadro no esquema, mas as pessoas são sempre receptivas e generosas. E meu pai é muito engraçado quando está inspirado. Coloque-o no meio de um grupo de gregos e ele vai ridicularizar a todos de maneira bem espirituosa. (E ele não sabe a quem eu puxei?). Sempre foi fácil porque tinha como escapar pra outra metade da minha vida. O The Zone é o lugar onde me divirto e ridicularizo todo mundo. Mas desde a promoção que não tenho dado muitas risadas por lá.

Sentindo-me deprimida, olho o prato e percebo que, na verdade, não consigo vê-lo. Está escondido debaixo de uma montanha de comida. Uma das oullas ignorou meus protestos e construiu uma versão do Monte Everest para mim. Como começar a comer sem provocar uma avalanche? Inclino-me e tiro, nervosa, uma azeitoninha preta do alto da montanha. Consigo e enfim relaxo — houve um leve tremor, mas nenhuma comida caiu no meu colo. Mordo metade da azeitona, e um silêncio repentino cai sobre a mesa. Todo mundo está me olhando.

— O quí estar errado? — Maroulla engasga, olhando horrorizada para o minúsculo fragmento de azeitona entre o meu indicador e o

Dez Ajustada

polegar. — Você nón gostar de meu comida?... Mim ir preparar outra coisa. Quer quí mim fritar peixe? Você ser vegetarionista? Você dizer e mim preparar comida para você.

— Não, está *ótima* — digo em pânico e agarro garfo e faca. É bom fazer algo a respeito, se não quiser ser acusada de ter um distúrbio alimentar. Encho as bochechas com comida até ficar parecida com um hamster e tento mastigar...

Vai ser um longo dia.

Não. Posso. Me. Mexer.

Método rápido de paralisia total: consumir dez mil calorias em menos de quinze minutos. Os gregos não saboreiam a comida. Comer é uma corrida, e na antiguidade deve ter sido uma prova olímpica.

Incapaz de fazer o que quer que seja, ouço sem prestar atenção ao que meu pai e George conversam sobre gravidez com Soulla. Um lindo exemplo de dois meninos da aldeia se transformando sem esforço em homens da Nova Era? Nada disso.

— Dessa vez ir ser um menino — diz meu pai. Não é uma esperança, é uma exigência.

— Estar tendo menino ser algo importante — George concorda. — Ser quem carregar nome. Se fazer direito, você ter menino primeiro. — Ele olha para Georgina, que está recoberta de comida na mesa das crianças. — Ela ser teste, certo? Agora você ter *menino*.

— Eu não me importo com isso, desde que seja saudável — Soulla responde, rangendo os dentes. Como ela costuma ser a própria imagem da bajuladora servil, é estranho vê-la irritada. Devem ser os hormônios, mais o fato de que parece estar escondendo o peru de quarenta quilos de Maroulla debaixo do vestido. Quem inventou a gravidez? Que ideia de bosta.

— Claro. *Saudável* — meu pai troveja. — Um menino saudável.

Sinto que alguém ocupa o assento vazio ao meu lado. Olho e vejo que é uma das oullas.

— Minha irmón gostar realmente de você — ela diz acenando, com a cabeça na direção de Maroulla, que está empilhando os pratos. — E Dino também gostar de você.

Jura? Mal falei com ele, o que essa mulher tem na cabeça?
— Você gostar dele? — ela cutuca.
Olho pra cadeira dele, que está vazia — e, a propósito, também a de Emily e respondo:
— Sim. Ele é mesmo... hã... alto.
Ela sorri como se a frase pudesse ser traduzida como "*Eu o amo apaixonadamente, nunca podia imaginar isso e morrerei se não puder dedicar a minha vida a ele*" e, puxa vida, como meu grego é ruim, quem sabe não disse isso?
— Você gostar de crianças? — ela pergunta.
— Hum... Não, não mesmo. Para dizer a verdade, não as suporto.
Agora, a frase foi obviamente traduzida como "*Sim, mal posso esperar para deitar e disparar bebês para todos os lados*", porque ela aperta meu braço afetuosamente e diz:
— Bom, bom, os crianças ser impordante. Quantos anos você ter?
Quase posso vê-la calculando mentalmente o estado de saúde de meus ovários. Depois disso, não me surpreenderei se ela colocar minhas pernas no estribo e fizer um exame ginecológico completo. Eu me sinto enjoada. Realmente enjoada. Preciso vomitar por vários motivos, não somente porque tenho comida suficiente em meu estômago para abastecer uma pequena mercearia.
— Você vai ter que me desculpar — digo. Obrigo minhas pernas a funcionarem e me levanto. Saio cambaleante da sala e subo as escadas. Chego ao topo e vejo a porta do banheiro, no fim do corredor, aberta. Caminho nessa direção, mas paro quando ouço vozes vindas de um quarto. E não são quaisquer vozes. É Emily, e alguém está com ela. Depois:
— Acho melhor nós descermos.
Nós? Quem é *nós*?
— OK, vá na frente. Vou só dar uma arrumada... E desço em um minuto — diz Dino.
Isso mesmo. *Dino.*
Que diabos...
Antes que eu possa me mexer, a porta abre e fico cara a cara com minha irmã. Ela parece ficar chocada em me ver, mas a garota é esperta — devo admitir isso —, porque se recupera rapidamente e diz:
— Espionando? Sua vaca patética!

— Que diabos você está aprontando? — pergunto, parecendo estar realmente chocada. Por dentro, penso *"Oba, era esta a munição de que precisava"*.

— Nada — diz ela. — Fiquei com um pouco de dor de cabeça. Subi para ter um pouco de paz e tranquilidade, mas você estragou tudo.

— *Mentirosa* — digo. Eu a conheço bem, sei que estava flertando com Dino e parece que a coisa deu certo. De alguma maneira, ela conseguiu dar um jeito de subir sozinha com ele. E não pensem que não notei a falta do batom Vermelho Paixão que ela passou nos seus lábios carnudos no carro. Não sou um detetive, mas acho que é um bom indício do que aconteceu aqui. Como ele se atreve? Pelo amor de Deus, ela é uma criança.

Atrás dela, vejo Dino sentado na cama, parecendo impressionantemente tranquilo para um pervertido.

— Como está a cabeça agora, Emily? — ele pergunta. — A massagem craniana costuma funcionar rapidamente.

Massagem craniana. E eu que achei que já dera todas as desculpas na face da Terra, mas esta é nova. Enquanto Emily dá um sorriso pateta pra ele, não sei o que sentir. Felicidade, porque ela me livrou da forca — bem, eu não vou deixar meu pai me amarrar com um quase pedófilo, vou? —, ou revolta, porque minha irmãzinha foi seduzida por, bem, um quase pedófilo.

Emily me empurra e passa por mim, e eu fico encarando Dino.

— Ela, hã, estava com dor de cabeça — ele diz sem jeito, levantando-se da cama.

— Sim, claro.

— Olhe, não culpe Emily pelo que aconteceu.

— O *que* aconteceu, então? — pergunto.

— Ela... Olhe, não cabe a mim contar. Você deveria falar com ela. Ela é sua irmã, você deveria...

Por que ainda estou parada aqui? Não quero ouvir mais nada. Viro e corro para o banheiro. É decididamente hora de vomitar.

— Entón, você gostar? — Meu pai pergunta quando liga o carro. Ele não espera pela minha resposta. — Pissoas adoráveis. E Dino, homem muito inteligente. Você gostar dele, Charlotta?

— Acho que ele vai ser um sucesso na nossa família — respondo, olhando para Emily. Agora que esvaziei o estômago, eu me sinto muito melhor. Nunca mais minha irmã vai poder me chantagear e, levando em conta o olhar de esguelha que recebo dela, ela sabe muito bem disso.

— Bom. Mim saber quí vocês se dar bem. Mim dizer pra você cunfiar em mim — diz meu pai. — Mim juntar vocês de novo em breve. Você mal ter chance de falar com ele hoje.

— Ah, mas eu descobri muito sobre ele — respondo. — A propósito, não vi *Nouna*. — Onde ela estava?

— O quí você está falar? Seu *nouna* não ser convidada.

Por que não estou surpresa? Agora que ele acredita que Dino e eu demos os primeiros passos em direção ao tapete de pétalas de rosa que leva ao altar, acha que já pode desmontar a mentira que me trouxe até aqui. Ele engata o carro e aciona os limpadores do parabrisa. Está chovendo a cântaros. Quando está prestes a sair, alguém bate à minha janela. É George, de pé, na chuva, com a camisa encharcada. Está segurando uma sacola grande, transbordando com um tecido cintilante em tons de rosa, lilás e amarelo-girassol.

— Você isquecer seu vestido — ele diz ofegante, inclinando-se na janela.

Ok, o vestido nunca vai ser um dos modelos que Halle Berry usa pra desfilar no tapete vermelho da noite do Oscar, mas o sorriso de George é tão doce que eu me sinto a *filhadaputa* mais ingrata e maldosa da face da Terra por ter escondido o modelito atrás do sofá.

O pedaço em que Daniel transa com o diretor e faço aquilo com quarenta e cinco mulheres do norte

— Deixa a bandeja ali, obrigada, e feche a porta quando sair — é o que digo a Rebecca, imitando a maneira como Jamie costuma falar comigo. Uma Rebecca trêmula atravessa a sala vagarosamente, carregando a bandeja com suco e docinhos, antes de pousá-la cuidadosamente na mesa. Quando termina, e nenhum desastre acontece, ela não consegue evitar e dá um sorriso triunfante na minha direção — *vivaaaaaa!* — ela conseguiu. E agora continua no mesmo lugar, pois esqueceu as instruções pra sair da sala. Lanço-lhe uma olhada fulminante e ela sai correndo.

Estamos na sala de reuniões do térreo. A que fica perto da Zone Clone. Jamie está ao meu lado, e ao redor da mesa estão meia dúzia de pessoas da HyperReality, a produtora encarregada do *reality show* para o Channel Four. Todos os olhos se movem dos croissants e docinhos e param em mim, como se eu fosse a Empresária do Ano. Nunca estive antes em uma reunião de alto nível, muito menos *presidi* uma. Mas, como disse Jamie no elevador, minutos atrás "Você é a gerente geral, Charlie. O show é todo seu". Então é isso o que se chama de Poder Feminino. Sou a Spice Girl Gerente.

Estou tão entusiasmada que mal posso falar...

Mas sou eu quem preside a reunião, portanto — *maldição* — preciso falar alguma coisa.

— Ok, Ok — digo de modo assertivo —, por que não... hã... começamos por... hã... Quem quer um croissant?

Sim, claro, a própria Anita Roddick* não teria feito melhor.

---

* Fundadora da Body Shop. (N.T.)

— Então, Charlie — diz Tetas Grandes (puxa, *preciso* começar a pensar nela como Claire Eastman, a produtora muito importante) —, conte-nos como é um dia típico no Zone.

Penso na manhã em que nos conhecemos — o tumulto, os ataques histéricos, Sasha "levando o fora" — e penso se aquele foi um dia típico... *Humm*, talvez.

— Não temos um dia típico — Jamie interfere, suavemente. — Mas, aconteça o que acontecer, você pode ter certeza de que Charlie vai piorar tudo.

Fico vermelha e todos caem na gargalhada.

A reunião já dura uma hora. Analisamos quase tudo: a localização das câmeras (em todos os locais, exceto no escritório de Jamie e no depósito de Daniel), formulários de autorização (que todos os que cruzarem a porta no dia de filmagem devem assinar), estrelas pop (teremos alguma?) e onde fica o meu camarim (para onde irei quando quiser relaxar entre as gravações das grandes tomadas do meu rosto. Bem, uma garota pode sonhar, não pode?).

As coisas começam a engrenar, e um dos rapazes — acho que seu nome é John... ou Jack — empurra a cadeira para trás e diz:

— Preciso fazer um último reconhecimento do lugar, pra ver quais são os melhores ângulos. Vamos, Marco.

Marco? Achei que era Michael. *Tenho* que prestar mais atenção no futuro.

Marco e John — ou Jack — saem, e Claire se inclina sobre a mesa em minha direção. Seus seios chegam vários segundos antes dela.

— Vai ser fantástico, Charlie, *sensacional*... Mas quero que você faça uma coisa.

— O quê?

— Fale com os funcionários. As pessoas costumam ficar travadas quando estão sendo filmadas ou então se comportam como se estivessem representando, como se fossem conseguir seu próprio programa de televisão. Precisam ignorar as câmeras, fazer de conta de que não estão lá — ela diz. — Posso contar com você para manter a situação o mais natural possível?

— Ah, sou a pessoa mais natural que você já encontrou — respondo. — Depois da J. Lo., claro.

Embora essa não tenha sido a minha melhor piada, provoco uma gargalhada maior do que a gerada pela piadinha de Jamie — até ele ri, coisa que só faz com as próprias piadas. Mas não se pode criticar o coitado por estar entusiasmado. Podemos estar habituados com o fato de o lugar ser frequentado por estrelas, que andam por aqui como se fosse o mercadinho da esquina, com equipes de filmagem andando atrás delas, mas nunca tivemos nada assim. Agora a *visão pessoal* dele vai receber o tratamento de Hollywood, e ele está que não cabe em si. Sorte a dele. Minha também.

— Você já deve ter organizado o esquema de segurança para a porta de entrada, certo? — Claire pergunta.

Olho para Jamie. Organizamos? Eu deveria fazer isso?

— Não importa o quanto controlamos as informações, a notícia de que estamos filmando aqui sempre irá vazar — ela explica. — Sabemos por experiência que uma equipe de segurança é a única maneira de manter o fluxo de pessoas em um nível aceitável. De outra maneira, vamos ficar atolados.

— Não vai ser nada com que a gente não consiga lidar — Jamie garante.

Imagino Daniel e eu arrancando nossos cabelos enquanto Rebecca foge, debulhada em lágrimas. Seis milhões de pessoas na recepção, urrando para conseguirem se inscrever na academia mais famosa (perdão, no mais famoso Empório Completo para o Corpo) do mundo. E Jamie no meio de todos eles, gritando "Nós estamos no controle da situação!" para quem quiser ouvi-lo. Vai ser a mais completa loucura, tenho a certeza. Mas não quero saber, vamos ser *famosos*.

— Graças a Deus você voltou — Daniel diz quando chego à recepção. — Finalmente alguém novo pra conversar.

São três e meia, o horário mais tranquilo do dia no The Zone.

— Tá entediado, é? — pergunto.

— Bem que gostaria — ele responde. — É a Sasha. Não aguento mais. A mulher está mais melosa do que um álbum da Celine Dion. Se ela aparecer neste balcão e suspirar *"Ben"* mais uma vez, não me responsabilizo pelos meus atos.

— Ora, dê uma folga a ela — respondo. — Tá apaixonada. Está feliz pela primeira vez na vida.

Daniel agarra firme nos meus ombros e olha dentro dos meus olhos.

— Leia os meus lábios, Charlie. EU. VOU. TER. QUE. MATÁ-LA. O modo como ela fica obcecada pelas pessoas é doentio. Primeiro a Jenna, depois você, e agora o maldito Ben. *Cristo!*

Sei que ele não morre de amores por Sasha, mas não costuma ser maldoso. Bem, não *tão* maldoso assim. Mas tem razão. A Sasha pode não ser a professora mais ativa do mundo, mas pelo menos tinha uma ponta de ambição. Desde que conheceu Ben, o seu único objetivo na vida é fazer o dia passar depressa na Zone Clone, e depois ir pra casa, sentar e esperar por um telefonema dele. Não parece nada preocupada com o fato de a sua carreira de professora ter acabado. A sua vida amorosa está a pleno vapor, e é só isso que interessa.

— Você sabe como é o histórico dela com namorados — digo, sentindo-me obrigada a defendê-la novamente. — Não está nem um pouco feliz por ela finalmente ter conhecido alguém?

— Sim, sim, estou feliz por *todo o mundo*. Você teve a sua promoção, ela conseguiu um namorado, *ótimo*. O The Zone é uma grande família feliz. Vi-maldição-va!

Sinto a minha paranoia reviver com força. Ele me odeia por ter ficado com o emprego de Lydia, só pode. O comentário de Lydia está se tornando realidade. Mesmo que esteja tentando muito, muito mesmo não ser mandona — não ser como ela, em outras palavras —, todo mundo vai me menosprezar, começando pelo meu melhor amigo.

Não aguento isto. Temos que falar sobre o assunto. *Agora.*

— Daniel, podemos...

Paro, sentindo um caroço em minha garganta. Tenho de lutar contra isso. Não chorar. Devo ter uma conversa adulta com ele, como deve ser. A única coisa que importa é acertar as coisas com as pessoas de quem se gosta, e isso exige uma conversa franca e honesta.

Tento novamente.

— Daniel... hã, eu...

E paro de novo.

— Ó, meu Deus — ele diz. — Deixei você chateada, não foi? Venha cá. — Ele me agarra e me abraça com tanta força que não consigo respirar. — Sinto muito. Não ligue pra mim. Acordei do lado errado da cama, é só isso. Amigos?

— Amigos — repito, aliviada.

Sabia que ia conseguir resolver a situação. Uma conversa franca e honesta. Nunca falha.

— Então, não vai perguntar como correu a reunião? — pergunto.

— Querida, não há nada que você possa me dizer que Jerry já não tenha contado — diz Daniel, dando um bocejo teatral.

— Quem diabos é Jerry?

— O diretor, sua imbecil. O que passou uma hora na sua reunião *de alto escalão*.

Deve ser quem eu pensava que era o John... ou Jack. Não sei como o Daniel consegue. Haverá alguém no mundo de quem não consiga ficar amigo íntimo em menos tempo do que se leva para fritar um ovo?

— O que ele contou? — pergunto.

— Digamos que seja mais o que não disse a ele... Mostrei a Sala das Trepadas nas Alturas. Acabei fazendo uma demonstração das possibilidades do local... Caso ele esteja procurando lugares para fazer um filme pornô.

— Você fez isso? Com o diretor? Mas ele não parecia gay...

— O que você esperava, Charlie? Os bigodes compridos saíram de moda com o Village People.

— Gostaria que alguém dissesse isso à mãe de Dino.

Dino.

Não se falou nada sobre ele quando voltamos para casa ontem. Tenho certeza de que Emily estava aprontando alguma com ele. Não sei bem o quê. Uma paquera inocente? Dando uns amassos? Deve ter sido alguma coisa, senão por que Dino diria que eu deveria conversar com ela? E já teria feito isso se ela não tivesse grudado em papai até irmos deitar. Mas ainda vou ter uma chance para essa conversa. Quando papai começou casualmente, um papo dizendo "Entón, achar quí ir quirer ver Dino de novo?", só sorri, encolhi os ombros e dei uma piscadela de olho significativa para minha irmã. Ela ficou apavorada e se escondeu atrás de papai, enquanto ele considerou que, como não estava brigando com ele, deveria estar apaixonada. E passou o resto da noite com um ar todo convencido. Mas sabe o que mais? Também eu.

Quando souberem que o meu *noivo* ataca crianças — e não qualquer criança, mas a preciosa *Rosa Inglisa* de papai —, acho que esta história do casamento acaba. Meu Deus, sou tão malvada... Mas pelo menos vou ensiná-lo a não se intrometer na minha vida.

— Posso emprestar o meu aparelho de barbear Gillette Mach 3 — diz Daniel. — É a melhor solução para a depilação de uma velhota grega. É o que diz o anúncio.

— Sobre o que você está falando? — pergunto, distraída com Sasha, que vem apressada na nossa direção, toda afobada. — Por favor, Daniel, seja bonzinho com ela.

Ela desaba no balcão, ofegante: — Charlie, pode vir comigo à lanchonete para tomarmos um chá de ervas? Preciso me acalmar.

— Qual é o problema?

— Estive fazendo sexo pelo telefone.

— *Nojenta* — diz Daniel. — Por favor, diga que limpou o bocal com uma toalhinha úmida quando acabou.

— Não foi sexo *com* o telefone, seu idiota. Foi uma conversa... sabe... sobre *coisas obscenas*.

Estou muito chocada para falar. O que está acontecendo com esta garota? Há pouco tempo ela achava que fazer sexo em uma cama, com as luzes apagadas, era algo levemente pervertido. Agora está fazendo sexo pelo telefone. Este novo namorado deve ser muito bom de conversa. Preciso descobrir mais sobre ele, e olho para Daniel, implorando:

— Você se importa se eu der uma fugidinha de uns dez minutos? — pergunto.

— Você não precisa da minha permissão, patroa. Vá lá.

Isso foi outra alfinetada? Não, tô sendo paranoica. Nós voltamos a ficar *amiguinhos de novo*, lembra?

— Quantas vezes? — pergunto discretamente.

— Cinco... Não, seis — responde Sasha.

— Por quanto tempo?

— Pouco mais de oito horas.

— *Meu Deus!* Não quero ser indiscreta, mas não dói quando você anda?

— Terrivelmente — ela sussurra, fazendo uma careta.

Acabei de ouvir toda a história do domingo de Sasha. Enquanto me entupia com quatro tipos diferentes de assados e uma ampla seleção de acompanhamentos gregos, ela estava, bem, sendo entupida... seis vezes. Sei que fui malandra no sábado à noite, mas agora ela está me fazendo sentir tão libertina e lasciva quanto a Minnie Mouse.

— Não consigo enjoar dele — ela balbucia, agora toda corada e desesperada para se justificar. — Ben abriu completamente meus olhos.

Não foi só isso que ele abriu completamente, garota.

— Seja como for, o meu turno acabou e vou direto pra casa dele. Ele está muito ocupado e disse que só tinha tempo pra me ver esta tarde. — Ela olha pra mim com um ar perdido. Depois diz — É mesmo amor. E sabe que mais? Ainda nem sei o sobrenome dele!

Você não é a única, penso. Karl *quem*? Este seria o momento ideal para contar sobre ele, e estou quase fazendo isso quando vejo Sua Alteza Real, a Princesa Rosa-Bebê, vindo na nossa direção.

— Ooh, Jenna — Sasha baba, passando de doidona de tesão para doidona por estrelas em um só movimento de olhos. — Espero que ela se sente conosco.

Pessoalmente, espero que passe direto por nós e atravesse a janela em disparada. Mas ponho um sorriso falso no rosto quando ela se senta mesmo com a gente.

— Oi, meninas. Tenho que descansar um pouco. Estou exausta — ela diz, cansada, abrindo uma lata de Coca Diet. — Vocês nem vão acreditar no dia que tive hoje. Estive falando com as garotas do Gurly-Wurly.

— Uau — faz Sasha.

— Quem? — pergunto.

— Uma nova banda de garotas. Vai ser um sucesso enorme. Vão para o Top Of The Pops na semana que vem e precisam de uma coreografia.

Gurly-Wurly. Agora pergunto. Será que existem profissionais muito bem pagos nas gravadoras, cujo único trabalho seja o de inventar os nomes mais ridículos e mais mal escritos para estes grupos? Bem, tenho algumas ideias para eles. Que tal F'didos? Ponhetas? Guzada? E que tal Naoseikantar? Prralhos? Uminutodesucesso? E isso são só os nomes que acabei de improvisar.

— Elas vão ensaiar aqui? — pergunto usando minha voz mais descontraída e profissional, deixando de lado as ideias de seguir carreira no mundo da música. — Esta semana os horários dos estúdios estão meio apertados.

— Não vou ensaiar nada com elas. Recusei o trabalho.

— *Uau!* — (Sasha, de novo.)

— Já estou *muito* ocupada com o que tenho nas mãos. Tenho de conseguir pôr a Sra. Dinamite em forma, a reunião dos Steps, e agora a Blaize... E é claro que ainda tenho as minhas aulas. Não posso deixar as minhas garotas na mão, né? — diz, beliscando a bochecha de Sasha.

É claro que Sasha dá umas risadinhas. É claro que estou quase vomitando.

— Você é tããão solicitada, Jenna. É *maravilhoso* — Sasha baba. — Você é a melhor professora de todos os tempos.

— Isso é muito simpático da sua parte, mas dar aulas é a parte fácil.

Eu me encolho toda por causa da alfinetada em Sasha, mas ela nem pisca.

— Conseguir ter tempo pra tudo é que é um pesadelo — Jenna continua. — Acredite em mim, querida, você *não* gostaria de estar no meu lugar. Na metade das vezes, nem sei a quantas ando.

Bem, andar daqui para fora seria o melhor.

— O pessoal do Gurly-Wurly ficou muito chateado, mas, enfim, azar. Tenho coisas mais importantes com que me preocupar — ela diz displicentemente antes de olhar pra mim com ar sério. — Charlie, Blaize vai voltar amanhã. Pode, *por favor,* dar uma verificada no sistema de som?

É claro, majestade. Felizmente trouxe a minha caixa de ferramentas hoje, para o caso de alguém querer que eu verifique vários componentes de equipamentos elétricos.

— Os alto-falantes estavam esquisitos na sexta-feira, com um zunido horrível. Quero tudo *bombando* amanhã. Você deveria ver a coreografia. A Blaize *adora*. Repara, ela é boa. Entende muito rapidamente as ideias. E tem uma química fantástica com os bailarinos. Ela e Karl Benjamin. Sei que eles estão transando na vida real, mas você deveria vê-los dançando. Quase se vê o vapor saindo deles.

Peraí, vamos *rebobinar* a fita. O que ela disse? O filhodaputa *está* comendo a Blaize. *Estou* dividindo um cara com a cantora mais popular do momento. Eu me sinto como se tivessem me atingido com um bastão de beisebol no estômago.

Outra coisa. Ela disse que o sobrenome dele é Benjamin. Karl Benjamin... Será? Não, não pode ser. É muita coincidência. Enquanto Jenna continua falando sobre a sua fabulosa coreografia, minha cabeça gira. Olho pra Sasha, que está babando em cima de Jenna e ao mesmo tempo escarafunchando sua sacola, procurando qualquer coisa. Depois de algum tempo, ela encontra o que procura: uma pequena bolsa de maquiagem Louis Vuitton.

Sabia que já tinha visto aquilo antes.

Isto é demais.

Karl e Blaize. Dividindo um cara com uma estrela pop. É demasiado surreal para ficar chateada, né? Além disso, todas as revistas que tenho lido nunca explicam como reagir quando se descobre que o seu namorado está trepando com a cantora mais vendida do mês. É algo muito raro.

Mas Karl e *Sasha*. Nesse caso, as revistas femininas falam muito sobre o que fazer se o seu namorado está transando com uma de suas amigas. Espera-se que você fique arrasada. Completamente furiosa. Mas estou meio confusa. Quem disse que ele era o meu namorado? Nem achei que tinha o direito de perguntar a ele sobre a bolsinha de maquiagem que encontrei ontem.

Meu Deus, minha cabeça parece uma geleia. Relembro a manhã de ontem. Saí do apartamento dele e, meia hora depois, Sasha chegou. *Puta merda*, que confusão. Será que ao menos ele se deu ao trabalho de tomar uma ducha entre sessões? Nojento. *Completamente* nojento.

O que vou fazer quanto a isso? Bem, não vou vê-lo de novo. *Obviamente*. E tenho que contar para Sash... Acho.

Ou talvez não tenha. Olho pra ela conversando com Jenna, completamente alheia à bomba que acabou de explodir no meio de nós. Talvez possa simplesmente parar de me encontrar com ele e nunca falar sobre nós dois... E sobre ele e uma estrela pop. E sobre ele e Deus sabe quem mais. Não, não, não, Sasha é minha amiga. *Tenho* que contar. Mas ela vai ficar furiosa, né? Afinal de contas, ela já estava com ele antes que eu aparecesse, como vai acreditar em mim quando lhe disser que não fazia ideia do que estava acontecendo? O mais provável é que ela me odeie. Mas tenho que contar.

Agora seria a oportunidade perfeita. Jenna está se levantando para sair. *Oh, não,* Sasha também vai embora. Pra casa dele. *Merda.* Não sei o que dizer — estou completamente embasbacada — enquanto as duas me atiram beijinhos e saem da lanchonete. Tenho que me controlar. Pense, Charlie, *pense.*

Ok, primeiro vou falar com Daniel. Ele tem muita experiência com cenários complicados do gênero-múltiplos-parceiros. Vai saber como lidar com o assunto. Sim, vou respirar fundo um pouco, e depois procurar Daniel

— Onde diabos você se meteu? — ele briga comigo quando volto ao balcão. — Você disse dez minutos. A recepção está uma loucura.

Agora a recepção está vazia e não há corpos no chão, por isso a loucura foi muito bem resolvida. Mas ele está tão mal-humorado quanto antes.

— Desculpe, mas você não vai acreditar no que acabou de acontecer — digo.

— Você tem de contratar mais pessoal — ele dispara, ignorando minhas palavras.

— Vou falar com Jamie sobre o assunto. Mas escute: tenho que te contar o que está acontecendo. Você não vai acreditar...

— Mais tarde, Charlie. Temos que discutir uma coisa. — Ele passou de irritadiço para constrangido. O que estará acontecendo? — Temos que descobrir uma maneira de lidar com as Vigilantes do Peso de Batley.

— Quem?!

— São quarenta e cinco mulheres. Vêm para a aula de *high impact* das cinco.

— É a aula antiga de Sasha. Foi cancelada.

— Eu sei. Esse é o problema.

— Peraí. Estou perdida. Quem diabos são as Vigilantes do Peso de Batley?

— Umas mulheres que estão controlando o peso e moram em Batley — ele diz, casualmente. — Acho que é nos arredores de Leeds.

— E por que um grupo de Vigilantes do Peso dos arredores de Leeds vem até aqui?

— Porque marquei um horário para elas.
— Por quê? — pergunto, agora totalmente desorientada.
— Lembra do plano? Encher o lugar com balofas e mutantes. Foi a sua sugestão, se bem me lembro.
— Sim, mas a ideia era fazer isso com *sutileza*. Não cinquenta de uma vez.
— Escute, são só quarenta e cinco...
Oh, isso faz toda a diferença.
— ... e só vão ficar por uma hora. Estão numa excursão, vão visitar o museu de cera Madame Tussaud primeiro e depois da aula vão ao teatro, por isso não podem ficar fazendo hora por aqui. Seja como for, se Jamie as encontrar, diga que são sócias, que pagam a mensalidade completa, mais a taxa da aula, por isso ele vai ganhar uma nota preta. Isso deve aliviar o desgosto dele.
— Esse é o menor dos nossos problemas. Não temos a merda de uma professora. Quando aceitou esta reserva, Daniel?
— Uma ou duas semanas atrás, não me lembro.
— Por que não me contou?
— Sinto muito. Esqueci de tudo, até que a líder do grupo ligou pra saber como chegar aqui, há dez minutos.
— E você disse que não havia uma professora para elas, certo?
— Não... Rebecca atendeu a chamada.
— Puta merda — disparo. Olho pro relógio. 16h35. Estão quase chegando. — Já ligou para a lista de professoras substitutas? Deve haver uma professora livre em algum lugar.
Ele balança a cabeça.
— *Puta merda*... Bem, vai ter que descobrir como lhes dar as más notícias quando elas...
Paro porque Jamie vem na direção do balcão.
— Por que vocês dois estão com esse ar de pânico? — pergunta.
— Nada — digo, um pouco descontraída demais. — Só verificando os horários.
— Ótimo. Esta noite começam as aulas de dança erótica. Qual o total de alunas?
Verifico o computador.
— Nada mal. O estúdio está lotado.
Não cabe mais ninguém. E é verdade. Vinte e oito mulheres querem ficar em forma imitando estrelas pornô.

— Sabia que era uma ideia *excelente* — ele diz, fazendo os cálculos mentais. Dinheiro, dinheiro, dinheiro: as suas três palavras favoritas. Penso nas Vigilantes do Peso de Batley e no raciocínio de Daniel. E tenho uma ideia.

— Qualquer coisa que ponha gente aqui, não é, Jamie? — digo. — Manter as receitas em alta e, hã, tudo isso.

Daniel vê aonde quero chegar e dá um aceno de encorajamento. Jamie ri.

— Foi exatamente por isso que eu a promovi a gerente-geral, Charlie. Você tem os instintos implacáveis de uma empresária nata. — Ele vê meu rosto empalidecer. Mas que instintos implacáveis que nada, e ele sabe disso. — Agora vou levar Claire para tomar um drinque. Não faça nenhuma cagada enquanto eu estiver fora.

Posso respirar um pouco melhor, porque pelo menos ele não vai estar aqui quando o ônibus da excursão chegar. O que acontece a seguir é quase ruim, mas não tão ruim assim. Quando ele se dirige pro elevador, as portas do saguão se abrem e Jacqueline entra. O que há de errado com o sentido de oportunidade dela? É como se ela estivesse se escondendo na rua, esperando Jamie aparecer antes de fazer a sua entrada. Ela rola por ele, e bamboleia até o balcão. Jamie para imediatamente, olhando incrédulo para o corpo enorme dela. Olho furiosa pro Daniel, que está tentando se camuflar junto à parede atrás de mim.

— Você cuida dela — digo em voz baixa. Ele se aproxima com um ar submisso, porque nesse exato momento tem mesmo muitas razões para estar submisso, e enfia um sorriso amarelo no rosto. Entretanto, Jamie recupera a compostura e volta para o balcão. Por um momento, parece que vai agarrar Jacqueline e colocá-la porta fora, mas não. Em vez disso, olha furioso pra mim e diz:

— Posso falar com você no seu escritório, Charlie? Seu olhar me diz que ele é a única pessoa daqui com instintos implacáveis.

— No caso de você ter esquecido — Jamie rosna por entre os dentes cerrados —, isto é um Empório Completo para o Corpo. Não é uma merda de clínica de obesos que cuida de baleias em vias de extinção.

— Ela é uma cantora de ópera, Jamie — digo em voz baixinha. — Muito famosa, acho.

— Não me importa se ela sozinha é igual aos Três Tenores. Quero esta mulher longe daqui. *Agora.*
— Não podemos expulsá-la. Ela é uma sócia.
— *Como é que é?*
— Sócia Platina — acrescento, esperando que apelar pra conta bancária salve a minha vida. À medida que o rosto dele vai ficando roxo, percebo que sou uma mulher morta. Quando está prestes a explodir, a porta do meu escritório abre e dois seios entram na sala, e, pouco tempo depois, a dona deles aparece. — Oi, o cara do balcão disse que vocês estavam aqui — Claire diz, toda animada. — Não estou interrompendo nada, estou?

Só a minha execução.

— Não, claro que não — Jamie diz, passando imediatamente de assassino a babão, um verdadeiro profissional.
— Este lugar é fantástico — ela diz, entusiasmada. — Estive assistindo à aula de artes marciais lá em cima. Parecem as filmagens do *Kill Bill.*
— Ela devia estar falando da aula de tae-kwon-do do Mestre Stan Lee (*a sério*, é assim que ele chama a si próprio). — Temos que gravar aquilo.
— Aquele Mestre Lee é demais. Ele consegue derrubar um carvalho inteiro só com as palmas das mãos fatais — diz Jamie, sorrindo e ao mesmo tempo conseguindo me lançar uma olhada ameaçadora. — Uma das minhas *melhores* contratações. Vamos, Claire, vamos tomar um drinque.

Acompanho-os até a recepção e observo os dois saírem. Quando somem, descendo a escada, dou um enorme suspiro de alívio porque — finalmente — alguma coisa correu bem hoje. Um grande ônibus de excursão está estacionando lá fora e, da maneira como a suspensão dele está baixa, só pode estar lotado com as Vigilantes do Peso de Batley.

Mas, ó Deus, sou tão azarada. Só agora me lembrei de que, se soubesse disso quinze minutos atrás, poderia ter impedido Sasha de sair, e ela poderia ter dado esta aula. Mas não, ela foi se encontrar com aquele sacana gosmento, trapaceiro e traiçoeiro.

Daniel ainda está no balcão com Jacqueline, que, julgando pelo sorriso de flerte em seu rosto, está visivelmente amando a atenção dele — bruxa gorda, tarada por bichas.

— Parece que temos quarenta e seis pessoas na sua aula de *high-impact*, Charlie — ele diz, casualmente. — Jacqueline vai participar.
— O que você quer dizer com a *minha* aula de *high-impact*?
Ele me puxa para o lado e cochicha: — Tive esta ideia. Você pode dar a aula.
Não consigo pensar em palavras apropriadas para responder a isso. Sendo assim, só faço "Ããânghh?" e levanto muito, muito mesmo, as minhas sobrancelhas.
— Olhe pra elas — ele diz, fazendo um gesto na direção do bando que está se espremendo para caber na recepção. — Vieram lá de Yorkshire para esta aula. Você não pode mandar essas mulheres embora. Ficariam arrasadas.
— Você endoidou completamente? Não posso dar a aula.
— É claro que pode, Charlie. Já vi você exibir o seu material. Você nasceu pra isso. Seja como for, não pode ser *assim tão* difícil.
Quero acabar com ele, mas talvez, só talvez, Daniel tenha razão. Não pode ser assim tão difícil, certo? Sei bem o que os professores de aeróbica fazem. Ficam à frente dos alunos e berram instruções de maneira toda alegre e motivadora. Posso fazer isso.
Não posso?

Estou no Estúdio Três. Tentando escolher alguns CDs, enquanto, atrás de mim, a sala se enche com vários hectares de roupa esportiva em poliéster e lycra. É melhor não as colocar pra fazer nada que as faça esfregar muito as coxas, porque a descarga de eletricidade estática resultante pode ser mortal.
Nesse momento tenho muita vontade de matar o Daniel.
Mas antes é melhor me concentrar no que vou fazer com essas senhoras. Já fiz aquela patetice de respirar fundo que a Maya ensina na aula de ioga dela, e isso parece que me acalmou um pouco. Agora tenho um plano. Vamos começar com uma marcha simples. Depois uns movimentos lentos. Então movimentos mais velozes. Umas flexões de joelho pra variar, depois voltar pra marcha para acalmar. Coisa de principiantes.
Não podia ser mais fácil.
Facilzinho.
Quem eu penso que estou enganando? Estou me borrando toda. Encontrei o velho microfone de Sasha e o estou usando. Eu me sinto

como a Britney Spears. Quem me dera. Se soubesse fazer um nadinha do que ela sabe, não estaria aqui tentando me lembrar que movimentos fazer, né?

Os CDs são uma mistura de músicas velhas e novas. Não faço ideia de qual usar. Estou quase enfiando qualquer um no CD player para tentar encontrar alguma coisa mais adequada quando sinto uma presença atrás do meu ombro. Eu me viro e vejo a tenda que a Adidas vendeu para a Jacqueline. — Espero que você comece *logo* — ela diz, olhando para o relógio na parede.

Enquanto ela volta pro lugar dela, também olho pra cima: 16h05. *Merda*. É melhor! começar com isso. Que se foda tentar encontrar alguma coisa melhor. Ponho o primeiro CD que aparece no CD player e encaro a turma.

E lá estão elas. As minhas quarenta e cinco impacientes e excitadas Vigilantes do Peso de Batley, mais uma cantora de ópera. É a visão mais estranha do mundo. Como isso foi acontecer? De alguma maneira, todas essas mulheres, cujos tamanhos são encontrados com mais facilidade na minha outra vida — minha vida familiar —, encontraram uma maneira de passar pro lado de cá. Para a minha vida profissional.

Estão olhando pra mim cheias de expectativa, e o nervosismo me invade. Eu me sinto como uma daquelas pobres idiotas do *Pop Idol*, tremendo como vara verde na frente dos juízes, com a diferença de que sou mil vezes pior. Enquanto essas pessoas geralmente tiveram o bom senso de fazer um trabalho de casa básico, do tipo memorizar uma canção, eu não tenho NENHUMA MERDA DE MATERIAL! Sou capaz de retalhar o fígado de Daniel e usá-lo para alimentar uma matilha de lobos famintos e salivantes...

Lá está ele agora, espreitando pela janela à minha direita. O filho-da-puta tá *adorando* ver meu sofrimento. Olho para as minhas alunas, que olham para mim, cheias de expectativa, como se eu fosse a própria Jane Fonda e estivéssemos inventando a aeróbica juntas.

— Um momento, senhoras — digo, e vou, toda decidida, para a porta do estúdio. Abro-a um pouco e enfio a minha cabeça na fresta. — O que diabos você está fazendo aqui? — pergunto.

— Pensei em assistir um pouco. Ver a patroa trabalhando — ele diz, com um sorriso debochado.

— Você deixou Rebecca sozinha? — Ora, *vá se foder, Daniel*!

— A Becks vai ficar bem. Além disso, achei que você poderia precisar mais de mim. — Ele não consegue abafar o riso, qualquer pessoa pensaria que ele estava tentando me destruir deliberadamente. — Ei, elas estão ficando agitadas. Não é hora de começar?

Dou o meu melhor olhar malévolo e depois viro de costas para passar por entre as filas de mulheres, que estão visivelmente agitadas. Chego ao lado do CD player e tento me recompor. A conversa atrás de mim me distrai.

— Um estúdio de aeróbica *de verdade*. Melhor do que fazer exercício no salão paroquial.

— Todos esses espelhos, igual ao seu quarto e de Frank, Sal.

— Não sabia que você tinha espelhos no quarto, sua vaca atrevida.

— Né nada disso não. Frank gosta de se ver quando está na máquina de exercício.

— E aí, olha só o seu rabo, Lynn. Esqueceu de vestir a calcinha, querida?

Lynn se torce toda para inspecionar se a marca da calcinha aparece no espelho e as suas quarenta e cinco amigas caem na gargalhada. Acho que elas não costumam sair muito. Sorrio pra mim mesma e... relaxo. Quer dizer, o quão difícil deve ser isso? Não é como se elas fossem um monte de modelos de Los Angeles, malhadas até a perfeição pelos melhores e mais caros personal trainers do mundo. São de *Batley* — que pode ser ou não nos arredores de Leads, mas decididamente *não* é na Califórnia — e costumam fazer isso no salão paroquial. Vai correr tudo muito bem.

Ligo o microfone e bato nele para testar o som. Um silvo de retorno sonoro invade o ambiente. Faz meus ouvidos doerem, mas pelo menos silencia a sala. Devo lembrar: evitar o retorno do som falando normalmente. NÃO GRITAR.

Certo, Charlie, barriga pra dentro, ombros relaxados e sorria, pelo amor de Deus.

— Ok, senhoras, em primeiro lugar, alguém está machucada? — Estou impressionada comigo mesma. Lembrei a pergunta que toda professora faz antes de uma sessão.

— Ainda não, querida — diz uma voz no fundo —, mas não vai demorar muito.

Todas riem.

Dez Ajustada

Nenhum professor veterano do The Zone iria ouvir uma dessas repostas, esperando fazer alguém rir — todos os alunos são chiques demais. Não me admira que Jamie tenha uma atitude tão elitista em relação à nossa lista de clientes. Meu Deus, ouçam só o que estou dizendo. Ainda nem comecei a coreografia e já penso que sou a porcaria da Paula Abdul. Tudo bem, pelo menos relaxei. Até as minhas mãos pararam de tremer. Agora poderia, sem problemas, fazer um gesto obsceno para Daniel, mandando ele tomar naquele lugar. Ele ainda está espiando pela janela, mas não está sozinho. Duas outras pessoas se juntaram a ele, incluindo Ruby, a professora de *spin*. E daí? Eles que fiquem ali com cara de bobos — podem até aprender alguma coisa.

Pressiono a tecla *play* e "Cha Cha Slide" explode nos alto-falantes. *Perfeito*. Deve ser um bom augúrio.

— Ok, agora vamos marchar um pouco sem sair do lugar — instruo. — Não, ainda não, esperem pela batida... Esperem, só mais um pouco. Acho que a batida vai... Sim, agora. *Agora!*

E decolamos! Noventa e quatro joelhos subindo e descendo com energia, como elefantes saltando de flor em flor. Um exército travando uma guerra declarada contra a celulite.

Fantástico.

Estou conseguindo.

Estou dando uma aula e vai ser *maravilhosa*.

— Joelhos pra cima, galera! — Nem tenho que forçar um sorriso, estou mesmo me divertindo. Até Jacqueline, que parece o Monte Everest com riscas da Adidas de lado, está conseguindo acompanhar. Fantástico, todas estão mantendo um ritmo perfeito. Ops, eu não. Entre de novo no ritmo, ajeite os pés e... Muito melhor. Bem, ninguém reparou.

Na verdade, aquelas duas à minha esquerda repararam. Ainda não as tinha visto. Pensei que todo mundo fosse péssimo nisso, mas, agora que as vejo em ação, percebo que algumas destas mulheres são muito boas. A da fila da frente, vestida de preto, podia ser Campeã de Aeróbica da Área do Norte, pelo que posso ver. Tá até fazendo aquela coisa profissional de respirar — boca de peixe, inspirar, expirar.

Droga. Muito silêncio. Os professores de verdade gritam frases motivadoras a cada quatro batidas, né?

— Continuem a respirar — digo. E então, sem fazer de propósito, olho para Lynn, que tem a calcinha enfiada na bunda, e falo: — Barriga pra dentro.

— *Está* pra dentro, merda — ela grita. Todas riem, e eu com elas. *Merda*. Isto me faz perder de novo o ritmo. Tenho de voltar rapidamente pro ritmo. Parar de marchar, ouvir... Começar de novo. A Miss Campeã do Norte voltou a ver o meu erro e está me dando uma olhada de lado. Não devo ficar paranoica. Ela está ao meu lado. De que outra maneira pode olhar pra mim?

Há quanto tempo estamos marchando? A música parece ter mudado sem eu notar. O Fat Joe e a Ashanti estão nos perguntando "what love's got to do with it" — o que o amor tem a ver com isso — e eu estou pensando que esta música é muito lenta. Ainda estou marchando no ritmo de "Cha Cha Slide". Algumas das mulheres estão no meu ritmo, enquanto outras estão no ritmo de Ashanti. É como ver duas aulas diferentes. Tenho que colocar todas fazendo a mesma coisa ao mesmo tempo, mas, *meu Deus*, esta música é m-e-s-m-o l-e-n-t-a. E tenho de continuar berrando umas coisas, né?

— Fantástico, continuem — grito, e os fones de Sasha me atacam com um ruído de retorno de som. Os sorrisos somem enquanto várias mulheres ficam incomodadas, tapando os ouvidos e se encolhendo, sem fingirem, como eu, que não perceberam que seus tímpanos estão sendo perfurados.

Do outro lado da janela, Daniel, Ruby e o resto da plateia, cada vez maior, escondem as risadinhas com as mãos. Não tenho tempo pra me preocupar com eles, porque Fat Joe e Ashanti estão sumindo e a próxima música está se misturando com essa, o que quer dizer que estamos marchando há quase oito malditos minutos. Agora é a vez de "Toxic" da Britney, e — quem diria? — é a desgraçada remixagem, aquela que anda a um milhão de quilômetros por hora.

Eu me olho no espelho e, meu Deus, estou suando. *Encharcada de suor*. Está jorrando de mim. Só Deus sabe o que isto vai fazer ao meu megahair, mas me parece que essa é a menor das minhas preocupações. Todas as outras mulheres parecem estar sequinhas que nem bacalhau, talvez porque não estejam quase tendo um colapso nervoso por não terem a mínima de ideia do que estão fazendo. Quem foi a idiota que disse que isso ia ser moleza? É o meu pior pesadelo de todos os tempos.

DezAjustada

As minhas meninas ainda estão marchando, tentando se segurar no ritmo da Britney. Consigo ouvir suas pernas roçando uma na outra e sinto o cheiro da fumaça causada pela fricção. E vou me derreter em suor em pouco tempo. É melhor fazer alguma coisa. *Rápido ·*

Mas o quê? Parar e procurar outra música? Que figura ridícula isso pareceria? (Como se tivesse passado os dez últimos minutos com ar *profissional*.) Vou ter mesmo de aguentar a Britney, como se ela fizesse parte do meu plano genial.

— Vamos fazer outra coisa — grita uma voz em pânico lá no fundo.

— Qualquer coisa — acrescenta outra, enquanto uns risinhos abafados invadem o estúdio como uma Ola mexicana.

— OK, vamos mudar para polichinelos a qualquer momento — grito acima da música, provocando uma nova microfonia.

E, de repente, estamos todas fazendo polichinelos. Isto é bom, mais ou menos... também é mau, porque esqueci de dizer pra elas irem para a esquerda ou direita. Todas estão indo em direções distintas, trombando umas nas outras que nem carrinhos de bate-bate no parque de diversões. Merda, que *confusão*!

— Ok, Ok... Vamos parar todas... Eu disse PARAR... E voltar a entrar no polichinelo. Agora para a *direita*... Esperem pela batida... se segurem... OK, AGORA!

Mas eu não fui na batida, ou fui? Não, estou tão entretida em gritar as instruções que comecei tarde demais. Algumas das mulheres estão na batida da música, enquanto outras estão na minha batida. É uma confusão completa, e elas ainda estão se chocando umas contra as outras, ainda pior do que antes, pra dizer a verdade. Nem consigo olhar pra elas. Em vez disso, os meus olhos vão para a Miss Campeã do Norte à minha esquerda, e estou tentando aguentar o ritmo dela, porque pelo menos ela me olha como se soubesse o que está fazendo. Meu coração está martelando, minhas pernas estão me matando, e eu não consigo me lembrar do que fazer com os meus braços, que estão colados ao longo do meu corpo. Pareço ridícula.

Dou uma olhada no relógio da parede. Só estamos nisso há onze minutos. Como raios vou aguentar os próximos quarenta e nove? A minha cabeça está completamente vazia. Já esqueci as frases motivacionais e já nem consigo dar um sorriso forçado. Dou uma nova olhada para a janela. Daniel já desistiu de tentar se segurar e caiu na gargalhada. Ao seu lado, Ruby está com um ar muito, muito preocupado.

Peraí. Por que ela está tão preocupada? Porque, além de ensinar *spinning*, ela é uma das nossas melhores professoras de aeróbica, é por isso! Primeira da classe na porcaria da universidade — provavelmente até tem um doutorado em *step*. Então, por que está lá fora com ar *preocupado*, enquanto estou aqui fazendo um completo papel de idiota? Já fui humilhada o suficiente para uma vida inteira. Vou passar a aula pra outra pessoa.

— Continuem, todas — digo, antes de me voltar e ir em direção à porta. Enfio a minha cabeça ensopada de suor no ar fresco de lá de fora. — Ruby, dá para mexer a sua bunda... — só quando ouço a palavra bunda reverberar no estúdio atrás de mim percebo que ainda estou com o microfone.

Ruby entende a dica. Arranca o microfone da minha cabeça e parte para a ação, entrando no inferno que é o Estúdio Três. Despenco contra a parede lá de fora e ouço Ruby trabalhando. — Ok, como estamos, meninas? Prontas para um alongamento? Comigo, em quatro, três, dois, um... Bom. Vamos lá, mais oito, e oito, sete, seis...

Ok, então é assim que se faz. É claro que eu sabia disso.

Daniel ri tanto que não consegue falar. Lágrimas gordas escorrem pelo seu rosto. Eu é quem deveria estar chorando.

— Daniel, seu *filhodaputa*. Por que não me disse que Ruby estava livre??

— Não fazia ideia de que ela viria mais cedo. *Verdade*... Venha cá, seu fio dental está todo torcido.

Enquanto ele se dobra e mexe na minha bunda, dou-lhe um tabefe na nuca e marcho pelo corredor. Atrás de mim, a voz animada e confiante de Ruby abafa os gemidos de dor de Daniel.

— Ok, *fantástico*... Agora experimentem fazer assim. Arrastem *e* subam *e* pulem *e* girem. *De novo,* arrastem *e* subam... Está ótimo. Agora mais depressa. Em quatro, três, dois, um...

Quem ela pensa que é? A merda da Paula Abdul?

o pedaço no qual sou horrivelmente, maldosamente, imperdoavelmente perversa

Não acredito que estou confessando isso.
Passou pela minha cabeça esquecer tudo. Estamos falando de uma noitezinha, ou seja, um espacinho no tempo. Minúsculo. Quem iria perceber? Ninguém.

Mas foi então que pensei que o que fiz é tão horrivelmente horrível que, se mentisse a respeito, eu me sentiria ainda pior.

Mas também não consigo contar. Quem sabe se explicar desde o começo, dando um pouco de contexto, as coisas não pareçam tão ruins. Tá certo que ainda é muito ruim, mas não ruim do tipo *queimem-a-bruxa*!

Então, vou começar do princípio:

Depois do desastre na aeróbica, tomei uma ducha. Mas não me livrei da energia negativa. Estava furiosa, soltando vapor. Com Daniel, claro. Depois do que me fez passar, ele deveria ter medo de mim. *Muito* medo. Nunca teria tido coragem de pregar uma peça dessas em Lydia. Jamie estava certo sobre o tal instinto implacável. Decidi que iria me vingar, mesmo que isso acabasse comigo.

Meu humor piorou quando voltei à recepção. Jarvis, o gerente da Zone Clone, estava à minha espera:

— Ei, que superaula. Tenho um nome brilhante para o seu vídeo de exercícios: *Espasmoróbica com Charlie*. — Simplesmente hilariante. Era bom saber que a arte da fofoca estava em plena forma no The Zone, ao contrário das minhas aulas.

Eram apenas cinco e meia da tarde. Deveria trabalhar até as oito, mas vesti a jaqueta e mandei Daniel cobrir o meu turno.

— E isso é só o começo, amiguinho — disse enquanto saía.

Meu plano era ir pra casa e pensar. Primeiro sobre Sasha, eu e o duas caras. Assim que descobrisse como lidar com essa confusão, iria descobrir como tratar do problema com Daniel. Tinha certeza de que a aula de aeróbica não havia sido um acidente. Ele quis me prejudicar. Por quê? As palavras de Lydia ecoavam na minha cabeça como uma maldição. Daniel — meu melhor amigo — me *odiava*.

Quando saí do The Zone, fiquei ainda mais furiosa. Pensei que, se ainda estivesse furiosa quando chegasse em casa, Emily teria que rebolar para se explicar. E ia ser complicado. *Massagem craniana*. Faça-me o favor.

Estava quase descendo a escadaria da estação de Piccadilly quando o celular tocou. Olhei para o visor: NOJENTINHO, TARADO SEXUAL DE MERDA QUE PENSA QUE CAGA OURO. Ok, não era isso o que estava escrito. Somente a versão resumida, ou seja, KARL. Fiquei tentada a desligar, mas estava prontinha para uma briga, e o que poderia ser melhor do que dar umas porradas em Karl Benjamin? E *atendi*.

Três minutos depois, estava indo em direção a South Kensington, e não para Wood Green. Não estava indo me encontrar com Karl para fazer sexo. Entendeu bem? Blaize estava na minha mente. Somente Blaize. Porque entenda: o fato de Karl ter telefonado meio que me convenceu de que não estava fazendo sexo com Sasha. Afinal de contas, ela não tinha saído do trabalho e ido direto para a casa de Ben? Se Ben era Karl, Karl estaria com Sasha e, portanto, não iria querer me ver. É levemente confuso, mas, à medida que o metrô rodava, convenci a mim mesma de que tinha entendido tudo: Karl Benjamin e Ben Seja Lá Quem For eram pessoas completamente diferentes. Certeza absoluta. Cem por cento. Pelo menos noventa.

Isso não significa que não estivesse puta da vida com a história com Blaize.

Deixei tudo muito claro assim que ele abriu a porta.

— Karl — anunciei com voz séria —, precisamos conversar.

— Sim — ele respondeu, esfregando a testa com a mão de um modo meio sério —, precisamos. Preciso contar algumas coisas.

Ora, isso me deixou sem rumo. Ele queria *conversar*? Conversar não era com ele, muito menos contar coisas.

DezAjustada

Fui atrás dele até a sala e sentei-me enquanto ele ia pegar algo para bebermos.

— Café, por favor — gritei enquanto ele entrava na cozinha. Queria permanecer sóbria.

Ele voltou com uma garrafa de champanhe. Qual é o problema dele com espumantes? A maioria dos homens solteiros tem uma geladeira cheia de cerveja (liberando um espacinho de nada para uma caixa de leite azedo e um prato pronto para requentar no microondas), mas esse cara guarda um estoque como se estivesse esperando que uma recepção de casamento fosse acontecer a qualquer instante. Ele explodiu a rolha e serviu duas taças. Depois se sentou e abriu o coração. Bem, não exatamente, mas, comparado com o seu desempenho anterior, acredite em mim, foi uma abertura.

— No outro dia não fui sincero com você, Charlie — disse devagar. — Você sabe... sobre Blaize.

E contou tudo. Que a conhece há um ano e que se encontram (para uma trepada ocasional) quando as agendas permitem. Que é uma espécie de personal trainer dela (trepada ocasional) e que, apesar das pressões do *ramo artístico,* conseguiram manter uma incrível proximidade um com o outro (quando estão dando suas trepadas ocasionais).

Ok, talvez não tenha me contado *tudo* e tive que adivinhar o resto sozinha, mas, afinal de contas, ela é uma estrela e ele não poderia trair a confiança de uma celebridade, certo?

Quando acabou de falar, ele me olhou esperando pela sentença. Não estava preparada para isso. A confissão me tirou do rumo. Já não estava mais tão zangada quanto antes. Para dizer a verdade, não sabia bem como me sentia, além de estar levemente embriagada, e enrolei pra ganhar tempo, perguntando:

— E então, o que fez hoje? — Imaginei que, se ele estivesse transando com Sasha, esta seria a hora ideal para contar, já que estava em modo confessional.

— Trabalhei em uma coreografia nova — ele respondeu. — Recebi uma chamada de emergência de um cara do departamento artístico da Sony. Quer que eu coloque uma nova banda de meninas em forma para o programa *Top of the Pops*. Um bando de garotas desengonçadas.

— O nome do grupo não é Gurly-Wurly, é?

— Ei, como é que você sabe disso?

Ergui uma sobrancelha e respondi: — Sei muito mais do que você imagina.

Ele ergueu a sobrancelha e disse: — Ok, então você sabe o quanto penso em você quando não estamos juntos?

Já tinha bebido um bocado e estava começando a flutuar, e quando ele disse aquilo — *maldição!* — pude ouvir meu coração disparar, os pássaros e um coro de anjos cantarem... Precisava me controlar. Tive que fazer a pergunta. Respirei fundo e disse:

— Há mais alguma coisa que queira me contar sobre outra pessoa?

Tinha certeza de que a resposta seria não.

— Não — ele respondeu com firmeza.

Dei o melhor olhar cético que pude depois de beber meia garrafa de champanhe.

— O quê? — ele reclamou. — Já contei tudo, juro.

Achei que era um bom sinal ele me deixar interrogá-lo assim, sem me mandar catar coquinho, né? Será que isso queria dizer que nós tínhamos passado a ser alguma coisa mais importante um para o outro? Ou será que estava simplesmente bêbada demais para entender as coisas corretamente? Deixei que ele servisse outra taça e arrumei meus pensamentos. Que provas eu tinha? Havia a bolsa de maquiagem. Sei que Louis Vuitton é uma marca um pouco mais exclusiva do que Marks & Spencer, mas me pareceu lógico que Sasha não tinha a única bolsa daquelas do mundo. Deve haver... oh, milhões, se contar com todas as boas falsificações que existem. Se fosse uma policial e Karl o meu suspeito principal, a bolsa de maquiagem não seria suficiente para condená-lo.

Mas também havia o problema com o sobrenome. Benjamin. É claro que seria estúpida em pensar em criar caso com isso. Mas, pra ter a certeza, certezinha absoluta — enquanto ele servia outra taça —, perguntei:

— Há alguém que o chame por Ben?

— E por que alguém faria isso? — perguntou, franzindo a testa. — Meu nome é Karl.

Claro. E por que alguém faria isso? O nome dele é Karl. Como posso ter sido tão idiota a ponto de pensar que alguém o chamaria de Ben?

E foi então que ele deu o golpe. Sentou-se ao meu lado e colocou o braço ao meu redor. E confesso que estava muito dividida. Uma discussão em alto tom tomou conta de minha cabeça. Parte gritava *"Não o deixe fazer isso, sua tarada. Pelo menos diga algo sobre o fato de ele estar trepando com a estrela pop!"*. A outra parte dizia *"Fica fria, guria. Foi um dia estressante e você não tem certeza de que ele está transando com ela, tem?"* E outra parte dava risinhos embriagados e gemia *"Ah, isso é gostoso"*, enquanto ele mordia suavemente o meu pescoço.

E enquanto ele fazia o trajeto do pescoço em direção à boca para me beijar, eu me lembrei de outras provas circunstanciais: o fato de que Karl e Ben eram bailarinos; a noite em que me viu na aula de Jenna e desapareceu (porque viu Sash comigo?); e... e... Tenho certeza de que existem outras coisas, mas não consegui me lembrar de tudo no calor do momento.

Quando a boca dele encostou na minha, perdi completamente a linha de raciocínio (além de dois botões da minha blusa, que ricochetearam através da sala com o agarrão dele) e foi aí que...

Opa, lá fui eu de novo.

O pedaço com o rato

"**P**uta fácil, puta fácil, puta fácil, puta fácil, puta fácil..."
É isso o que as rodas do trem dizem enquanto giram ritmicamente sobre os trilhos. E estão cobertas de razão. Esta noite eu me comportei como a puta mais barata e mais fácil *de todos os tempos*. E, sabe como é, pra ter certeza de que não fiz nada de errado — embora estivesse *completamente* certa de que não fiz —, telefonei pro celular de Sasha antes de entrar na estação de South Ken.

— Oi, Sash, peguei você em má hora? — Perguntei, torcendo para que tivesse interrompido um momento íntimo entre ela e Ben.

— Não, estou vendo TV.

— Ah, pensei que você estivesse na casa de Ben — disse, com o coração na mão.

— Saí de lá há um tempão. Ele tinha um compromisso. Mas, Charlie, ele é maravilhoso. Mesmo meia hora com ele é algo *de outro mundo*...

E, enquanto ela falava sobre a maravilha que é Ben, fiquei rápida e horrivelmente sóbria, e a minha linda teoria sobre Ben e Karl serem pessoas diferentes caiu por terra.

O trem está chegando lentamente à estação de Wood Green e uma dor de cabeça assassina está me atacando. Levanto e vejo o relógio — dez para as nove. Estarei em casa em cinco minutos. Meus pais estarão vendo TV, e Emily estará... Onde ela estará? Pensar sobre a malandrice dela de ontem faz com que eu me sinta um pouco melhor. Pelo menos não sou a única Charalambous que é levada da breca.

Quando coloco a chave na fechadura, tento imaginar com quem meu pai estará brigando esta noite. Quantos restaurantes restam, antes que minha mãe *precise* aprender a cozinhar? Mas está tudo calmo no hall de entrada. Tiro o casaco e o jogo em cima dos outros dois pendurados no corrimão. Espere um pouco, por que dois casacos enormes e caros, que definitivamente não são de ninguém desta casa, estão pendurados no corrimão?

Bem, está mais do que na cara, né? Ou pelo menos fica claro quando entro na sala e vejo George e Maroulla.

— Oi, pessoal — digo. — Faz tempo que a gente não se vê.

— Nós estar pensar egsatamente o misma coisa — cantarola Maroulla. — E nós decidir dar um pulinho aqui pra comer bedasso de delicioso bulo de chuculate de seu pai.

O fato de ela não ter entendido a minha frase ferina — Ok, o meu sarcasmo de praxe — faz com que eu me sinta mal e tente sorrir.

— Onde está Em? — pergunto, em busca de alguém para uma sessão de tortura. No quarto dela ou no meu, tanto faz.

— Ela ir no casa de Ulisha fazer travalho de iscola — meu pai responde enquanto corta fatias do maior e mais pegajoso bolo de chocolate deste mundo.

Ulisha... quer dizer, *Alicia*, é a melhor amiga de Emily. E também é o álibi de praxe de minha irmã. Lição de casa com Alicia é a mesma coisa que minha fisioterapia com Sasha. Uma puta mentira, ou seja, uma desculpa. Fico pensando o que aquela filha-da-puta fingida tá tramando.

— Ista menina sempre estar a fazer lición de casa — diz meu pai, todo orgulhoso. — Ela ir ser muito enteligente um dia. Pena nón ser menino, nón é? — Ele pisca pra George, que pisca de volta, como se estivessem compartilhando um código secreto machista.

— *Papai!* — eu reclamo. Por que ele deve se safar quando diz uma merda machista dessas? Antigamente minha mãe teria quebrado a cabeça dele por causa de uma piada assim, mas ela amoleceu. — É melhor ficar de olho nele, mãe — digo. — Daqui a pouco, vai querer que a gente use uma burka.

— Vá ligar a chaleira, sim, queridinha? — minha mãe diz com um sorriso. Ela não iria se importar em usar uma burka, desde que pudesse assistir à TV através da fenda pros olhos.

E acabei, sem querer, reavivando a memória de meu pai com o comentário sobre a burka, e saio da sala quando ele começa a contar sua história árabe. Acredite em mim, você não precisa saber... Ok, é uma bobagem sobre esta mulher árabe que era uma cliente regular dele. Meu pai — como de costume, pois acha isso de todas as clientes — estava convencido de que ela estava apaixonada porque vivia piscando pra ele por trás do véu. Tá na cara que o marido dela deve ter descoberto, e ela foi apedrejada até a morte porque meu pai nunca mais a viu desde que colocou uns camarões a mais no pedido dela. E esta é uma das histórias mais reais que ele tem pra contar.

Estou demorando o máximo que posso na cozinha. Gastando mais tempo lendo a revista *Hello!* e comendo biscoitos do que fazendo chá. Não tenho pressa. Já ouvi as histórias de meu pai umas cem vezes, pelo menos. Além disso, preciso ficar a sós com a minha culpa. Ouço um ruído de algo quebrando, mas ignoro. Ele deve estar contando a história sobre como perseguiu três (ou quatro ou cinco, dependendo de quanto já bebeu) assaltantes mascarados da sua lanchonete até o meio da avenida principal — ele sempre faz uma tremenda encenação com essa história, com efeitos sonoros bem barulhentos. Mas não tenho como ignorar a porta da cozinha sendo escancarada e Maroulla entrando aos tropeções, branca como um fantasma.

— Chaglotta, *diprissa!* — ela sussurra. — Seu pai estar a ter um itique de currassón!

— Tendo o *quê?*

— Um itique de currassón — ela repete, mas dessa vez põe as mãos no peito e imita alguém tendo um enfarte.

— Jesus, um *ataque cardíaco?*

Ela faz que sim com a cabeça, eu a empurro pro lado e corro em direção a ele.

E lá está ele na sua poltrona favorita, com gotas de suor na testa e as mãos contraídas no peito. E, pelo que parece, sofrendo com dor. Meu *pai* tendo um *ataque cardíaco! Não pode* ser verdade. Ele é muito jovem. Em forma. Com toda a vida pela frente. Ok, todo mundo diz isso quando pensa que vai perder alguém que ama, mas não consigo me controlar. É claro que ele não é jovem ou está em forma, mas... *ele é o meu pai*. Por que isso está acontecendo? Deve ser castigo de Deus por ser uma filha tão desgraçadamente ruim.

Minha mãe está ao lado dele, pela primeira vez na vida ignorando a TV e preocupada com o amor da vida dela. Vejo lágrimas descerem pelo seu rosto e elas me tiram do pânico paralisante em que me encontro. Todo o treinamento de primeiros socorros que recebi no The Zone, e eu aqui parada que nem um dois-de-paus.

É hora de agir.

E rápido.

— Não se mexa, papai, fique sentado — digo, enquanto tento lembrar que diabos devo fazer numa situação como esta.

— O qui dizer? Mim nón mexer. Nón puder mexer — ele grita, massageando o peito como se estivesse tentando aliviar a dor.

— Alguém chame uma ambulância — digo, finalmente assumindo o controle.

— Balança demorar muito — Maroulla choraminga. — Ele estar morto antes quí eles chegar aqui.

— Bem, não temos alter...

George me interrompe. — Mim saber! Levar ele apertamento de Dino. Ser somente poucos minutos de distância daqui.

— Ser ótima ideia. Ele estar no casa ista noite. Ele consertar *tudo* — Maroulla se entusiasma.

E tenho que concordar. Há alguns meses nosso vizinho caiu da escada e quebrou a perna. A ambulância demorou tanto que, quando chegou, o osso já estava calcificado.

— Ok, certo, vamos no seu carro? — pergunto a George.

— Nón poder. Estar cheio de ripas.

Franzo a testa. Por que está carregando madeira no carro?

— Você saber, mudelos do cunfecçón.

Ah, está cheio de *roupas*. Que Deus me ajude, agora *não* é a hora de estar praticando meus talentos em tradução.

— Vamos no carro de meu pai — respondo, pegando as chaves na mesinha. — Vocês dois vêm comigo pra mostrar o caminho. Mãe, você fica em casa caso Emily apareça. — Ah, puxa, agora sim, estou no comando.

De Wood Green até Highgate em seis minutos. O que é um grande feito, porque não dirijo há meses. Meu pai nunca me deixa dirigir a Mercedes, mas hoje não está em condições de falar mal das mulheres ao volante. Quando freio bruscamente o carro, fazendo cantar os pneus, olho para George sentado ao meu lado, com os dedos enterrados no painel, olhos esbugalhados de terror. Não sei qual é o problema — só ultrapassei cinco faróis vermelhos. Dou uma olhada em meu pai pelo espelho retrovisor, que parece mais calmo, mas ainda tem a mão sobre o peito. Maroulla, sentada ao seu lado, enxuga sua testa com um lenço de papel.

— O apertamento ser no térreo — diz George, apontando para o edifício à nossa frente.

— Ok, vamos chamá-lo.

No momento em que arrastamos papai para fora do carro e o amparamos enquanto caminha pela calçada, eu me sinto horrível, arrasada pela culpa. Deveria ter percebido os sinais. Ultimamente, ele tem andado muito cansado. E irritável. Bem, mais irritável do que de costume. E tem estado, hã... Ok, não tenho exatamente a certeza quais são os outros sinais que mostram que alguém está para ter um ataque do coração, mas, seja o que for, deveria ter reparado neles. O seu corpo está caído entre o de George e o meu, e sinto lágrimas nos meus olhos enquanto imagino a agonia que ele deve estar sentindo. Nunca o vi sofrer em *silêncio* antes. Aguentou tudo o que o ataque do coração fez com ele. Este homem é o meu novo herói. *Incrível.* Todo este tempo meu pai tem sido um *herói* e eu nunca soube disso. Mas agora que sei, nunca, nunca mais vou me esquecer. Se ele puder ficar bem, *por favor...*

Maroulla toca a campainha e logo depois Dino aparece, com cara de poucos amigos. Mas o ar carrancudo desaparece e muda para preocupado quando sua mãe iqsblica — desculpe, *explica.*

— Sim, rápido, entrem — ele responde, tendo traduzido *itique de currassón* muito mais depressa que eu. Entramos aos tropeções na sala, que é ventilada e iluminada (em vários tons de bege) e, hã, com alguém nela.

No sofá. Uma garota. Uma loira. Não sei por que mencionei a cor do cabelo dela. É claro que não é porque loiras se divertem mais ou coisa parecida. Quem liga para a teoria da diversão ou para o fato de que há uma mulher na sala de estar de Dino? Tenho mais coisas com que me preocupar, como manter meu pai vivo.

— Onde colocamos ele? — pergunto a Dino, olhando pra loira, pra ele, e novamente pra loira.

— Deite ele no sofá... Dá licença? — Dino fala com a loira.

Ela levanta, emburrada. Junte a irritação de Dino com a nossa chegada e a cara emburrada dela e temos uma *cena*. Será que estamos atrapalhando algo?

Deitamos meu pai no sofá e abrimos espaço para o Doutor Dino entrar em ação.

— Como está a sua respiração, Jimmy? — ele pergunta enquanto se ajoelha ao lado de meu pai e desabotoa a camisa dele.

— Mim respirar... ser difícil — meu pai toma folêgo.

Observo Dino tocar todo o peito de meu pai com um toque firme. Seus modos são frios e profissionais. Seja o que for que atrapalhamos, o treinamento profissional de médico entrou em cena e estou impressionada... E com os joelhos um pouco fracos. Não, não é uma reação adolescente por se sentir segura na presença de um médico lindo e forte. É porque tenho joelhos fracos mesmo, e a luta para caminhar do carro até a sala carregando metade do peso de meu pai nos ombros não ajudou muito.

— Quando isto começou? — Dino pergunta.

— Cerca de vinte minutos atrás — respondo, e de rabo de olho vejo a loira vestindo o casaco.

Dino também a vê e interrompe o exame pra dizer:

— Coral, por favor, espere. Não vá.

— Corro? — Maroulla pergunta. — Quem ser Corro? — São as primeiras palavras que saem de sua boca desde que chegamos. Olho pra ela e está na cara de que perdeu todo o interesse em meu pai porque está encarando Coral, a loira, com uma expressão horrorizada.

— Mãe, esta é uma amiga minha — Dino diz, com voz cansada, obviamente pensando se deve cuidar primeiro da coronária de meu pai ou da expressão gelada da "amiga" dele, porque, de onde estou, parece que ela também está passando mal.

— Não precisa me apresentar, Dean. Estou de saída — ela responde, pegando a bolsa.

— Din? Quím ser Din? — Maroulla pergunta, olhando pra Coral e pra Dino.

— Vocês quirer saver? Mim achar quí cunseguir respirar melhor agora — diz meu pai, tentando se erguer nos cotovelos para poder dar uma olhada em Coral. Ela está pegando, e isto é mesmo muito estranho, uma gaiola de metal. Do tipo em que se guardam hamsters... E sim, lá está ele. Uma coisinha peluda e castanha, farejando a palha no fundo da gaiola. *Estranho*. Esta *não* me parece ser uma casa onde mora um roedor.

— Venho pegar o resto das minhas coisas mais tarde — ela diz, passando por nós. — Prazer em conhecê-los. — Ela parece estar mentindo, mas quem liga? Decididamente, Maroulla não liga, pois está encarando a porta, de boca aberta, enquanto a mesma se fecha com um estrondo atrás da loira.

— Puta merda, mim achar quí passar. Mim estar Ok agora — meu pai diz, suspirando alto de alívio. Está sentado reto na poltrona e esfregando o peito, feliz da vida.

— Jimmy, *por favor*, deite-se — Dino diz, visivelmente nervoso, enquanto tenta concentrar o pensamento no paciente, e não no problema com a namorada. — Ataques de coração não *passam assim*. — Preciso examinar você direito. Vou pegar meus instrumentos. — Levanta-se e sai da sala.

Meu pai volta a deitar no sofá, e a cor volta à sua face. George, Maroulla e eu nos olhamos sem jeito.

— Quím ser Corro? — Maroulla repete. Ela parece estar mais traumatizada agora do que quando meu pai parecia estar às portas da morte.

Dino reaparece com uma maleta médica preta — e eu que pensei que elas só eram usadas por médicos de minisséries e novelas. Ajoelha-se ao lado de meu pai, pega o estetoscópio e diz:

— Ok, respire o mais normalmente que puder. — E ouve com atenção, enquanto meu pai inspira profundamente de modo completamente forçado. — Bem, seu ritmo cardíaco está bom e firme — diz depois de um momento. — Me diga Jimmy: onde era exatamente a dor?

— Oh, *por todo o lado*. Ser mismo ruim, como ogulhas quentes — meu pai explica, com os olhos arregalados. — Mas tudo istar bem e acabar bem, nón? — diz alegremente.

Um pouco alegre *demais* se você quer saber. Conheço meu pai, e ele nunca abandona uma oportunidade de fazer um drama. Uma vez, cortou o polegar no trabalho e durante semanas tivemos que ouvir como ele esteve "pertinho assim... (segurando bem na extremidade do polegar)... de uma *ambudaçón*. Acho que ele está se recuperando um pouco rápido demais deste *ataque cardíaco*. Sinto cheiro de sujeira e não acho que seja culpa do roedor que saiu na gaiola junto com Coral, a loira.

— Preciso que você seja bem claro sobre a dor — Dino pressiona. — Precisamos saber com o que estamos lidando aqui: um leve ataque cardíaco ou algo mais — angina, indigestão, algo comparado a estresse...

— Ok, doer aqui — meu pai responde apontando o coração... Melhor dizendo, apontando para onde ele pensa que seu coração está.

— Aqui, é? — Dino repete.

— Isso, ser isso mismo. — *Aí mismo* — meu pai responde de modo triunfal.

— E onde mais? A dor desceu pelo braço?

Meu pai faz que sim com a cabeça.

— Ok, qual braço?

— Este aqui — meu pai responde, segurando o braço direito.

— É o braço errado — Dino responde friamente. — E *aqui* — ele diz, apontando zangado para a região do peito peludo mostrada pelo paciente — *não* é o lugar onde fica o seu coração.

A expressão animada de meu pai desaba. Mas somente por um segundo — ele é rápido, tenho que admitir, e agora já sei de quem herdei isso.

— Ora, e entón? — ele exclama. — Iste braço, aquele braço, qual ser o difrença? Os boas-novas són quí nón ir morrer!

Ah, mas você vai, seu desgraçado. Espere só até sairmos daqui.

Dino levanta e parece mais zangado do que quando chegamos aqui — acho que chegou à mesma conclusão que eu. Fulmina a mãe com os olhos, e ela se encolhe toda. Mas ela, como o meu pai, se recupera depressa e diz:

— Já quí todos estar aqui, quím quirer beber algo? Cuca, Theglottsa? Diet Cuca?

— Não se preocupe, mãe. Vou ligar a chaleira. — Dino sai batendo os pés e fico morrendo de raiva na sala.

Ah, poderia matar meu pai. Foi uma armação desde o começo. Achei que a armadilha pra me levarem até a casa dos Georgious no domingo tinha sido o fim da picada, mas esta agora é fenomenal. Posso vê-lo imaginando tudo:

1. Ter um itique de currassón (é fácil, mim ver eles acontecer tempo todo nos seriados médicos).
2. Convencer Theglitsa a levar mim de carro até Dino.
3. Dino salvar meu vida e mostrar meu filha ele ser médico mais brilhunte do mondo.
4. Theglitsa se apaixonar por ele.
5. Reservar igreja, incomendar bolo, tudo ser resolvido...

Minha única dúvida é saber se todos estavam envolvidos na mentira ou não. Minha mãe? Os Georgious? Dino? Ele não. Coral, a loira, com certeza, não sabia de nada, mas quem pode colocar a mão no fogo pelos outros?

Estou *fervendo* de raiva. Olho, espumando, pro meu pai, George e Maroulla. A recuperação milagrosa de meu pai é total. O ataque cardíaco já foi esquecido e estão jogando conversa fora, dizendo o que está certo e errado no mundo, esperando que Dino volte com o chá (ou, provavelmente, uma espingarda julgando pelo modo como saiu da sala).

— Mim nón gostar delas — diz Maroulla. — Nón se poder cunfiar nelas.

— Mim empregar algumas no cunfecção, e elas ser sempre quím mim apanhar roubando — diz George.

— Vocês certos — meu pai concorda. — Nón se puder cunfiar nelas. E você ver mais e mais delas todos os dias. Nós nunca ver tantas nos velhos tempos.

Sobre quem você acha que eles estão falando? Negros? Asiáticos? Gays? Lésbicas? Não, seria muito óbvio.

Estão falando sobre as loiras.

DezAjustada

Não vou aguentar ouvir mais um minuto sequer sem explodir e saio da sala, imitando Dino.

E acabo na cozinha junto dele. Ou será Dean? Não era isso o que planejava. Queria ir pro banheiro ou outro lugar, mas não conheço o apartamento e estou cega de raiva. Ele ignora a minha chegada e prefere continuar descarregando sua raiva batendo as xícaras umas contra as outras. Coitadas... Ou elas também fazem parte do plano?

— Sinto muito — digo em voz baixa, depois de alguns segundos. — Não aguentei ficar lá e ouvir a conversa deles. Estou tão zangada que poderia... Hã, você precisa de ajuda?

Ele parece precisar. Parece perdido, como se não lembrasse onde fica o leite, e quando se lembra, parece não saber onde fica a geladeira. Depois para, dá meia-volta e me encara.

— Você fazia parte deste plano?

— Meu Deus, não. Está pensando que...

— Quer saber? Não faço a mínima ideia do que pensar. *Jesus*, sei que meus pais são loucos por você, mas isso é ridículo.

— Jura? — Não acredito no que ele acabou de dizer. Nenhum pai ou mãe de alguém foi louco por mim antes, nem mesmo os meus. Não consigo evitar um calorzinho de felicidade bem lá no fundo da alma.

— Eles só falam sobre você, ultimamente. Pra dizer a verdade, estou de saco cheio.

Ora! Quem diabos ele pensa que é para estar de saco cheio de *alguém* que fala sobre mim? E estava começando a sentir pena dele... E pensando melhor, bem, ele *é* mesmo um pouco gostoso.

— Bem, se vamos entrar numa de sinceridade, também não aguento mais ouvir histórias a seu respeito — respondo. — E se você tivesse sido suficientemente honesto e contado pra sua mãe que já tem uma namorada, não estaríamos envolvidos nesta confusão, não é?

Pronto, isso vai acabar com ele. E se ele me der uma resposta atrevida, vou acabar com a raça dele querendo saber o que, exatamente, ele estava fazendo com minha irmã caçula na casa da mãe dele. Um homem desta idade, em um quarto, com uma menina daquela idade, não é decente. Isso é coisa que o maluco do Michael Jackson faz.

Ele suspira fundo, se apoia na bancada e diz:

— Acho que você quer dizer que eu *tinha* uma namorada. Ela foi embora... Terminamos.

— E você também vai culpar a gente por isso — digo, e se dane ele —, né, *Dean*?

— Bem que gostaria... Mas a culpa é minha. Eu ferrei tudo.

Queria me estapear. Tá na cara que ele está arrasado e estou acabando com ele. Que ironia, não? Desde a primeira vez que ouvi o nome dele, eu me encolhia de desgosto, e agora tenho esta sensação de... O quê? Pena dele? Sim, acho que sim. O coitado parece triste... E, hã, bastante gostoso.

— Você a ama? — pergunto suavemente.

— Não é amor. Só estávamos namorando há poucos meses, mas havia possibilidade de virar algo sério... — A voz dele esmaece de forma patética. Meu Deus, agora ele deixou de ser gostoso e virou *delicioso*.

— Que aconteceu? — pergunto, transformando-me definitivamente na Boa Samaritana.

— É uma história maluca. Você não vai acreditar.

— Confie em mim — cutuco. — Não pode ser nada pior do que algo que já aconteceu esta noite.

— Foi por causa do hamster.

— Do quê?

— Você viu a gaiola que ela levou embora? Tinha um hamster lá dentro. Eles são basicamente ratos. Vêm do Norte da Áfri...

— Sei o que é um hasmter. Continue.

— Ela era louca por ele. E o batizou de Nelson,* porque ele só tinha um olho, percebe? Nelson, o hamster com um olho só...

Uma loira que adora um roedor com uma deficiência física. Eu *realmente* vi de tudo esta noite.

— ... Bem, ela teve que ir fazer um curso fora por alguns dias. E deixou Nelson comigo.

— Que grande responsabilidade — respondo, e me arrependo imediatamente porque soou sarcástico e não queria que fosse assim. Não quando ele está tão adoravelmente frágil. Não posso acreditar. Devia ainda estar morrendo de raiva por causa do golpe baixo de meu pai, ou

---

* O nome é uma homenagem ao Almirante Nelson, famoso personagem histórico britânico, que perdeu um olho em batalha. (N.T.)

DezAjustada

preocupada com a história de Karl/Ben/Sasha, e estou aqui, sendo compreensiva... Mas tudo bem, tudo bem mesmo.

— Uma *tremenda* responsabilidade — Dino responde. — Continuando, você sabia que os hamsters saltam quase um metro, metro e meio, quando se assustam? Nem eu, até ontem. Deixei que ele saísse da gaiola, e ele está zanzando pela sala. Deixo um livro cair. Nelson dá um pulo e bate com a cabeça na mesa de jantar. É o suficiente. Ele está morto.

— Mas eu o vi na gaiola se mexendo.

— Era o substituto dele. Comprei esta tarde.

— Acho que você está sendo muito duro consigo mesmo, Dino. A morte de Nelson foi um acidente. Coral iria entender.

— Sim, ela poderia entender, mas... Tinha um dilema nas mãos, não vê? E olha para o chão, como se estivesse envergonhado.

— O que quer dizer com isso? — pergunto, resistindo ao impulso de pegar na mão dele para fazer um carinho.

— Podia dizer a verdade a Coral: Nelson morreu, mas comprei um substituto ou...

— Ou o quê?

— Mentir, na maior cara de pau. Ou seja, fazer de conta que o novo é o velho Nelson.

— Espere um pouco — digo, prevendo uma bomba —, você disse que Nelson era cego de um olho.

— Tinha certeza de que poderia dar um jeito. Anatomia humana, anatomia de hamster, não há tanta diferença assim. Ok, não sou um cirurgião, mas *sei* que poderia remover um olho sem que o bichinho sentisse nada.

— Peraí, repete tudo isso. Você ia arrancar fora um olho perfeitamente bom pra falsificar a identidade dele.

— Sim, ia, mas pra proteger Coral do trauma da morte de Nelson. Tinha tudo o que precisava: os instrumentos, a anestesia. Se ela não tivesse voltado antes e me apanhado com o bisturi...

— Você ia arrancar o olho dele? — Não preciso de nova confirmação, mas não me controlo.

— Meu Deus, você é tão ruim quanto ela. Achei que era a coisa certa a se fazer. Veja, como procedimento médico não é nada complicado. A forma do globo ocular é basicamente...

— Epa, pode parar por aí mesmo. — Dou um passo cauteloso para trás. De repente, não quero estar tão perto assim do *Doutor* Dino... Dino, o Assassino da Serra Elétrica. — Você é mesmo um doido varrido — digo, assustada. — Não posso acreditar que estava caindo nesta... nesta história triste.

— Eu sou o maluco? E o que me diz desta farsa imbecil que você inventou para vir aqui esta noite? Me diga se isso não é loucura?

— Não tive *nada* a ver com isso.

— Todos vocês Charalambouses, vocês precisam fazer terapia urgentemente.

— Meu Deus, você é mesmo uma figura. O que faz com que se considere perfeito? O que estava fazendo com minha irmã? Hã?

— É exatamente sobre isso que estou falando. Você já conversou com ela?

— Conversei com ela sobre o quê? O que você fez com ela?

— O que eu fiz? Meu Deus. Se vocês não estivessem tão ocupados inventando ataques cardíacos falsos, poderiam ver que sua ir...

A porta se abre e Maroulla despenca na cozinha.

— Por quí estar a gritar, Dino? — ela diz, admirada. Meu pai está bem atrás dela.

— Quí estar acontecer? — ele grita, milagrosamente em plena forma, quero dizer, forma gorda e peluda. Acho que passaram os últimos dez minutos com o ouvido colado na porta, fazendo força para ouvirem seus adorados filhos se apaixonarem (e dando os parabéns um ao outro pelo sucesso estrondoso de seu plano). E, quando aumentamos o volume das vozes, decidiram intervir.

Bem, fodam-se todos eles. Estou de saco cheio de pais — os meus, os de Dino, outros — *interferindo* na minha vida. Vou sair daqui.

Reviro o bolso procurando pelas chaves do carro e saio na direção da porta.

— Aonde você ir agora? — meu pai rosna atrás de mim.

— Pra casa — respondo, irritada.

— E mim?

— Vá andando... Vai ser bom pro seu coração.

o pedaço com as msgs de sx

Eu me sinto tão mal hoje cedo como quando cheguei em casa ontem à noite. Interroguei minha mãe, mas ela se fez de idiota. Disse que estava maluca de pensar que tinha sido uma armadilha.

— Seu pai nunca faria uma coisa dessas. Algo deve estar errado com ele. Você sabe que estas coisas são uma espécie de aviso. Ele trabalha demais. Precisamos fazer com que ele diminua o ritmo. — Tenho que admitir que ela foi bastante convincente e, por uns cinco segundos, cheguei a duvidar do meu julgamento. Mas não, não há dúvidas de que foi uma armação. Fiquei observando enquanto ela assistia à TV, e não sei dizer se minha mãe é uma excelente mentirosa ou simplesmente uma tremenda idiota. Já era tarde, eu estava esgotada e não consegui chegar a uma conclusão. Então fui deitar.

Ainda estava acordada quando meu pai chegou... depois chegou Emily. Ouvi todos irem deitar... roncar em paz... e se levantar esta manhã. Teria ouvido o galo cantar se tivéssemos um. Não consegui dormir nada. Junto com a raiva profunda que sentia por meu pai estavam sentimentos de culpa — como pude esquecer tudo o que fiz com Karl ontem?

E quanto à mamãe cumprir a promessa de fazer meu pai descansar, bem... Ele estava de pé às seis e meia da manhã, como de costume.

E agora também estou de pé, ao lado da porta do banheiro. Emily está trancada lá dentro e, enquanto espero minha vez apoiada na parede, tomo algumas decisões:

1. Esclarecer as coisas. Karl e Ben são a mesma pessoa? Não deve ser difícil descobrir isso.
2. Caso o pior aconteça, contar tudo para Sasha...

3. ... Menos a parte em que transei com Karl *depois* de estar desconfiada. Sim, sou uma covarde, o que fazer?
4. Fazer meus pais se decidirem: ou eles param de se meter na minha vida pessoal, ou saio de casa. (Vou ter que cruzar os dedos para que eles parem de se meter na minha vida pessoal.)
5. Fazer Emily decidir: ou ela me diz exatamente por que Dino acha que devemos conversar, ou conto pra nossa mãe o que ela faz nas noites em que vai "fazer lição de casa com Alicia" (não que eu saiba exatamente o que é, mas desconfio).

Fingida. Ela está enfiada no banheiro de propósito, e não dá sinais de que vá sair de lá antes do fim de semana. O que ela está fazendo lá dentro? Mais importante, *por que* está fazendo isso? Quer dizer, eu *tenho* que passar uma eternidade à frente do espelho. Tenho que arrumar esta bagunça de rosto para os palermas pretensiosos que chegam ao The Zone só querendo ver perfeição física para onde quer que se virem. Minha irmã, por outro lado, está se embonecando toda para quê? Duas aulas de geografia e uns garotos cheios de espinhas com restos de comida nos casacos? Bato na porta e grito: — Vamos, mexa-se! — o que é um erro, porque agora ela vai demorar uns vinte minutos a mais no espelho, como sempre, arrumando as sobrancelhas.

Estou atrasada. Corro para a cozinha e agarro a caixa de cereais na mesa. Está vazia. Olho pra tigela na frente de Emily. Transbordando. *Filha-da-puta* gulosa.
— *Mamãe*, temos mais cereais?
— Não, só quando seu pai for de novo ao supermercado — ela responde, sem tirar os olhos da televisão portátil no balcão da cozinha.
— Só Deus sabe quando isso vai acontecer, com os *problemas cardíacos* dele e todo o resto — digo. E viro para Emily, dizendo: — *Sua filha-da-puta gulosa*.
— Vai te fazer bem passar um pouco de fome, *Thegla*. Você está engordando — ela responde, debochando.
Ela tem razão, mas dou um chute nela mesmo assim.
— *Mamãe*, Charlie me chutou.

— Ah, parem com isso, vocês duas. Estou tentando assistir ao programa — minha mãe responde. Está vendo Nigella Lawson anunciando seu último livro de culinária no programa de TV matinal. *Ah, faça-me o favor.* Minha mãe só iria comprar um livro da Nigella se as receitas fossem de hambúrgueres congelados, batatas palha e macarrão instantâneo.

Encho a chaleira de água e coloco um pouco de Nescafé na xícara. Estou com uma tremenda dor de cabeça. Maldito pai. Maldito Dino. Maldito Karl. Maldita culpa. Maldito... Estou ficando cansada disso.

— Temos alguma aspirina em casa, mãe?
— Não, só quando seu pai for de novo ao supermercado.

Minha mãe não faz compras porque simplesmente não aguenta. A maior parte das compras para nossa casa é feita no supermercado que vende em grandes quantidades. Depois das visitas de meu pai ao local, nossa casa parece um depósito. Mal conseguimos nos mexer por causa das caixas com cinquenta unidades, e é surpreendente que nosso estoque acabe, mas isso acontece regularmente.

Sento com minha xícara de café e massageio os dois lados da cabeça enquanto Emily se entope de cereais.

— Sabe, preciso é de uma massagem craniana — comento. — Conhece alguém que possa fazer uma, Em?

Ela quase engasga — morte por sufocação com cereais —, mas se recupera e me fuzila com o olhar. Que pode ser traduzido como *lembre-se de que, se abrir a boca sobre o que aconteceu no domingo, tenho muito material a seu respeito.* O fato de que podemos chantagear uma à outra garante o nosso silêncio... por enquanto.

A campainha toca, e minha mãe sai da cadeira para ir atender. Quando ela sai da cozinha, digo:

— Dino disse que precisamos conversar, Em.

Ela encara o cereal, aparentando pânico, mas consegue responder:

— E sobre o que deveria conversar com *você*?
— Não sei. Me diga.

Ela não responde.

— O que estava fazendo com ele no domingo?

— *Nada* — ela responde.
— *Mentirosa*.
— Você está é com ciúmes — ela revida, começando a ficar respondona.
— Ter ciúmes do quê? De um flerte patético com um médico idiota?
— Ele não é idiota. Na verdade, é bastante sensível.
— Tivemos uma tremenda discussão ontem por sua causa. Sobre o que conversaram?
— Por que devo contar pra você? Você só se interessa por seus problemas. Você é...
— Pare de mudar de assunto. Me diga o que aprontou.
— É você quem apronta. Você é *nojenta*.
— Sobre o que você está falando?
— Quem é *Karl*? E o que significa "*Adoro quando você fica cheia de* ***** *e eu* **** *no seu* ** "?

Meu rosto está roxo. Como pude ser tão estupidamente burra? De novo os malditos torpedos. Quero puxar os cabelos dela — não me importo se são grossos e brilhantes —, puxar até ela pedir misericórdia, mas não posso. Minha mãe volta com companhia. Atrás dela está minha cunhada, Soulla, carregando a barriga enorme com as duas mãos, como se fosse uma bomba prestes a explodir. Georgina, como sempre, está grudada em sua coxa, e Tony vem atrás das duas muito sem graça.

— Obrigado, mamãe — ele diz. — Soulla só precisa de um pouco de companhia. Um pouco de paparicação, né, amorzinho?

Ela lhe dá uma olhada raivosa. *Hummm*, sinto uma leve tensão entre Tony e Soulla. Ah, as alegrias da paternidade.

— Não se preocupe, vamos tomar conta de você, Soulla querida — minha mãe suaviza. — Charlotte, prepare uma xícara de chá para sua cunhada.

Eu me levanto obedientemente e ligo a chaleira. Tony olha o relógio.

— Melhor ir andando. Precisa que faça mais alguma coisa pra você, querida?

— Não, pode ir, vá trabalhar. Eu estarei *bem* — Soulla diz, sem conseguir disfarçar o tom de desprezo.

Ele a beija no rosto e tenta abraçar a filha, que está tentando pegar a caixa de cereal e não quer saber dele.

— Não tem cereal — ela diz, emburrada. — Quero cereais. — Ele desiste e sai rapidamente. Não posso condená-lo. Quando sua esposa está prestes a explodir, física e emocionalmente, e sua filha é uma pirralha mimada e mal-educada, contabilidade parece ser o trabalho mais fascinante do mundo. Se fosse ele, também estaria desesperada pra ir cuidar dos livros-caixa de alguém.

— O parto de Soulla vai ser provocado — minha mãe diz quando Tony sai.

— O que é isso? — pergunto, embora ache que não quero ouvir a explicação.

— Quer dizer que vão aplicar uma injeção pra que o trabalho de parto inicie — Soulla explica.

Não, não quero ouvir isso.

— O parto de Charlie foi provocado — diz minha mãe —, mas ela levou um tempão pra sair.

— Eles tiveram que rasgar sua bolsa? — Soulla pergunta, agora parecendo animada.

— Sim. A parteira enfiou algo parecido com uma maldita agulha de tricô em mim, e a represa estourou. Foi água pra todo lado. Por toda a cama, no chão...

Emily e eu nos entreolhamos. Este é um daqueles raros momentos em que estamos de acordo — ambas verdes de enjoo.

— Você já viu que horas são, Em? — digo.

— Meu Deus, puxa, precisamos ir.

o pedaço em que o mundo desaba sobre Kari

— Daniel, decidi promover você — digo, imediatamente depois de ter engolido um punhado de comprimidos analgésicos extrafortes. — Você vai ser o Assistente-executivo encarregado da checagem Zone.

— Não vou ser o seu maldito espião — ele geme quando jogo a prancheta em sua direção.

— Depois de ontem à tarde, você vai ser tudo o que eu quiser.

— Eu *juro*, não sabia que Ruby tinha chegado mais cedo. Já pedi desculpas um milhão de vezes. Caramba, você tem que admitir que foi uma piada.

— Sim, e toda a merda da academia ainda está rindo às minhas custas. São quase dez horas, melhor começar a ronda.

— *Jawohl, mein Fuhrer* — ele responde, batendo os calcanhares, o que não tem nenhum efeito sonoro por causa dos tênis macios, mas entendo o que pretende com isso. E não ligo a mínima. Decidi que, se ele vai me odiar porque sou a chefe, então posso começar a me comportar como uma.

Assim que ele sai, pego o telefone e aperto o botão do ramal da Zone Clone. Jarvis atende.

— Nem comece, Jarv — digo, antes que ele possa fazer uma gracinha. — Sasha já chegou?

— Ela ligou dizendo que está doente, meu bem. Escute, seus shorts para dar aula chegaram.

— Que shorts?

— Os que mandamos estampar, inspirados no filme *Gladiador*. Na bunda pode-se ler *Eu sou o Gluteus Maximus*.

— Vá se foder — respondo, batendo o telefone. Ligo pro celular de Sasha e o correio de voz atende. Deixo um recado: — Sash, sou eu, precisamos conversar. Pode me encontrar depois do expediente para irmos beber algo? Ou, se quiser, posso ir até sua casa. Me liga... Ah, sim, melhoras. — Ela não está doente. Se a conheço bem, está flutuando pelo apartamento, envolta por uma nuvem de velas aromáticas, ouvindo Celine Dion cantar o tema de amor do *Titanic*. Piegas como ela é, é difícil imaginar que vá ficar brava quando contar sobre Karl/Ben, mas sei que vai ficar. Como não ficaria? Quer dizer, isso se for mesmo verdade que Karl e Ben são o mesmo homem. Não importa. Esta suspeita está acabando comigo. Temos que conversar.

Agora que passei a checagem Zone para Daniel, não tenho o que fazer. A recepção está calma. Só eu e Rebecca. Estou pensando no que fazer quando as portas deslizam e três guarda-costas enormes entram. Embora não consiga ver, sei que estão ao redor de Blaize, a sensação das paradas de sucesso, prontos para levar uma bala por ela. E seus assistentes correm atrás, como um grupo de damas de honra. Depois entram os bailarinos... E no grupo, claro, está Karl.

Ele sorri para mim... e pisca.

Fecho os olhos e engulo em seco, mas não consigo evitar a náusea. Abro os olhos. Ele está a poucos passos do balcão e percebo que ainda me sinto atraída e com vontade de arrancar as calças com estampa camuflada dele. *Filhodaputa*. Como se atreve a ser tão sexy e me fazer babar sempre que chega perto de mim?

Preciso lutar contra a sensação.

Está tudo acabado entre nós.

Acabado.

Para toda eternidade.

Ou pelo menos até resolver essa coisa de Karl/Ben.

Viro pra Rebecca e digo:

— Preciso cuidar de umas coisas na minha sala. Você fica bem sozinha? — Ela fica paralisada de medo e começa a reclamar, mas dou as costas e saio correndo.

Preciso falar novamente com Jamie sobre contratar mais pessoal. Puxei o assunto outro dia, mas ele só me disse que iria pensar nisso. Espero que não leve muito tempo pensando.

* * *

— Quanto tempo se leva para pegar dois cafés? — Daniel suspira.

Ele tem razão. Faz vinte minutos que ela saiu daqui.

Preciso, preciso, *tenho que* pressionar Jamie pra contratar mais gente.

Daniel e eu passamos o tempo ouvindo o próximo single de Blaize soando pelo edifício. É só o segundo dia de ensaios dela, mas já ouvi a música uma dúzia de vezes. Se estou cheia? Até a ponta dos cabelos e mais um pouco.

A porta do elevador se abre e Rebecca cambaleia para fora, equilibrando três copos de plástico nas mãos, e segurando três sacos de batatas fritas com os dentes. Daniel e eu observamos, enquanto ela se aproxima devagarzinho, olhando os copos, completamente concentrada. Está a meio caminho do saguão quando a porta de emergência das escadas ao lado do elevador se abre repentinamente, e uma das bailarinas de Blaize sai em disparada. Ela corre pro balcão com uma expressão de pânico absoluto, e claramente não vai deixar que uma coisinha insignificante como Becks seja um obstáculo em seu caminho. Dá um encontrão com o ombro nela e vemos três copos de café voarem no ar e caírem no chão de mármore. Mérito seja dado a Rebecca: ela não deixou as batatas fritas caírem.

— Depressa, chame a ambulância, grita a bailarina quando chega, ofegante, ao balcão. — Karl se feriu e Blaize está tendo um ataque de asma.

Isso nos acorda. Jesus, é tudo o que precisamos. A manchete do tabloide *Sun* de amanhã vai ser LÍDER DAS PARADAS DE SUCESSO VIRA PRESUNTO NA MELHOR ACADEMIA DE LONDRES. E posso ouvir Jamie tendo um chilique: "*Quantas vezes terei que dizer? É uma merda de* EMPÓRIO COMPLETO PARA O CORPO."

— Chame a ambulância, Daniel — grito enquanto salto sobre o balcão (de modo bastante atlético, devo dizer), driblo uma Rebecca paralisada e corro em direção ao elevador.

Chego ao Estúdio Quatro e encontro um pandemônio completo. Bailarinos e guarda-costas reunidos fazendo barulho ao redor de Blaize, tombada em uma cadeira encostada na parede espelhada. Os que estão perto dela oferecem água e a abanam com suas toalhas. Atravesso correndo o piso encerado. Quando chego perto, vejo que está pálida e levemente ofegante. Mas não vejo nenhuma respiração desesperada, nem mãos agarrando dramaticamente a garganta enquanto luta para respirar. Em outras palavras, nenhum dos sintomas clássicos de asma exibidos no episódio da série *Plantão Médico* da noite passada.

— Ela está bem? — pergunto.

— Está em estado de choque — Jenna responde, agachada aos pés de Blaize, acariciando seu braço de modo reconfortador.

— Acho que vou ficar bem — Blaize geme, de modo corajoso.

— O que aconteceu?

— A porcaria do sistema de som, *aquele para o qual* eu pedi, *diretamente para você, Charlie, uma verificação*, despencou em cima de Karl — Jenna dispara.

— Onde ele está? — pergunto, lembrando-me repentinamente do outro motivo pelo qual corri até aqui.

— Está ali — responde uma bailarina, apontando para o outro lado do estúdio.

Viro e o vejo. Está no canto, caído no chão, aparentemente morto. Uma mancha grande de sangue está se espalhando pelas tábuas corridas de madeira clara. A pouca distância, está um dos pesados alto-falantes pretos do estúdio, caído de lado, e perto dele está o suporte que o segurava na parede. Alguns bailarinos estão em volta de Karl, aparentemente sem saber o que fazer.

Corro na sua direção e, quando chego lá, é óbvio que ele está desmaiado. Eu me abaixo e examino sua cabeça. Porra, isso é que eu chamo de corte. Com uns cinco centímetros de comprimento, fundo e pouco acima da lateral da cabeça. Ainda está escorrendo sangue.

— Ninguém pensou em pôr nada nisto? — pergunto aos bailarinos. — Rápido, alguém me dê uma toalha.

Um deles revira uma sacola de ginástica e tira uma pequena toalha branca. Está úmida de suor, mas vai ter que servir. Eu a dobro e faço pressão sobre o corte.

— Há quanto tempo ele perdeu os sentidos? — pergunto.

— Alguns minutos, acho — responde um.

— Já verificaram o pulso dele?

Eles olham um para o outro, com cara de bobos.

Pego no braço de Karl e o ponho no meu colo. Entro em pânico enquanto me lembro do curso de primeiros socorros que fiz no ano passado, e como nunca conseguia achar o meu pulso quando o professor nos pedia. Mas consigo sentir o de Karl em três tempos. Aliviada (porque ele está vivo e porque não vou ter que puxar pela memória para me lembrar de como fazer respiração boca a boca), olho pra cima e vejo que Daniel chegou.

— O que aconteceu? — ele pergunta.

— O alto-falante estava chiando novamente, e Blaize estava ficando com dor de cabeça — explica uma das bailarinas.

— Karl deu um salto e bateu nele com a mão — outra acrescentou. — Tudo caiu em cima dele, e ele desmaiou.

Daniel me olha, preocupado. Como eu, já está vendo os processos, a equipe de advogados, longos dias no tribunal, e Jamie acabando com a minha vida.

— Bem, a ambulância vai chegar a qualquer minuto — ele diz. — E Blaize? Ela está bem?

Olhamos pro outro lado do estúdio, onde a multidão começa a se afastar dela, e pelo que vejo é mais por medo do que por outra coisa.

— Meu Deus, não tem outra coisa além de água para bebermos? — ela reclama, toda vaidosa. — Alguém me traga um chá... *de ervas*. — *Hummm*, parece que ela está se recuperando. Logo depois diz: — Ó meu Deus. — E Blaize olha para nós. E para Karl. Ah bem, afinal de contas talvez ela não seja uma princesa mimada e metida a besta. — Minha *bolsa*!

Vejo a bolsa para a qual ela aponta freneticamente — um modelo branco e caro da marca DKNY. Está a poucos centímetros da cabeça de Karl e corre o risco de ser atingida pela mancha de sangue.

— Pelo amor de Deus, alguém tire Karl dali antes que ela manche de sangue — ela grita. Os bailarinos perto de mim entram em ação, agachando-se e agarrando os tornozelos e os punhos de Karl.

— Parem! — disparo. — Ele pode ter machucado a coluna vertebral. (Finalmente começo a lembrar o que aprendi no curso de primeiros socorros.) — Tirem a merda da bolsa do lugar.

DezAjustada

Loucura. Daniel e eu estamos cuidando de um cara com uma grave ferida na cabeça e todo mundo entra em pânico por causa de uma bolsa de grife. Mas esqueci que estamos na presença da realeza e da importância sagrada da hierarquia do puxa-saquismo: os bailarinos puxam o saco da coreógrafa; esta puxa o saco da estrela pop, que, por sua vez, puxa o saco da gerente geral. *Bem que eu queria.* Direi a ela o que penso sobre o *ataque de asma* dela outra hora porque — vamos falar a sério — ele está na mesma categoria do *itique de currassón* do meu pai.

Até que enfim. A porta se abre, e os paramédicos entram, com maca e tudo.

— Diga a eles que estou bem, de verdade — Blaize protesta, mas os dois paramédicos, que não são habitantes do planeta Estrela Pop, ignoram-na completamente e seguem na direção da emergência real.

— Ele não parece asmático — diz um deles quando chega ao nosso lado.

— E não é. Foi atingido por aquele alto-falante — explico. — Já medi o pulso dele.

— Ok, saia do caminho e nos dê espaço para trabalhar — ele responde, sem se impressionar com o fato de que estive fazendo o trabalho dele.

Levantamos e vamos para o lado. Olho ao redor e vejo Jenna batendo os pés enquanto vem em nossa direção. Quando chega perto, digo:

— Lamento tudo isso — e me arrependo imediatamente, porque dizer *sinto muito* é a mesma coisa que assumir a culpa, não é?

— Eu solicitei *especificamente* que você verificasse os alto-falantes, Charlie — ela me encara. — Ontem, na lanchonete, e tenho testemunhas.

Testemunhas? Bem, Sasha estava conosco, mas ela não se lembra de uma conversa dois minutos depois de ter acontecido.

— Blaize está ensaiando aqui por minha recomendação pessoal — ela continua. — Como você acha que eu fico depois do acidente? Pode ter certeza de que vou falar com Jamie a respeito disso. — Sei que ela está louca pra continuar metendo o pau em mim, mas viu Blaize se mexer com o canto dos olhos. A estrela pop parece estar deixando o local, e Jenna, que sabe muito bem onde estão as prioridades, agarra a bolsa de

Blaize e corre atrás dela. — Talvez você deva ir até o hospital na ambulância — ela diz. — Está traumatizada e deveria ser examinada, queridinha.

— *Odeio* hospitais, Jenna. Só quero ir pra casa.

— Está bem, vamos levar você pra casa. Você precisa esquecer o dia de hoje.

Blaize, Jenna e o restante do grupo saem do estúdio.

— Ninguém vai ficar com Karl? — pergunto, sem saber por que me incomodo. Daniel e eu nos entreolhamos, sem palavras. Quero dizer, já vimos muita gente metida à *prima donna* nos três anos que trabalhamos aqui, mas nada parecido com isso. Os paramédicos colocaram Karl na maca. O pescoço está imobilizado por um colar, e uma máscara de oxigênio cobre seu rosto.

— Ele vai ficar bem? — pergunto.

— Provavelmente é apenas uma concussão, mas nunca se sabe quando se trata de ferimentos na cabeça — diz o mais tagarela da equipe, enquanto erguem a maca e as pernas do carrinho batem no chão com um som surdo. — Vamos ter que fazer uma tomografia no hospital. Alguém vai acompanhá-lo?

Daniel e eu nos entreolhamos novamente enquanto deslizam a maca com Karl para fora da sala.

— Eu cuido das coisas aqui — Daniel diz depois de um segundo. — Vá você.

Olho pra maca que sai e me sinto dividida em duas. Quero ir porque ele está machucado, possivelmente é sério e (nem acredito que estou pensando nisso) porque, mesmo inconsciente e coberto de sangue, ainda o amo. Desculpe, *morro de tesão* por ele. Mas pode ser que ele seja um tremendo filho-da-puta e, enquanto não tiver certeza, não quero que ele acorde e me veja ao lado de sua cama como uma idiota apaixonada. Mas alguém precisa ir com ele, nem que seja para convencê-lo a não nos processar. Já teremos trabalho suficiente nas nossas mãos lidando com alguma merda jurídica por parte da Blaize, que saiu daqui com cara de quem vai fazer alguma coisa.

Meu Deus, o que fazer?

— Vá, Charlie — Daniel me empurra. — Você sabe que quer ir.

— Ok, ligo para você do hospital — respondo e saio correndo.

DezAjustada

Mas enrolei tanto que os paramédicos já foram embora. Corro pra janela no fim do corredor e olho para a rua lá embaixo. Já devem tê-lo colocado na parte traseira da ambulância, porque um dos paramédicos está fechando a porta e a luz da sirene começou a piscar. Observo enquanto ela sai com a sirene ligada.

Poderia ser mais triste? Ele era a alma e o coração da turminha da Blaize, e agora está só e abandonado. E isso porque achava que era amigo íntimo dela. Com base na preocupação que ela demonstrou, só posso concluir que as trepadas que davam eram *mesmo muito* casuais. E isto me deixa um pouco aliviada. Quem sabe não estavam transando? Quem sabe entendi tudo errado, e eles nem eram íntimos *dessa maneira*? Coitado do Karl. Julguei que ele fosse um monstro quando, na verdade, não sabia de nada.

Volto pro estúdio e encontro Daniel olhando pra lustrosa poça vermelha no piso.

— Tarde demais, eles já foram — explico.

— Não faz mal. Ele está em boas mãos. Vou mandar alguém limpar isto.

Vejo uma bolsa de ginástica de couro preto em um canto — é de Karl — e pego. Levo-a pra minha sala por medida de segurança, porque sou uma tremenda profissional e não porque sou uma vaca enxerida que quer vasculhar as coisas dele.

Vou caminhando até Convent Garden. Normalmente iria de metrô, mesmo sendo apenas a duas estações de distância, mas esta noite preciso caminhar. Preciso de ar fresco (ou seja lá o que serve como ar fresco em Londres), pra acalmar meus nervos e me livrar da vibração ruim deste dia.

Meia hora antes de sair da academia, Jenna voltou. Seja qual for o trauma que tenha sofrido, ela é uma tremenda profissional e tinha uma aula pra dar. Não falou comigo. Agarrou o braço de Daniel e disse em voz alta:

— Verifique o estúdio pra mim, meu bem. Não quero mais nada despencando do teto.

Eu me sinto mal pelo que aconteceu com Karl, mas *não* me sinto responsável pessoalmente. Ok, talvez devesse ter pedido para a manutenção checar o chiado nos alto-falantes. Mas eles não foram projetados para que rapagões enormes e atléticos deem umas porradas neles. Quem faz isso está procurando encrenca... Né, benzinho?

Liguei pro hospital antes de ir embora, mas não me deram notícias porque não sou da família.

— Não pode pelo menos me dizer se ele acordou? — peço à enfermeira.

— Lamento minha senhora, mas *não posso* dar informação alguma — ela respondeu, com aquela voz que todas as atendentes no balcão de informações parecem ter.

— Ok, você não precisa *dizer* nada — respondi. — Basta tossir duas vezes se ele estiver acordado.

Foi aí que ela desligou na minha cara.

Chego ao The Dome, em Long Acre. Não quis encontrar Sasha no Billy's — um lugar sempre cheio com pessoas do trabalho não é o ideal pro tipo de conversa que vamos ter. Estou dez minutos atrasada, mas é claro que ela ainda não chegou — Sasha faz com que os gregos pareçam pontuais. Sento-me a uma mesa perto dos janelões que dão pra rua e peço duas cervejas. Estou apavorada com a ideia de ter esta conversa.

Antes de sair do trabalho, revirei a bolsa de ginástica de Karl — ora, procurando pistas —, mas não achei nada. Nenhum pedaço de papel com o telefone de Sash, nenhuma carta de amor perfumada começando com *Meu querido Ben*. Encontrei o celular dele, mas estava bloqueado e não sei a senha. É claro que o fato de ele bloquear o telefone me fez pensar que *tem* algo a esconder.

As cervejas chegam. Tomo um gole e sinto os nervos acalmarem. Fecho os olhos e imagino que estou em uma praia exótica, bebendo um coquetel multicolorido com canudinhos e guarda-chuvinhas. Pelicanos brincam na fofa areia branca e...

— Estou atrasada? — Sasha senta, acabando com a minha fantasia.

— Não, você chegou na hora.

— Impressionante. Tinha certeza de que estava atrasada. Fiquei um tempão no telefone. Quarenta minutos em uma estúpida espera. E não consegui falar com ninguém.

Dez Ajustada

— Pra quem telefonou?
— Quer saber a verdade? Quando acabei desligando, já não me lembrava mais...

Ah, poder ser como Sasha, penso enquanto ela fala sobre o seu dia. Sasha navega pela vida como um barco sem rumo. O tempo todo sem chegar a lugar algum, mas sem ter a menor preocupação a respeito.

— ... e não consigo me decidir a fazer aquela coisa da maratona. Afinal de contas, sei que é pra caridade, mas é para a conscientização sobre o câncer, e acho que é uma perda de tempo.

— Como é que é? — pergunto. Não imaginava que ela fosse do tipo pouco caridoso.

— Bem, câncer é meio a Madonna das doenças, né? Pra que precisam fazer uma campanha de conscientização? Quem é que nunca ouviu falar de câncer? É como achar que nunca ouviram falar de spray bronzeador. A propósito, seu cabelo está lindo hoje. O que você fez com ele?

Estou em um local estranho chamado Mundo da Sasha e, se não tomar cuidado, a conversa continuará à deriva até chegar a um ponto em que não haverá volta pro assunto principal. Preciso assumir o controle agora.

— Sasha, preciso conversar com você.
— O que há de errado? Está doente?
— Não, é sobre Ben.
— Qual o problema com ele? — ela pergunta, franzindo um pouco a testa.
— Bem, você quase não me disse nada sobre ele — digo, embarcando na minha expedição em busca de informações. — O que ele faz, onde vive, coisas assim...
— Bem, ele é bailarino. — Até aí eu sabia. — E é negro. *É claro*... homens brancos não sabem dançar, né?

De acordo com aquele filme, também não sabem enterrar.* Talvez, se Karl fosse um cara branco e delicado, não teria dado seu grande salto até o alto-falante e não estivesse hospitalizado agora.

---

* A autora faz menção ao filme *Homens Brancos não Sabem Enterrar*, com Woody Harrelson e Wesley Snipes, 1992. (N.E.)

— Oh, e vive em South Kensington.

ÓmeuDeus, eu sabia.

— Não tem quase nenhum móvel no apartamento... Mas tem uma câmera de vídeo no quarto, que achei um pouco esquisito, mas ele diz que é pra treinar, ou coisa parecida.

Meu Deus. É mesmo ele. Karl e Ben são a mesma pessoa. Todo esse tempo — *especialmente* o tempo que passei trepando com ele ontem —, estive tentando me convencer de que não havia maneira de ser verdade. Eu me sinto horrível, como se quisesse morrer, ou pelo menos me enfiar num buraco e nunca mais sair.

— Você ficou pálida, Charlie — diz Sasha. — Não apanhou a gripe que estou fingindo ter, pegou? — Ela dá uma risadinha. — Desculpe ter sumido, mas ia me encontrar com Ben. Ele ficou de telefonar.

Como é que ele vai telefonar? Está no hospital. Mas ela ainda não sabe disso. Ainda não sabe de nada. E sou eu quem vai lhe dizer.

— Escute — digo —, tenho notícias horríveis pra te dar.

— *Meu Deus*, o que foi? Não vou ser despedida por ter faltado ao trabalho, ou vou?

— Nada disso... mas... Merda, isto é horrível. Sasha, estamos transando com o mesmo cara. — Deixo a frase no ar por um segundo.

— Quem? — ela pergunta, com uma expressão de quem não faz ideia.

Meu Deus.

— Ora, com quantos caras você está trepando?

Depois de algumas contas de cabeça, ela diz: — Só com o Ben.

— Certo, Ok — digo, preparando-me para a explicação completa. — A verdade é que não tinha percebido que o cara com quem tenho saído, sobre quem ainda não tinha falado com você, bem, o nome dele é Karl e, sabe, ele e Ben são na verdade uma só pessoa.

Pronto, está dito. Foi um pouco ambíguo demais, mas as palavras já saíram de minha boca. Estão voando no ar, mexendo com a camada de ozônio.

E com a incomum cabeça de Sasha. Ela parece estar muito confusa.

— Você está saindo com um cara chamado Karl? Não tinha me dito nada.

— Não, como disse, não tive a oportunidade de falar sobre isso.

— Como é ele? — Ela ainda não entendeu nada.

— Sasha, *escute*. Karl está trapaceando nós duas. Não tenho a certeza se ele sabe que somos amigas, mas não importa, o resultado final é o mesmo. Ele tem se divertido às nossas custas... por assim dizer.

— O quê, esse Karl me conhece?

Ela pode estar em grande forma física, mas um pouco de aeróbica mental iria lhe fazer bem. *Respire fundo, Charlie. Comece de novo. Desta vez, mais devagar.*

— Karl, o cara com quem tenho saído, na verdade se chama Karl Benjamin. Como Ben, o *seu* cara. Karl é Ben. Ben é Karl. *É o mesmo homem.*

Estabelecemos contato. Os olhos de Sasha esbugalharam, o queixo caiu. Afinal, alguém vive dentro daquela cabeça.

— Não! Estamos indo pra cama com o mesmo homem? — ela grita, fazendo com que cabeças se virem na nossa direção e que os garçons parem imediatamente.

— Lamento mesmo muito, Sash — digo baixinho, esperando que ela siga o meu exemplo e baixe o volume da voz. — Se soubesse, nunca teria ido à casa dele, juro.

Ela não acredita. Não *consegue* acreditar. Ele nunca lhe disse que ela era a única mulher da sua vida, mas ela assumiu que sim, da mesma maneira que eu. Conto tudo (exceto a parte de transar com ele *depois* de começar a desconfiar da situação). Ela jura que ainda não o viu no The Zone e acredito nela. Sasha é famosa por não reparar nas coisas. No ano passado, pintei meu cabelo cor de cobre (dizia Folha de Outono na caixa, mas acabou por ser Laranjas Maduras no Verão). Ela não notou a diferença por uma semana, e depois disso só percebeu porque abanei a minha cabeça como uma garota dos comerciais de xampu e gritei "Olhe para o meu cabelo, Sash! Está COR DE LARANJA!"

Depois da explicação, segue o silêncio. Olho pra ela, mas não consigo decifrá-la. Toma um pequeno gole de cerveja e olha pro teto. Não há dúvida de que está tentando digerir toda essa informação. Compreendo isso. Tenho vivido com esse conhecimento há mais tempo do que ela e ainda mal posso começar a entender o que aconteceu comigo.

— Você está bem? O que está pensando? — pergunto depois de algum tempo.

— Inacreditável — ela diz, ainda olhando para o horizonte.

— Eu sei. Nunca conheci um cara tão sacana como ele. Ele...

— Não, *você* é inacreditável, Charlie — ela dispara, batendo com a garrafa na mesa.

— Eu?

— Todo este tempo pensava que você era minha amiga. Ben é a primeira coisa boa que me aconteceu desde, bem, desde *sempre*, e veja só o que você resolve fazer.

— Mas, mas não fiz nada! Foi Karl... *Ben*, que mentiu pra nós duas. Ele é um ninfomaníaco patológico, um filho da...

— Pare de tentar jogar a culpa nele. Você sabia que eu o amava e não conseguiu evitar, teve que arruinar tudo.

— Sash, escute, não sabia de nada disso até ontem, e mesmo então não tinha certeza.

— Mesmo? Por que deveria acreditar em você, porra? Me diga — Ela cruzou os braços à frente do peito e está olhando furiosa pra mim, com um olhar que é puro veneno. Isso é chocante porque nunca vi o rosto bonito de Sasha destilando veneno. E está falando palavrões. Também nunca a ouvi falar palavrões.

— Porque... — gaguejo. Por que ela haveria de acreditar em mim? — Porque é a *verdade*. E não é só comigo que ele está te traindo.

— *Hã?* Quem mais?

— Blaize.

Pronto. Já disse. E o olhar venenoso sumiu. Ela até parece lisonjeada. O que há com as celebridades? As regras que se aplicam ao resto do mundo não têm nada a ver com elas. Se dissesse a Sasha que Blaize tinha tacado fogo no seu gato, estaria com um olhar igualmente deslumbrado. "*O que ela estava vestindo?*", seria provavelmente a sua primeira pergunta, logo seguida de "*Onde será que ela compra fósforos?*"

— Não estou cem por cento certa — continuo —, mas tenho fortíssimas suspeitas de que ele também está envolvido com ela.

— Jura? — Agora parece incrédula. — Ok, me dê uma boa razão pra não pensar que você está inventando isso para se livrar da encrenca?

— Por que eu mentiria? Veja, já menti alguma vez pra você?

— Não tenho como saber, né? Todo este tempo pensei que você estava tentando me ajudar. Tudo *mentira* — ela cospe a palavra. — Meu Deus, como tenho sido ingênua!

— Mas tenho tentado ajudar você — digo baixinho, as palavras não saem como deveriam. Estou pasma. Esperava mesmo que ela ficasse abalada, até mesmo irritada, mas não pensei que ia colocar a culpa em mim.

— O quê? Me fazendo dar aquela bosta de aula de aeróbica quando sabe que odeio aquilo? Isso é que é *ajudar*?

Ela subiu bem o volume da voz, e as pessoas nas mesas ao redor não estão tentando disfarçar o fato de que estão ouvindo. Não me surpreende, porque ela está fazendo com que eu pareça horrível. Meu Deus, ela faz com que eu pareça tão má quanto Daniel. E não o odiei por me meter na merda com as vigilantes de Batley? Mas não foi nada assim quando convenci Sasha a abrir um horário. Tenho que me defender.

— Sasha, você *queria* dar aulas. E*stava* tentando ajudar você.

— Dar aulas sim, mas não aquela babaquice da aeróbica. Sou uma *bailarina*. Pra que treinei durante tantos anos da minha vida?

Não acredito que ela está distorcendo as coisas desta maneira. Será que se esqueceu de todas aqueles testes que eu quis que ela fizesse? De como ela estava nervosa? Tenho que me lembrar de que ela está abalada. Não devo me descontrolar. Mas, peraí, ela não é a única que está. E eu, não fui usada também?

— Sasha, por favor, sei que você está arrasada, mas também estou abalada. Eu...

— Você? Abalada? Você também o amava? Agora está com o seu coraçãozinho partido? Me faça o favor. Você consegue todos os caras que quer. É só bater essas pestanas e eles caem aos seus pés. Até Steve na academia.

— Steve? Ele está sempre gritando comigo. Ele me odeia.

— Mentira, e você sabe disso. Ele não grita com você. Está só se exibindo. Ele disse a Ruby que quer pôr você em uma das máquinas de musculação uma noite destas, depois de todo mundo sair, porque você tem cara de quem ia gostar de dar uma *malhada*. Ele percebeu bem como você é, né?

Steve? Caramba. Isso é novidade. O que dizer? Ela não me dá uma chance.

— Todo mundo diz que você mudou desde que ganhou aquela promoção. Até Maya, e ela nunca fala mal de ninguém.

Ela está me fuzilando com olhos cheios de ódio, e eu quero morrer. Se fosse uma das pessoas ouvindo esta conversa, também me odiaria. Mas que raio de vaca eu sou? Será que me transformei mesmo no diabo dos infernos, a sucessora natural de Lydia? Talvez seja verdade. Talvez inconscientemente queira destruir a carreira de Sasha, depois roubar o seu homem, e lentamente destruir todos os pedacinhos da sua vida até que fique só um buraco tão grande que não haverá como cobrir...

Que monte de besteira!

— Sasha, lamento que todo mundo pense que sou uma vaca, mas não mudei.

— Tem razão — ela diz. — Não mudou.

Bem, talvez ela esteja se acalmando, vendo a raz...

— Não, acho que você sempre foi uma vaca intriguenta e manipuladora. Só que nós éramos todos muito estúpidos pra perceber. Todos odiávamos Lydia, mas pelo menos ela só dava punhaladas pela *frente*.

O seu rosto ainda está cheio de desprezo, mas agora está chorando. Percebo que também vou começar a chorar. Tenho que tentar puxar esta conversa pro início, fazê-la ver as coisas como são.

— Sasha, não planejei roubar o seu homem, juro — digo, limpando os olhos com as mãos. — Não suspeitava dele até ontem, e não tinha a certeza até ter perguntado por ele agora.

— Certo. Então por que não vamos ver o que ele tem a dizer sobre o assunto? — ela diz, puxando o celular da bolsa.

— Mas agora você não vai conseguir falar com ele — declaro.

— Ah, que conveniente, não? Por que não?

— Ele está no hospital.

E conto sobre o acidente de Karl.

— Ó meu Deus, ele poderia ter morrido — ela grita. — Não admira que meu pobre queridinho não tenha telefonado hoje de manhã.

Pobre queridinho? Não acredito no que ouço. Será que está tão apaixonada por ele assim que vai pôr a culpa de tudo em mim e deixá-lo sair da enrascada?

— Sasha, não me diga que ainda se importa com ele! — disparo, engasgada.

Os olhos dela voltam a se encher de lágrimas, e ela dá um gole desafiador de cerveja.

— Não sei de mais nada — ela responde, jogando os cabelos pra trás e se levantando. — Só sei que odeio você. Como pude pensar que você era minha amiga? Você é uma mentirosa, uma egoísta e... e seu megahair é horrível!

Ouço risinhos abafados vindos da mesa atrás de nós enquanto Sasha vai embora.

Nunca me senti tão mal.

A minha vida não poderia ser uma merda maior.

Poderia?

O pedaço em que minha mãe muda de canal (e desta vez não estou falando sobre um programa de televisão)

É claro que sim.
— *Mãe*, de que diabos você está falando? — grito. — O que deu em você?
— Bem, vamos analisar os fatos, Charlie. Você está com quase vinte e cinco anos.
— E isso é ser velha, é?
— Na sua idade, eu estava casada... e tinha uma filha.
— E foi nessa época que você perdeu a vontade de viver, se sentou e nunca mais tirou a bunda do sofá na frente da TV?
— Charlie!
— Desculpa... Escute, só estou dizendo que as coisas demoram mais, hoje em dia. Estamos em Londres, no século XXI. Não estamos em uma aldeia medieval onde os noivados acontecem aos doze anos e os casamentos, aos quatorze.
— Deixe de ser tão tonta. Você agora já tem um quarto de século.
— Pare de dizer isso como se eu estivesse usando dentadura e bengala.
— Você precisa agir de acordo com sua idade, Charlotte, e pensar seriamente em seu futuro. A vida passa correndo, sabe? E quando você menos espera está velha e sozinha.

Olho pra minha mãe e não a reconheço. Nos velhos tempos — mais ou menos há uma semana —, não estaríamos tendo este tipo de discussão. A mãe antiga sempre foi a primeira pessoa a dizer que deveria me divertir enquanto podia porque a vida é curta demais. A mãe dela, nossa avó, morreu há dois anos. Minha mãe ficou arrasada. Lembro de estar tomando uma xícara de chá com mamãe na manhã do funeral. Estávamos sozinhas na cozinha.

DezAjustada

— Você começa a vida cheia de esperanças e sonhos, Charlie — ela disse, triste como nunca a tinha visto antes. — Pensa que todos vão se tornar realidade porque você é especial. Ninguém mais é como você, e sua vida vai ser sensacional. Mas um dia você acorda e percebe que, se seus sonhos fossem se tornar realidade, isso já teria acontecido a esta altura da vida. Você perdeu sua chance sem perceber.

Fiquei tão comovida que pensei que deveria ter sido algo que ela tinha ouvido na novela na véspera. Pelo menos era o que esperava que fosse. Não queria que a tristeza e a decepção dela fossem verdadeiras.

— Mas seus sonhos se tornaram realidade, não foi, mãe? — perguntei, esperançosa.

Meu pai nos interrompeu nesse momento, entrando correndo na cozinha e dizendo:

— Ei, vamos correr, correr, nós chegar atrasados — embora o funeral fosse dali a duas horas. E depois, com a sensibilidade de costume: Ei, Maevou, onde estar meus sapatos?

Minha mãe sorriu de leve para mim.

— Tenha a certeza de que você vai agarrar a vida pelos chifres. Não perca sua chance. — E foi procurar os sapatos de meu pai.

Foi a única vez que ouvi esse discurso, mas era típico de minha mãe. Que sempre pregou a busca pela liberdade e diversão. Não entendo a mudança. Foi algo repentino? Ou alguma coisa que se instalou devagarzinho e eu andei muito ocupada para perceber? Tudo o que sei é que nesse momento quero minha antiga mãe de volta, aquela que não liga pra nada a não ser o que esteja passando naquela coisa quadrada no canto da sala.

A coisa *redonda* no outro canto observa tudo em silenciosa aprovação. Ele gosta dessa esposa nova e aprimorada. Nos velhos tempos (ou seja, semana passada), sempre que ele se incomodava com qualquer coisa, ela o ignorava ou o mandava calar a boca. Agora ela é tão ruim quanto ele e não quer largar do meu pé.

— Charlie, não sei por que você está tão zangada. Dino é um rapaz adorável.

— Escute, nem mesmo acho ele *atraente*. — Cuspo a frase olhando para Emily, que parece aterrorizada. E deveria estar, escondendo-se em quartos com o homem que escolheram para mim. Ok, ainda não sei o que se passa com ela, mas tá na cara que está acontecendo alguma coisa. Está encolhida no sofá ao lado de meu pai, e a única coisa que me impede de jogar um holofote em cima dela é o fato de que me lembro bem de como era ter quinze anos. Mentindo o tempo todo para poder ir aonde quisesse e encontrar quem quisesse — pelo amor de Deus, ainda faço isso.

— O que é que achá-lo atraente tem a ver com isso? — Minha mãe pergunta, parecendo, quase, com uma música velha da Tina Turner. — Cresça, Charlie. Você já o conhece, é bonitão, bem-sucedido. Acredite em mim, você poderia se dar muito pior — ela diz olhando pro meu pai e dando um sorriso.

Ela está certa. Dino é bonito e bem-sucedido, mas ela não vai me convencer facilmente.

— Olhe, mamãe, ele poderia ser o Jude Law com um diploma de médico, mas depois do fiasco da noite passada não vou conseguir voltar a olhar pra ele.

— O quí você estar a falar? — meu pai cospe a frase, acompanhada de um monte de granola. (Acredite se quiser, isso faz parte da nova dieta bom-para-o-meu-coração.) — Noite passada mim quase morrer.

— Ah, poupe-me, *por favor*... Olhe, vão se acostumando com a ideia. Eu e Dino: não vai rolar.

Dessa vez, minha mãe sorri pro meu pai.

— Sabe, o amor cresce entre as pessoas. Veja seu pai e eu.

Olho para os dois: a versão de Brad Pitt e Jennifer Anniston do bairro de Wood Green.

Meu pai parece dividido. Não há dúvida de que deseja saltar e gritar "*O quí você estar a falar, Maevou? Você sempre dizer quí saber no momento quí vir mim quí mim ser o pissoa certa*", mas não quer desmenti-la neste momento, já que ela está do lado dele. Mas há outra razão pela qual ele está calado. Está disfarçadamente de olho na RIK porque está chegando um daqueles momentos dramáticos em uma de suas novelas favoritas. A irmã acha que está grávida do irmão e tem medo de que o bebê seja um horrível monstro mutante deformado. Bem, se sair parecido com ela...

— Charlie, eles são uma família maravilhosa — minha mãe continua, sem largar o osso. — E estão muito bem de vida. Você viu a casa deles? Hoje tive uma longa conversa com Maroulla. Fique sabendo que eles querem você.

Eles querem você. Parece uma frase saída da novela de meu pai. Minha mãe se transformou na rainha do melodrama grego.

— E o que isso quer dizer, exatamente? — pergunto.

— Pro Dino. Mesmo com tudo tendo saído de forma meio confusa na casa dele com a, hã, recuperação interessante de seu pai e todo o resto, Maroulla tem certeza de que Dino gostou de você.

— Mãe, ele estava terminando um namoro e acabou brigando comigo! Você vem me dizer que ele gostou de mim? Dou uma espiada em Emily enquanto grito. Agora ela parece querer que o uniforme da escola fosse estampado, pra poder camuflar a si própria contra o sofá.

— Deixe de ser tão dramática, Charlie. Maroulla vai falar direito com ele e nós dissemos que iríamos fazer o mesmo com você, não foi, Jimmy?

Ele concorda com a cabeça. Sua boca está cheia, e ele não pode falar. Não que estar com a boca cheia seja um empecilho pra ele, mas está hipnotizado pela TV. A irmã acaba de aparecer em cena e pegou o irmão transando com a mãe. Pelo menos é isso o que parece, mas estou inventando.

— Só pedimos que você colabore um pouco — minha mãe diz, apelando.

— Sim, você dar um chance — meu pai repete, fazendo uma careta enquanto engole a última bocada de granola. Será que a novela o está ofendendo? — Como ir saber se nón gostar se nón experimentar? — E, pelo modo como joga a tigela vazia na mesinha de centro, acho que está falando sobre a granola.

Não consigo respirar. Eu me sinto como em uma armadilha. *Não quero me casar.* Com ninguém, e definitivamente não com um médico grego idiota que só sabe pensar em mutilar animais de estimação fofos e que precisa que a mamãe arrume uma esposa pra ele.

Isto é loucura. Sou Charlie, a supergerente de um local cheio de superpessoas e super-hiperestrelas pop. Sou uma pessoa eloquente, desinibida e suficientemente madura pra resolver meus problemas de maneira calma e digna.

— *Aarrrggh!* Vocês estão me deixando louca! — grito. — Estou falando sério. Se tentarem me obrigar a vê-lo, juro, vou embora e eu... eu... Vocês nunca mais vão me ver. *Nunca mais.*

Saio correndo da sala, batendo a porta para um efeito dramático que não funciona porque ela bate e abre novamente sem fazer som. Ouço meu pai gritar:

— Theglitsa, você vir voltar aqui, mas primeiro pigar o torta de queijo no geladeira. Mim estar a morrer de fome!

Mas ele pode ir se danar. Todos eles.

<u>NÃO</u> VOU CASAR COM DINO.

Será que agora deixei tudo bem claro?

O pedaço em que o mundo desaba sobre a minha cabeça

— Você, Theglottsa Charalambous, aceitar este homem, Dino Georgiou, pra obedecer, cozinhar e fazer tudo o que ele quiser, sem reclamar, até que morte separar vocês?

— Mim aceitar... quero dizer, *aceito* — falo tão baixo que as pessoas na igreja lotada não me ouvem.

— Quí estar dizer? Falar pra fora — grita o padre, que, apesar de ser um grego baixinho, parece enorme — bem, estou ajoelhada. Ele é igualzinho ao Professor Dumbledore, do Harry Potter. Na verdade, ele é o Professor Dumbledore. Só que não é tão gentil. E não está vestido com roupas de mago. E fala com sotaque grego.

— Aceito — digo um pouco mais alto, tentando não engasgar com as palavras. Duas mil pessoas se apertam na igreja e posso *sentir* a alegria delas. Ouço os gritos de emoção do lado de fora, onde outros milhares estão reunidos na praça da aldeia. Assistem à cerimônia em um telão gigantesco, que custou uma fortuna — meu pai vendeu a lanchonete para pagar por ele. Nunca houve um casamento como este em Chipre.

— E você, Dino Georgiou, aceitar Thegla pra cozinhar, lavar, passar e ficar de quatro aos seus pés até que morte separar vocês?

— Aceito — a voz de Dino ressoa orgulhosamente.

Padre Dumbledore sorri satisfeito, bem como o resto da congregação peluda — todos têm barba. A das mulheres mais velhas passa dos joelhos.

— Ótimo. E entón mim proclamar vocês marido e molher. Agora vocês fazer beijo.

Dino se inclina, levanta meu véu e mostra a minha dor. O rímel escorre pelo meu rosto, meus lábios tremem e sinto o gosto das minhas lágrimas. Sairia correndo, se os três mil metros quadrados de seda e tafetá branco enrolados ao redor de meu corpo não impedissem meus movimentos. Dino se inclina mais e faz biquinho. Neste momento, uma voz atrás de nós explode, cantando entusiasmada e sem restrições. É o?... Não, não pode ser. Sabia que Maroulla tinha convidado Deus e o mundo, mas não acredito que ela tenha convidado o Padrinho do Soul...

— *Acorde! Eu disse, acoooorde!*

Dou um salto e bato a cabeça no balcão de mármore da recepção. Devo ter caído no sono. Na minha frente, vejo três James Brown cantando em três aparelhos de TV. Atrás de mim, alguém se esfrega ritmicamente na minha bunda. Só pode ser Daniel.

Esta é a sua chamada-despertador, Srta. Charalambous — ele cantarola.

— Desculpe, não sei o que me deu. Tive uma noite terrível — digo, esfregando os olhos.

— Suspirando pelo Homem Ideal?

— Meu Deus, não... A merda familiar de praxe. Você não queira saber.

— Tem razão, não quero. Bem, já fiz a checagem Zone. Tudo certinho. Exceto Steve. Está terrivelmente mal-humorado hoje. Eu o encontrei chutando uma das máquinas de remo por não estar em forma.

Steve. No meio de todos os pesadelos que giram na minha cabeça, todas as coisas horríveis que Sasha me disse, a coisa que mais me incomoda é o que comentou sobre Steve. Tenho que perguntar.

— Daniel, Steve tem uma namorada?

— Claro que não. Está esperando por *você*, meu bem. Sua foto está colada na porta do armário dele... bem, a sua cabeça no corpo de uma atriz pornô. Não sabia? Todo mundo sabe.

Começo a imaginar se realmente *sei* o que quer que seja sobre este lugar. A única certeza que tenho é que Sasha me despreza, e Steve não — e não sei o que me incomoda mais. Quanto a Daniel, não sei o que pensar. Parece amigável, mas a merda que ele andou aprontando ultimamente, os comentários maldosos... Deus, estou confusa.

Mas preciso me controlar e depressa. Amanhã o Channel Four chega com suas câmeras e tenho muito o que fazer, se não quiser dar a impressão de que somos uns amadores — tenho certeza de que amadorismo total não faz parte da visão de Jamie. O local já está meio alucinado por antecipação. Falando francamente, é como se nenhum de nós nunca tivesse aparecido em um documentário no horário nobre... O que é a mais pura verdade.

Pelo menos não tenho que lidar com a insana da Sasha. Ela ligou dizendo que está doente — de novo. Quero muito acertar os ponteiros com ela, mas hoje não é o melhor dia.

Outra que resolveu dar uma de doentinha foi a Blaize. O Mission Management ligou cedo. Entrei imediatamente em pânico, achando que era uma ligação pra dizer "Vejo você no tribunal". Mas a assistente dela só queria cancelar os ensaios. A coitadinha está "descansando". Mas, em uma daquelas decisões típicas do mundo musical, em que se tem mais dinheiro do que juízo, querem manter o estúdio reservado e bloqueado. Comentei que amanhã iriam filmar um *reality show* aqui. Desconfio que a informação vai acelerar a recuperação dela — vamos ver. Também perguntei se sabiam como estava Karl.

— Quem? — perguntou a puxa-saco de Blaize.

— Então, o que temos na agenda para hoje, patroa? — Daniel pergunta. Só Deus sabe se essa coisa de patroa é um comentário irônico. Como eu disse antes, não sei de mais nada.

— O pessoal da produtora chega em uma hora, mais ou menos, pros últimos arranjos. Preciso ficar aqui com eles, hã, você pode me fazer um grande favor? Se importaria de ir ao hospital ver como Karl está?

— Por quê? — ele pergunta, indignado. — Ele não é meu namorado.

— Acredite se quiser, também não é o meu.

E finalmente conto toda a sujeira feita por Karl Benjamin.

— Meu Deus, ele não é somente a cara do Nelly, ele é o filho-da-puta do Nelly. E eu pensei que eu era um tarado cheio de tesão — ele exclamou sem fôlego quando acabei de contar tudo. Embora esteja tentando ser simpático, não consegue disfarçar a admiração da voz. — Como Sasha recebeu a notícia?

— Vamos colocar as coisas deste modo: não vou receber um cartão de Natal dela.

— Ela não pode culpar você... Pode?
— Não sei, realmente não sei — sentindo toda a merda que venho tentando esconder dentro de mim.
— O que há de errado? — Daniel pergunta.
Não sei como dizer e acabo disparando: — É verdade que todo mundo aqui me odeia?
Daniel se remexe, sem graça, e o fato de não me olhar nos olhos é a resposta de que preciso. Depois de uma pausa agonizante, ele diz:
— Eu não.
— Jura? — pergunto, de modo patético.
— Claro que não — ele diz, passando o braço no meu ombro. — De onde saiu isso?
Ai Deus, por que fui perguntar? Se todo mundo *realmente* me odeia, quero mesmo saber?
— Esqueça — digo depois de um momento. — Então, você vai ao hospital pra mim?
— Preciso mesmo? — Ele parece chateado, provavelmente porque vai perder a chance de paquerar a equipe de TV. Ele é um deslumbrado de primeira. E está lindo hoje. Vestido dos pés à cabeça com roupas Zone azuis e lentes de contato combinando. Está com um visual super-sexy, no estilo dos astros pop, tipo "olhem para mim".
— Alguém precisa ir — digo. — Ele pode ser um filho-da-puta traiçoeiro e mentiroso, mas se machucou feio nas nossas dependências. *Por favor*, Daniel.
— Ok, já que é assim — respondeu.
E me dá um abraço e desejo que ele não me solte mais.

Agora queria que Daniel estivesse aqui. Assim que ele saiu, os telefones enlouqueceram. Parece que a notícia de que vamos aparecer na TV se espalhou. De repente, todas as aulas estão lotadas. Existe alguém no mundo que não queira aparecer na TV? Sim. Meus pais. Só querem saber de sentar na frente de uma. Quando comentei sobre o programa, meu pai respondeu (sem tirar os olhos da tela):

— TV ser merda. Por quí você nón fazer algo útil? Como, por igsemplo ser interessada no política local, como mim? Mim pensar em ser candidato a vereador por Hurringey, e resolver os coisas de vez por todas.

Dez Ajustada

Falando em meus pais, não falo com eles desde a minha saída dramática pela porta da frente na noite passada. A casa nunca esteve tão silenciosa. Deveria ter mais ataques, conseguiria mais paz. Emily parecia aterrorizada no café-da-manhã. Quase tive pena dela. Não consigo parar de pensar em por que Dino acha que tenho que conversar com ela. Por que ele não conversa com ela, já que é tão *sensível*?

Pare com isso, Charlie. Não posso me preocupar com isso agora. Tenho que cuidar do The Zone. Os telefones vão derreter, os sócios e funcionários estão com os olhos brilhando de excitação, e a cada cinco minutos alguém da equipe de TV aparece com uma pergunta. Podem colocar uma câmera no vestiário feminino? Claro que não.

Onde está Daniel? Está demorando um tempão no hospital. Tenho que falar com Jamie sobre a contratação de mais pessoal, mas, quando o vi pela última vez, ainda estava furioso comigo por ter deixado Jacqueline se associar. Como sempre, e um problema achar o momento certo.

Ouço o barulhinho suspirado das portas se abrindo e assumo a minha postura ereta e sorridente de bem-vindo-ao-The-Zone, que desaba imediatamente quando vejo Emily atravessando o piso de mármore em minha direção.

— O que você está fazendo aqui? — pergunto enquanto ela se encosta no balcão. — Não tem aula de matemática ou coisa parecida?

— Sabia que não poderia esperar que você se importasse. — Seu lábio inferior treme e lágrimas gorduchas surgem no canto dos olhos. — Eu vou embora — ela geme de modo lamentável enquanto vira de costas.

Eu cedo.

— Espere, Emily, *espere*. Qual é o problema?

— Tenho uma coisa pra contar e... Escute, não sabia mais a quem recorrer, Ok?

Ela deve estar em apuros, pra vir falar *comigo*. Não temos propriamente o hábito de ajudar uma à outra, por isso esta situação toda é esquisita. Tão provável de acontecer quanto a Christina Aguilera ir pedir dicas para a Pink sobre como cantar.

— Ok, Ok — digo, avistando Daniel subindo os degraus —, deixe só que eu passe as coisas pra outra pessoa e vamos pro meu escritório.

Emily se deixa cair em um sofá e fica olhando boquiaberta pras TVs. Daniel chega ao balcão, dando uma olhada nela — bem, não se veem muitos uniformes escolares por aqui.

— Como vai ele? — pergunto.

— Enfaixado e ligado a um monitor cardíaco, mas, da maneira como está flertando com uma enorme enfermeira jamaicana, diria que vai voltar a espalhar a sua semente pela cidade em três tempos.

— *Agora fale sério.*

— Sério, ele deu cinco pontos na cabeça e uma concussão. Vão mantê-lo lá mais uma noite pra observação, mas vai receber alta amanhã. Agradeceu por você tê-lo ajudado e pediu desculpas por ter arruinado o sistema de som.

— Então não vai processar a gente?

— Que pena! Estava louco pra ver você no banco dos réus... Quem é a colegial? — Está olhando pra Emily, que seca os olhos com um lenço de papel. — Parece que vai se suicidar.

— Minha irmã. Está tendo uma crise. Provavelmente perdeu um jogo na escola. Você se importa de cuidar das coisas por uns minutos enquanto vejo o que ela quer?

— Meu Deus, tenho que fazer *tudo* por aqui.

— Não posso ficar longe da recepção por muito tempo — digo, enquanto fecho a porta do meu escritório. — E se é dinheiro o que você quer, pode sumir daqui.

— Sabia que era uma estupidez vir aqui — Emily funga, passando por mim. Agarro os ombros dela e a impeço.

— Desculpe. Senta e me diga o que se passa. — Tento achar a minha voz de Boa Samaritana, como fiz com Dino na outra noite. Mas nunca tinha feito o papel de preocupada com Emily e isso soa estranho. Ponho o braço ao redor dela? Digo "*pronto, pronto, vai ficar tudo bem*"? Pelo que sei, pode ser só outro truque elaborado dela. Ainda chorando, Emily se senta na cadeira e olho pra ela com atenção. Não parece a irmã mais nova dos infernos. Só muito jovem e muito assustada.

— Estou metida em um problema enorme — diz baixinho.

O que foi que ela fez, pelo amor de Deus? Foi apanhada faltando à escola? Colando em uma prova de francês? Fumando crack atrás do bicicletário?

DezAjustada

— Não pode ser nada assim tão grave — digo. — Vamos lá, não vai parecer uma coisa tão horrível assim que falar dela. — Estou tentando dar um tom positivo, mas pareço com mamãe quando tento dizer a ela alguma coisa importante, e ela só quer me apressar pra ir ver TV. Mas quero mesmo que Emily fale logo. Tenho sérios problemas só meus com que me preocupar.

— Você não pode contar pra ninguém, Ok? — ela começa. — Se contar, nunca mais falo com você.

Oh, e isso é uma coisa ruim?

Mas não digo isso. — Não vou contar a ninguém — resmungo.

O seu rosto se fecha, a boca abre e ela começa a berrar chorando. Algo parece soar como:

— *Estou grávida!*

Depois tomba em cima da papelada que está sistematicamente espalhada na minha mesa.

Tenho vontade de rir. Dá para ser mais nojenta do que isto? Quero cantar "Lá, lá, lá, laaá, você está completamente *ferrada*!"

Mas não faço isso.

Porque, apesar do que Sasha disse sobre todo mundo me odiar, não sou mesmo uma má pessoa e vou começar provando isso agora mesmo, com Emily.

— Tem certeza? — pergunto suavemente.

— É claro que tenho. Acha que viria aqui *falar com você* se não tivesse?

— Quem é o pai? — pergunto, lutando para não dar a ela uma resposta atravessada. Estou mesmo surpresa porque nem sabia que ela tinha um namorado. Não sabia que tinha uma vida sexual, que fosse além de piscar para rapazes no shopping.

— Não posso contar a você — choraminga. — Papai vai me *matar*.

— Bem, não sou o papai. Acho que pode ajudar se você me contar quem é ele, Emily. — Apesar de não saber bem como, para além de satisfazer a minha curiosidade. — O cara sabe?

Ela não responde, só soluça.

Uma moedinha cai no chão — fazendo o barulho de um peso de chumbo.

— Falou com Dino sobre isso, não foi? — pergunto, incrédula, percebendo subitamente que era por isso que ele queria que eu falasse com ela.

— *Ora*, é claro! Que outra coisa você acha que estávamos fazendo no quarto?

— Isso não interessa — gaguejo, apesar de, até agora, só estar interessada em saber o que ela estava *fazendo* lá. — Não posso acreditar que você foi falar com um completo desconhecido em vez de falar com alguém de sua própria família.

— Oh, sim, como se eu fosse correndo falar com *você*.

Ela tem razão. Nunca estive pronta pra ajudar em nada, né? Agora me sinto mal. Ela deve estar em péssimo estado — bem, consigo ver que sim. Tem quinze anos, pelo amor de Deus. O que vai fazer com uma criança?

— Você quer parar de olhar assim para mim? — ela pede, levantando a cabeça e vendo o que espero que seja a minha expressão amável e compreensiva, mas que é obviamente um olhar embasbacado. — Meu Deus, papai vai mesmo acabar comigo.

Tem razão, pobre garota. Papai vai mesmo acabar com ela. Mas não posso dizer isso. Tenho que manter a situação sob controle enquanto penso.

— O que é que vou fazer? — ela geme.

— Acho... Há... Penso que... — Vá lá, o que *é* que penso? Tenho que me recompor. — Veja, não vai ser assim tão terrível... — O que estou dizendo? *É claro que vai.* — Na verdade, é mesmo terrível. É uma calamidade. Se papai descobre, vai acabar com você. — *Ora!* Não era nada disso que queria dizer.

— *Oquediabosvoufazer?* — ela pergunta aos prantos, antes de cair nos soluços mais desamparados e histéricos da sua vida. — Meu Deus, sabia que isto ia ser uma completa perda de tempo. Você não serve pra nada, sabia? *Pra nada!*

Eu sou uma *inútil*. Tenho que me controlar e lidar com isso corretamente.

— Já falou com o pai do bebê? — pergunto suavemente.

Ela não responde.

— Quem é ele? Quer que vá com você falar com ele?

Ainda nenhuma resposta, só soluços abafados.

— Por que o está protegendo, Emily? Ele também tem responsabilidade nisto. Ele é mais velho? Se aproveitou de você? Deveríamos ir à polícia?

— *Cala a boca!* — ela dispara. — Ele não se aproveitou de mim. Foi *especial,* e nós nos *amamos.* E é claro que falei com ele. Está se cagando de medo. O que você quer que ele faça? É só um garoto.

Como se ela não fosse.

— Bem, se ele te amasse, talvez estivesse aqui do seu lado, tentando te ajudar com isto — digo.

— Eu *sabia* que você não ia entender — ela bufa. — Você é uma *merda* de pessoa pra se conversar. Seja como for, você não sabe nada de amor. Quem iria se apaixonar por uma bruaca feiosa como você?

— Já tive uma boa quantidade de namorados — digo, apesar de só Deus saber por que estou me defendendo quando podia simplesmente dar uma bofetada nela.

— Sim, caras que enviam torpedos *pervertidos.*

Agora estou quase perdendo as estribeiras: prestes a agarrar seu braço e jogá-la no olho da rua. Ela deve ter captado os meus pensamentos, porque uma nova cachoeira jorra dos seus olhos e ela diz:— O que vou fazer, Charlie?

Ela é inacreditável. Vem até aqui, me insulta e depois faz uns olhinhos de cachorro perdido, daqueles que usa há anos com papai e espera que eu a ajude. Mas tem razão — *mais uma vez.* Tenho mesmo que ajudá-la. Sou a sua irmã mais velha. Posso ser péssima nisso, mas sou a única que ela tem. Tenho que ajudá-la nisto.

E, na minha opinião perita de irmã mais velha, tendo avaliado as opções, cheguei à conclusão de que ela não tem opções. Bem, tem uma.

— Emily, se acalme, respire fundo e me escute — digo, antes de respirar profundamente também. — Você vai ter que se livrar dele.

— O que quer dizer com isso?

— Fazer um aborto.

E aí está, bem na hora, estremelique máximo. Cruzes, agora vou mesmo ter que pôr meu braço ao redor dela. Estico o braço... mas a coisa não bate bem. Mas continuo porque, bem, tenho a certeza de que é isso que se espera que as irmãs mais velhas decentes façam.

— Vamos, Emily, você tem quinze anos. Não pode ter um filho.

— Mas e o pai? — ela funga. — Não tem direito de opinar?

— Ele vai agradecer a você, acredite em mim. Além disso, há só um *pai* com quem você deveria estar se preocupando.

— Você não vai contar nada pra ele, vai? — pergunta, com um olhar saído de um filme de terror.

Sinto uma súbita onda de poder. Não é agradável, mas cá está. Deve ser isto que alguém sente quando tem instintos assassinos. Tenho tudo nas mãos pra colocá-la de castigo por pelo menos um ano *e* ao mesmo tempo acabar com a missão de mamãe e papai de acharem um marido pra mim, porque vão ficar muito ocupados com Emily para pensar em outra coisa. Mas algo me impede de usufruir o prazer do momento. Provavelmente o fato de que não tenho mesmo instintos assassinos.

— Não se preocupe. Não vou contar nada pro papai — digo. — Isto já é suficientemente ruim sem que ele se meta na história.

— Como vou... você sabe? — ela pergunta.

Felizmente já pensei nisso. Daniel teve de levar a irmã a um lugar desses em Harley Street no ano passado. Ele me deu o número de telefone caso precisasse falar com ele. Fiquei com o número porque... Bem, uma garota nunca sabe quando pode precisar de um número desses pra ela mesma, certo?

— Conheço um lugar, uma clínica particular — digo.

— Mas não tenho dinheiro.

Sabia que ela ia acabar tirando algum meu.

— Eu empresto. Só não me chantageie de novo.

— Não sei, Charlie.

— Escute, vai lá só fazer uma consulta. Pra receber conselhos a respeito, e depois tome a melhor decisão.

— Ok... Se acha melhor.

Nunca — nem *uma vez* — minha irmã ficou tão dependente de mim. Poderia estar me sentindo um pouco feliz, se isso não fosse uma tremenda cagada.

— Você pode ir comigo? — pergunta.

Não acredito que vou mesmo dizer isto: — Claro que sim. Vou telefonar agora pra eles.

Pego minha bolsa debaixo da mesa, procurando pela minha agenda... que não está lá. *Merda.* Toda a minha vida está naquela coisa. Não posso me dar ao luxo de perder aquilo. Meu Deus, que vergonha, se alguém olha o que está lá. Todas as minhas coisas pessoais: datas dos períodos menstruais, resultados de exames ginecológicos, listas das dez estrelas mais comíveis de Hollywood — o tipo de coisas que *todas* as garotas registram. Né?

— Qual é o problema? — Emily pergunta, reparando a preocupação no meu rosto.

— Perdi a minha agenda.

— Não está comigo — ela diz, a negação defensiva de costume.

Dou uma encarada feia.

— *Juro*, Charlie.

Por uma vez, acredito nela. Mas onde diabos está? Pense, pense, pense... A última vez que a vi foi... *Pense!*... No apartamento de Karl. Segunda à noite. Depois de treparmos, ouvi meu celular tocar. Lembro-me de tirar tudo da bolsa, inclusive a agenda, na pressa de atender. Devo ter deixado na mesinha de café.

Droga.

Mas posso ir lá buscar. Acabei de reparar na sacola de ginástica de Karl no canto da sala. Era pra tê-la dado a Daniel para levar ao hospital, mas me esqueci. As chaves de Karl ainda estão lá. Posso ir até o apartamento dele depois do trabalho. Ele não iria se importar, né? Peraí, por que estou preocupada? Em primeiro lugar, ele nunca vai saber, e em segundo, com todo o sofrimento que me fez passar, por que deveria me importar com isso?

— O que vamos fazer, Charlie? — Emily pergunta.

— Tudo bem. Deixei a agenda na casa de um amigo. Posso ir buscá-la esta noite e telefonar amanhã pra clínica.

— Que amigo?

— Ninguém que você conheça.

— É *Karl*? — ela pergunta, seus olhos passando de cachorro perdido a farejador.

— Você não tem nada a ver com isso, tá bom?

— Você sabe que posso descobrir — ela diz de maneira malvada, como se já tivesse esquecido da trapalhada em que está metida. Não consegue evitar o hábito.

— Escute, nem pense em xeretar de novo a minha vida, porque eu tenho o maior *podre* da sua nas mãos.

Eu me sinto muito melhor, agora que ela voltou ao papel anterior. Com *esta* Emily, eu consigo lidar.

Enfiar a chave na fechadura sem fazer barulho... Girar... Clique... Estou dentro.

Meu Deus, quem penso que sou? Charlie, a ladra de joias? Palerma. Sou Charlie, a amiga de Karl (de certa maneira), e estou simplesmente passando no apartamento dele para deixar esta coisa e pegar um item pessoal.

Mas ainda me sinto uma ladra quando fecho a porta da rua atrás de mim. O corredor está negro como breu. Tento encontrar o interruptor e digo:

— Oi, alguém em casa?

Sei que o lugar está vazio, mas estive pensando nisto. Estou fazendo a coisa às claras para que, se alguém entrar e me pegar, posso levantar as mãos e dizer "O que quer dizer com *xeretando*? Chamei para ver se tinha alguém em casa, não foi?".

Atravesso a sala e acendo a luz. Lá está ela, exatamente onde a deixei, na mesinha de café. Minha agenda. Do lado de uma garrafa de vinho vazia e dois copos sujos. Estranho. Vinho. Ele só me oferecia champanhe. Quem será que esteve aqui depois de mim? E por que diabos estou sentindo ciúmes, porque, pra dizer a verdade, é isso que estou sentindo neste momento. Não podia ter conhecido um canalha maior que Karl Benjamin — um homem que consegue mexer com a minha cabeça mesmo quando está de cama, com uma concussão, no hospital.

Siga o plano, Charlie. E saia daqui o mais depressa possível.

Pego a agenda e a enfio na bolsa. Depois dou meia-volta e vou direto para a porta. Só que paro no banheiro dele. Não vou xeretar, vou apenas fazer *xixi*. Estou seguindo o plano: cheguei, peguei e saí daqui pra fora (descontando um xixi rapidinho).

Mas, quando sento no vaso, fico tentada. Todo mundo gosta de uma boa xeretada, né? Quem não espia dentro dos armários dos donos

DezAjustada

da casa quando eles não estão por perto? É por isso que aqueles programas de TV para redecorar a casa são tão populares. Não tem nada a ver com decoração de interiores. É uma desculpa pra meter o bedelho no lar de um desconhecido. Então, depois de dar descarga, meto o bedelho no quarto dele também. Está bem arrumado. Nada de lençóis cheirando a sexo. Tudo está no lugar. Agora vamos circular, não há nada pra ver aqui.

Tento abrir a próxima porta. A que estava fechada quando procurava o banheiro na segunda de manhã... Só que agora ela abre. Fico paralisada, meu estômago dando voltas de culpa. O quarto estava fechado. Por quê? E o que tenho a ver com isso? Mas agora está aberto, então não há mal algum em dar uma espiada e sair logo depois. Pra fora da vida dele. Pra sempre.

Passo a cabeça pela soleira da porta e procuro o interruptor. O quarto se enche com a luz de uma única lâmpada, balançando em um fio do teto. Pisco os olhos e espio. Não sei o que esperava. Uma cama extra? Não há nenhuma aqui. Nenhuma mobília. Nada de halteres ou máquinas de remo. Ou másculas caixas de ferramentas, transbordando com chaves de fendas e chaves inglesas. Ou paredes forradas com recortes de fotos de revista de Jill Dando.* Ou o que quer que seja que caras solteiros guardam em um quarto extra com a porta trancada.

O que vejo? Piso de madeira tingida, uma TV e um vídeo, e uma parede de prateleiras, do chão ao teto. As prateleiras estão repletas com o que parecem ser fitas de vídeo. Entro no quarto e uma inspeção mais de perto confirma exatamente o que são. Ele é um cinéfilo. E daí? Nós gostamos de ter vídeos em casa, mas a nossa coleção se resume à prateleira em cima da lareira — e seis ou sete desses têm episódios do *Dallas*, que mamãe se recusa a permitir que a gente grave por cima.

Percorro as prateleiras e olho pras etiquetas, vagamente curiosa sobre o gosto dele. Do que é que ele gosta? Ação? Artes marciais? Comédias românticas? E quem é Michelle Timms? Não é um nome muito Hollywoodiano, mas fez três filmes, pelo que parece. E Kristin Jenkins? Cinco fitas têm o nome dela escrito impecavelmente na lombada, com uma caneta preta. Só uma Monica F, mas sete Polly Turners. O que é isto? Observo as prateleiras, cada fita mostra um nome de

---

* Vítima de um misterioso assassinato, de que não se conhece o motivo ou o assassino. (N.T.)

mulher, e devem ser umas tantas centenas. Ele é um diretor de elenco ou coisa parecida?

Tenho a sensação perturbadora de que, na verdade, ele é um *ou coisa parecida*, e não tenho bem a certeza de o que essa *coisa parecida* é. Subitamente já não estou sendo ligeiramente xereta. Estou agora metida em xeretice de alto nível e não me sinto nada bem com isso. Deveria sair daqui. *Agora*. E sairia, se não tivesse descoberto um nome que me faz parar imediatamente. *Sasha Taylor*. Quatro fitas, lado a lado, com o nome de Sasha na lombada. E — *porra* — quem é aquela ao lado? *Charlie C.* Nunca fiz um filme, né? Estou tendo um pressentimento muito estranho sobre tudo isso. Estico uma mão suada e pego a fita com o meu nome. Acho que sei o que está lá, e a ideia me deixa enjoada a ponto de vomitar. Apesar de não querer ver, *tenho* que ver, então coloco a fita no vídeo do canto da sala. Pressiono a tecla *play* e ligo a TV... *Ai*, som muito alto. Pego o controle remoto e tento encontrar o botão "mudo". Não acho que seja o momento ideal pra perturbar os vizinhos.

Presto atenção na tela e...

Estou tão enjoada que é com grande esforço físico que tenho que controlar as ânsias de vômito. Como explicar o que sinto ao ver isto...?

Sabe como ouvir a própria voz gravada é uma experiência estranha e perturbadora? Não dá para acreditar que minha voz é uma *bosta*! Bem, tente ver um vídeo seu fazendo sexo, e pode multiplicar o desconforto por pelo menos um bilhão. E isso nem dá para começar a descrever o horror que estou sentindo, enquanto olho nossos corpos se contorcendo na cama dele. Consigo ver — puta que pariu, meu Deus — *tudo*.

Não consigo assistir mais. Aperto o botão *eject* e pego a fita enquanto a máquina a cospe. Sento-me no chão, escutando o som da minha respiração ofegante e desesperada.

Estou tão zangada comigo mesma. Como pude ser tão estúpida e imbecilmente ingênua? Será que sou uma perfeita imbecil de merda? *A câmera nem estava escondida, Charlie*. Estava ali, no meio do quarto. Bem à vista. Em um enorme tripé, gritando "*Ei, olhem para mim, sou uma câmera*" e "*Uau, olhe só, você está nua*". Eu me lembro de perguntar sobre o assunto e ter acreditado — na verdade, ter *caído* — na conversa dele sobre ensaios.

DezAjustada

Mas, se estou zangada comigo mesma, estou tão possessa com Karl que quero ir até o hospital, desenrolar a gaze da sua cabeça e abrir aquele corte com um enorme machado brilhante. Não acredito no que ele fez. A completa filha-da-putice de merda de tudo isto. Essa coisa tem de ser ilegal. Não assinei um formulário de consentimento, né? Que coisa estúpida de se pensar! Mas tudo neste assunto é tão completamente errado, como alguém pode pensar direito?

Mas pensar direito é exatamente o que tenho que fazer. Tento relembrar todas as vezes que fizemos sexo. Só duas vezes no quarto. Só duas vezes pra câmera, então. Eu me levanto com as pernas bambas e verifico as prateleiras. Lá está. Uma segunda fita com o meu nome. Pego e enfio as duas na minha bolsa. Depois pego as quatro Sasha Taylors e enfio-as ao lado das Charlies. Na verdade, não as quatro. Seguro uma. Posso me sentir mais enjoada que nunca na vida, mas, se vou levar estas fitas, é melhor ter a certeza. Porque nunca se sabe, pode não ser ela — pode haver outra Sasha Taylor. Já aconteceram coisas mais estranhas, e não quero sair daqui com as fitas de uma desconhecida.

Enfio no vídeo e pressiono a tecla *play*. A não ser que meus olhos estejam me enganando, ó meu Deus, é ela. E a Sasha que pensei ser uma menina mais certinha que Mary Poppins, a Sasha que nunca dava pra ninguém — nem dava gorjeta pros entregadores — está lá na tela, fazendo tudo a cores e ao vivo. E, que merda, ela está fazendo *aquilo*? O que ela está vestindo? E o que ele está enfiando... e, meu Deus, aquela cera derretida deve *doer* quando se despeja na sua... Para, para, pelo amor de Deus, aperte o botão para *parar*.

Chega.

Será que conseguirei olhar Sasha nos olhos outra vez?

Isso é preocupação para amanhã. Agora, tenho um trabalho a fazer. Começo no canto da prateleira de cima e passo os olhos sistematicamente pela coleção de vídeos caseiros de Karl. Estou procurando mais Sashas, Charlies, STs, CCs, ou qualquer outra combinação de letras que possa ser uma de nós.

Tomo consciência agora de que toda a história sexual de Karl deve estar reproduzida nestas prateleiras. E, Deus do céu, ele tem sido um um filho-da-puta bem ocupado. O que faz com todas estas fitas? Não, não,

não, não quero entrar nessa. Eu me sinto tentada a levar tudo, fazer uma fogueira e tacar fogo. Vencer uma batalha pelas mulheres do mundo.

Não tenho tempo pra isso. Tenho que ir em frente e sair daqui.

Cheguei na prateleira do fundo e não encontrei mais fitas. Só falta verificar uma caixa de papelão. Está no chão, separada da videoteca de pornografia de Karl, então pode ser que não tenha mais o mesmo material. Mas tenho que ter certeza. Estico o braço e levanto a aba. Sim, cheio de vídeos até as bordas. Devem ser uns vinte, todos com o mesmo nome nas etiquetas. Só um nome. Porque pra este nome não há necessidade de um sobrenome que o diferencie.

Não quando o nome é Blaize.

PEDAÇO DO MEIO

O pedaço em que Soulla tem um bebê e eu arrumo uma briga

Não estou no meu melhor humor pra enfrentar o dia de hoje.
    Isto deve acontecer o tempo todo. Apresentadores, atores e atrizes devem acordar e pensar *hoje não quero aparecer na televisão*. Bem, é exatamente assim que me sinto. Exceto, claro, que esta é minha chance — provavelmente única — de aparecer na TV... Mas *não* estou mesmo no meu melhor humor para enfrentar o dia de hoje.
    Mas, mesmo assim, faço uma forcinha. Antes de sair de casa, troquei quatro vezes de roupa, passei batom, sombra e rímel dez vezes, e gastei uma hora arrumando o meu cabelo em vários tipos de rabo-de-cavalo, para acabar deixando-o solto.
    Dou uma última olhada no vidro espelhado do The Zone. *Hummm*, um pouco arrumada demais. Ontem, Claire disse para sermos naturais. Até parece. Olho pros dois seguranças com ternos pretos na porta. São amigos de Stan Lee, nosso mestre de tae-kwon-do, e não duvido de que possam matar um homem usando um dedinho. Contudo, acho que hoje irão lutar contra adolescentes deslumbrados, querendo aparecer na TV, não contra assassinos ninja altamente treinados.
    Respiro fundo e digo a mim mesma para esquecer os problemas e enfrentar o dia. E subo os degraus de dois em dois, exibindo minha identidade Zone aos seguranças.
    Charlie para a base, estou entrando...

Não dormi na noite passada. De novo. Não fechei um olho. Se continuar assim, as olheiras debaixo de meus olhos chegarão ao umbigo. Não parei de revirar pensamentos na cabeça: o ataque de Sasha, o material no quarto de Karl, minha irmã me transformando em uma assassina de fetos, sem falar na tensão pré-televisiva. Mas a noite passada não foi uma noite normal em termos de ansiedade. Sem chances de normalidade, porque minha cunhada, Soulla, resolveu fazer uma entrega.

Quando cheguei em casa, depois que saí do apartamento de Karl, eram apenas 21h30, mas Emily já estava deitada. Bati de leve na porta, mas ela não respondeu. Estava na cara que ela não queria conversar e respeitei isso, porque também não queria conversa. Meus pais estavam onde sempre estão, ela sem tirar os olhos da TV e ele me contando sobre a briga que teve com o entregador de pizza. Finalmente consegue que entreguem algo em casa e, mesmo assim, quer armar uma briga. Inacreditável.

— A briga foi por quê, papai? — perguntei.

— Por quí mim nón pedir moldita pizza, este ser o por quí. Ele fazer intriga no endereço errado!

Invento uma desculpa e subo. Pensei em telefonar para Sasha e tentar me explicar novamente, talvez até contar a ela sobre as fitas, mas estava com muito medo de que ela descobrisse uma maneira de me culpar também por isso, e então simplesmente fui pra cama. Mas não conseguia dormir. Como se pode cair no sono quando, toda vez que você fecha os olhos, vê a si mesma estrelando um filme pornô caseiro de sexo anal?

Acabei por cair no sono pouco depois das duas da manhã. Foi quando ouvi o telefone tocar, seguido, em menos de um minuto, por papai esmurrando a minha porta.

— Levantar, *levantar!* — ele gritou. — Nós ir. Tudos nós. Correr, *correr!*

— Não vou pra lugar algum — grito de volta. — Tenho que trabalhar amanhã.

— Sua irmón estar a ter bebê e você ir nem quí ter quí arrastar você!

Gostamos de compartilhar na nossa família. Piqueniques, resfriados e gripes, partos. Na verdade, a coisa mais simples pode se tornar um grande Evento Charalambous. Há alguns meses, Alicia, a amiga de Emily, veio dormir aqui. Acordou no meio da noite e foi beber água na cozinha. Meu pai, que tem sono leve e acorda com um simples girar da torneira, levantou num pulo. E é claro que acordou todo o resto da casa.

— Estar tudo bem. Ser Ulisha quí quirer beber da água! — ele gritava, batendo à porta do meu quarto e depois no de Emily. — Estar Ok, Emily, seu amiga estar somente a beber água. Voltar a dormir.

Não é de surpreender que Alicia nunca mais tenha passado uma noite aqui. E ainda bem que não estava aqui na noite passada. Caso contrário, teria sido arrancada da cama e arrastada até o carro pra ir até o North Middlesex Hospital.

— É isso o que estará acontecendo com você em nove meses, se não se decidir — sussurrei para Emily quando papai fez uma curva fechada à direita, como se estivesse fazendo um teste para um papel de motorista do carro de fuga dos bandidos em um filme dirigido por Guy Ritchie.

— Vá se foder — ela sussurrou de volta.

As parteiras não pareciam muito contentes em ver a gente. É compreensível, uma vez que toda a família de Soulla já estava lá, acompanhada de alguns vizinhos e seus familiares e amigos, e mais alguns desconhecidos que se reuniram no caminho do hospital. Uma multidão e tanto. E, claro, levaram comida. Os gregos fazem isso — levam grandes quantidades de comida aonde quer que vão (*Você vai até o mercadinho na esquina? Esperar mim ir fritar uns pedaços de frongo para você comer no caminho*). Fiquei admirada de o hospital não expulsar a gente. Escutei uma funcionária dizendo pra outra: "*Gregos.*" Foi uma explicação mais do que suficiente.

Assim que chegamos, Tony saiu correndo da sala de parto. Estava vermelho e sem fôlego, mas conseguiu dizer:

— Ela é maravilhosa, papai. Está fazendo tudo de modo natural.

E nós podíamos ouvi-la fazendo isso. Na verdade, acho que os gritos estavam sendo ouvidos em Moscou. E era isso que meu irmão descrevia como *natural*. Sem amplificações eletrônicas — uma espécie de *Nascimento Acústico*. Enquanto esperávamos sentados, olhei para Emily. Seu rosto estava pálido, provavelmente como o meu. Parecia que finalmente a ficha tinha caído, ela percebeu o que iria acontecer no prazo de nove meses e não estava gostando nada daquilo. Tive a sensação de que, muito em breve, estaria acompanhando minha irmã até a clínica para um aborto.

Não aguentei ficar na sala de espera nem mais um segundo. Eram quase três da madrugada e a multidão agia como se estivesse em um parque de diversões. Precisava de um pouco de paz. Saí em busca de um café. Enquanto andava pelo corredor, ouvi gritos saindo de outra sala de parto. Parei do lado de fora, pareciam ser em árabe. O volume era aterrorizante e, perto dela, Soulla parecia uma freira em voto de silêncio. Pobre garota, a dor deveria ser insuportável. De repente, os gritos cessaram, como em um passe de mágica. Silêncio absoluto. Temi pelo pior. Ela morreu? Alguma coisa de errado com o bebê?

Foi então que uma enfermeira saiu da sala, sorrindo. Através da fresta na porta pude ver o rosto exausto e encharcado de suor da mulher na cama. Segurando o que parecia ser uma trouxa de cobertores hospitalares. Tinha uma aparência horrível, mas nunca havia visto uma expressão como a do rosto dela e fui tomada pela emoção. Acho que aquilo é o que chamam amor.

Fiquei com um nó na garganta. Andei um pouco e não percebi que estava chorando até que senti uma mão em meu ombro.

— Ei, você está bem?

Girei o corpo, vi Dino e quase desmaiei. Não por ter ficado encantada com a visão dele usando um jaleco branco sexy, emitindo ondas de poder e autoridade médica. Não, de jeito algum, *juro*. Foi por causa da hora avançada, da falta de comida, estresse e exaustão generalizada...

— Dino — disse, esganiçada (odeio quando faço isso). — Desculpe, você me assustou. O que está fazendo aqui?

— É parte do meu plantão rotativo — ele respondeu, embora se tivesse respondido em grego teria feito o mesmo sentido pra mim. Meu rosto deve ter expressado minha confusão. Ele sorriu. — Quer dizer que não trabalho só no Hospital Mercego, tenho que fazer plantões em outros locais, só isso.

Ele percebeu que eu olhava para os salpicos de sangue no jaleco.

— Não se preocupe, não estive operando roedores de pequeno porte — disse gargalhando. E apontou para o quarto que eu estivera observando. — Tivemos alguns problemas, mas acabo de fazer o parto de um bebê com cinco quilos ali. Inacreditável. — Ele parecia muito alegre, cheio de energia.

— Maravilhoso — respondi, e achava isso mesmo. — Só não espere que eu passe por algo parecido com isso... *Arrggh*.

Ele gargalhou novamente.

— As mulheres sempre dizem isso. Mas a maioria acaba passando por isso. E depois, surpreendentemente, passam por isso novamente.

— Deve ser por causa de vocês, médicos — disparei. Caramba. Eu estava flertando?

Ficamos sem graça por um momento. Tentei descobrir outra coisa pra dizer, que fosse inofensivo, não fosse uma tirada esperta ou uma cantada, e que não levasse a outra discussão idiota sobre hamsters cegos ou quem tinha a família mais louca. Mas ele quebrou o silêncio perguntando:

— Então, o que traz você aqui?

— Minha cunhada. Ela está tendo...

Parei, porque uma linda enfermeira, de olhos cinzentos, veio falar com ele.

— Meus parabéns, Doutor D. — ela disse, indicando, com a cabeça, o quarto com o bebê de cinco quilos. — Fiquei preocupada com ela, por um momento. Sorte a dela que você estava por perto. — Esta última frase saiu meio apressada. Ela estava flertando?

— Obrigado, Molly. Hã, acabei o que tinha que fazer aqui. Você está livre? Eu, hum, posso esperar por você se quiser.

— Ótimo. Só mais uns dez minutos. — Ela deu as costas e voltou para o quarto, com um andar meio rebolativo. Quem é que rebola às três da manhã?

Dino parecia envergonhado.

— Ok, bem, preciso ir — disse.

— *Humm.* Não vá se atrasar pro encontro com a Molly — disse, e pensei *"Como é que é? Estou com ciúmes?"*, e depois pensei *"Por que diabos estou com ciúmes?"* e, finalmente, chegando ao ponto *"Por que não estou conseguindo fazer um trabalho melhor em disfarçar isso, se é que estou com ciúmes?"*

— Bem, foi um prazer ver você novamente — ele disse, alternando um pé e outro sem graça. — Hã, a propósito, já conversou com Emily? Lamento que não tenhamos conversado direito no outro dia, mas as coisas ficaram um pouco...

— Não se preocupe com isso, Doutor D. Ou será Dean? — disparei, xingando a mim mesma enquanto as palavras saíam da minha boca. — Qual o nome que está usando atualmente?

— Você tem um apelido pra Charlotte, não tem? — ele respondeu, esforçando-se com dificuldade para manter um tom simpático. — O problema não é meu se as pessoas gostam de brincar com meu nome. Não me importo.

— Bom pra você. E não se preocupe com Emily. Estou cuidando do assunto, obrigada. Não precisa mais se preocupar com a gente. Pode voltar pra *Molly*, a *parteira* — foram as palavras exatas que saíram de minha boca. *Puxa!* Por que disse isso? O que queria dizer era *Obrigada por ajudar a minha irmã a vir falar comigo pra podermos resolver o assunto juntas. Fico devendo um favor a você.*

— Qual é o seu problema? — ele perguntou, espantado.

Eu sabia exatamente qual era o meu problema. Eu o odiava naquele momento. Todo certinho e... ah, sei lá, odiava somente por ser tão desprezivelmente lindo. Na verdade, não o odiava. Mas no momento em que Molly, a parteira, apareceu, minha boca foi possuída por um espírito maligno e ciumento, e perdi completamente o controle sobre ela. Mas não disse isso. Não, o que disse foi:

— Meu problema? Vou dizer qual é o meu problema. Você e sua família se meteram com a minha, enrolaram meus pais, e até agora ninguém descobriu qual é a sua jogada.

— E qual seria exatamente a minha jogada?

— Ah, faça-me o favor — eu disse, ou melhor, o espírito maligno disse, assumindo novamente o controle de meus lábios e formando as palavras pra mim. — Primeiro foi Coral e agora você já arrumou uma Molly. Vocês, homens, são inacreditáveis.

Ele me encarou, e dava pra ver que seu autocontrole estava no limite. Foi então que, cerrando os dentes, ele disse:

— Molly tem que fazer uma prova na próxima semana e prometi que iria ajudá-la com a parte teórica. Estou saindo de um plantão de doze horas e vou pra sala dos funcionários ler livros médicos, porque acho que ela vai ser uma excelente parteira. Estou moído de cansaço, ia tomar um café e perguntar se você gostaria de me acompanhar, mas, levando em consideração a sua opinião sobre os homens, não vou me dar ao trabalho.

Não preciso dizer que ele não me deu um beijinho de despedida. Deu as costas e bateu em retirada, com o jaleco aberto abanando.

DezAjustada

Neste exato momento, o espírito maligno também me abandonou. Fiquei ali com a boca aberta, sentindo-me a maior imbecil da paróquia, pior do que quando enfrentei uma sala com quarenta e seis mulheres achando que podia dar uma aula de aeróbica — só que naquele dia estava possuída pelo espírito da desgraçada da Paula Abdul.

Não queria mais tomar café. Só queria encontrar um buraco no chão e me enfiar nele por mil anos. Sentir-se humilhada é horrível, e não há pior humilhação do que aquela que você cria para si mesma. Voltei para o aparente santuário da sala de espera, onde os gritos torturados de Soulla eram a trilha sonora ideal para as visões doentias que giravam em minha mente. Eu naquelas fitas de sexo, misturado com perder completamente a dignidade na frente de Dino. Fechei os olhos tentando dormir, mas isso era impossível. Soulla ainda gritava? Ou era eu?

Finalmente, o bebê nasceu às quatro e quarenta e cinco da madrugada. Tony entrou correndo na sala de espera e anunciou com a voz trêmula que era uma menina. E o que aconteceu? Aplausos espontâneos, gritos de alegria, todos saíram dançando à moda grega? Nada disso, ninguém reagiu. Todo mundo — influenciados pelo meu pai, claro — queria tanto um menino, que ninguém conseguiu disfarçar a decepção.

— Ela nón ter cabelo — meu pai resmungou quando foi vê-la. O bebê era careca e brilhante como uma bola de bilhar cor-de-rosa. Completamente diferente de Emily, a rosa inglesa dele, que, quando nasceu, parecia um lobisomem com três quilos e meio. Fiquei indignada com o ressentimento de meu pai. A pobre da Soulla passou horas infernais, e tudo o que ele soube fazer foi não dar valor a ela por ter tido um bebê do sexo errado e sem a característica grega dos espessos pelos corporais. Mal pude acreditar que fiquei com pena dela, mas fiquei.

— Meus parabéns, Soulla — disse do modo mais caloroso possível. Qualquer mulher que passa por algo que a faz gritar como se estivesse no elenco de um filme de terror e sobrevive pra contar a história merece todo o meu respeito.

E ela planejava contar a história — cada detalhe horripilante dela.

— Estou muito cansada. *Por favor*, podemos ir embora? — Emily gemeu, e me sentia exatamente como ela. Soulla estava começando a contar a parte realmente fascinante da cabeça saindo. Informações demais para o meu gosto. Assisti a *Alien* e já sei tudo o que preciso saber sobre cabeças saindo de lugares ridículos, muito obrigada.

Voltamos finalmente pra casa às seis e meia da manhã. A tempo de tomar uma ducha e começar os exaustivos preparativos pro maior dia da minha curta carreira profissional.

— Que cara de merda, querida — diz Daniel, que está com excelente aparência. Todo sarado, como se tivesse completado seis meses de musculação em uma única noite. Está usando suas lindas lentes de contato azuis e a regata de Lycra cintilante, aquela que é muito cavada nos ombros, pescoço e cintura. Na verdade, parece mais um top.

— Você está com cara de quem não dorme há uma semana — ele continua. — Por que não vai pra casa? Eu tomo conta do lugar. Não quero assumir o controle total das câmeras, mas sabe como é, se for *mesmo necessário...*

— Vou ficar bem — digo, segurando um bocejo. Hoje o The Zone abre somente às nove. Foi ideia de Jamie.

— Dê uma chance pras pessoas acordarem antes da filmagem começar — ele disse. O mais correto seria: dê uma chance pra que todo mundo fique completamente descontrolado com a expectativa.

A área da recepção está repleta de funcionários que parecem ter tomado ecstasy, anfetaminas e uma injeção de adrenalina, com a xícara de café matinal (sem café, só com cafeína). É impressionante que alguma coisa consiga vencer o meu cansaço, mas até começo a sentir os efeitos disso. Francesca, que trabalha na sauna, está sentada no balcão. De repente, assume uma pose sofisticada de coelhinha da Playboy e diz em voz alta:

— Lembrem-se, *nada* de posar para as câmeras. Ajam normalmente.

— *Normal?* — exclama Ruby, a rainha da aula de spin. — O que diabos é ser normal? Mal consigo me lembrar de respirar.

— Não sei pra que tanto nervosismo — diz Maya, a rainha da ioga.

— Você *nunca* fica entusiasmada? — Francesca pergunta.

— Ah, só quando ela goza, querida — responde Daniel. — Pelo que ouvi contar, ela solta a lixa de unha e diz *ommmm*.

Dez Ajustada

Steve passeia pelo local como um dos tigres do filme *Gladiador*. É bem provável que tenha passado a noite com uma intravenosa de esteroides no braço. Esta exibição de testosterona não é pra mim, é?

— Tenho uma aula pessoal marcada pras nove e meia com um completo *imbecil* que trabalha no Coutts Bank — ele rosna. — Ele diz que cuida *pessoalmente* da contabilidade da rainha. Juro que hoje vou *acabar com a raça* desse *filho-da-puta* metido a besta.

— Não esqueça dos mandamentos do The Zone, Steve, meu bem — Daniel cantarola, provocando. — Não matarás, apenas os deixe exaustos.

— Foda-se tudo isso — Steve esbraveja enquanto se posiciona na frente da câmera presa na parede. — Hoje VOU ACABAR COM A RAÇA DELES!

Enquanto todos se agitam, dão risadinhas e provocam uns aos outros, dou uma boa olhada neles — *de verdade*. Eles me odeiam? Se não estivesse aqui, estariam falando mal de mim? Afinal de contas, na época de Lydia, falar mal dela era o combustível que mantinha a gente animado durante o dia. É divertido meter o pau no chefe — e agora eu sou a chefe. Mas tudo parece absolutamente normal. Não sinto nenhuma parede invisível separando a gente. Ó, meu Deus, não entendo mais nada.

É claro que todos estão animados demais para fazer outra coisa a não ser andarem por aí totalmente animados. Preciso dar um exemplo e começar a trabalhar... Ah, foda-se! Vou ao banheiro checar meu batom. E aproveito para ver o quanto exatamente de calcinha aparece quando me inclino pra frente. A saia que estou usando é assustadoramente curta. Lembro vagamente que buscava algo *revelador* enquanto me vestia, mas já não tenho tanta certeza se escolhi a peça certa.

— Nada de cagadas, hoje. Certo, Charlie? — Jamie sussurra.

— Sem problemas — sussurro de volta, observando os dois membros da equipe de filmagem (que são o motivo pelo qual estamos sussurrando) organizarem o equipamento. São nove e dez e a filmagem começa às dez. Menos de uma hora. É o dia mais importante da vida de Jamie. Não surpreende que esteja me olhando tão sério. Deus, por favor, não deixe nada sair errado. Hoje não. E, enquanto me ouve,

Deus, pode fazer com que Jacqueline não apareça? Jamie não fala nela desde que me deu aquela bronca. E o cartãozinho de membro Platina que ela guarda na carteira impede que ele abra a boca novamente. Pelo menos por um tempo. Paga-se uma fortuna para ser membro Platina e não é nada fácil convencer alguém a assinar o contrato, mas, cada vez que conseguimos um novo sócio nessa categoria, Jamie pode passar mais uma noite em um hotel cinco estrelas no Caribe. Deve ser um enorme conflito para ele. O Jamie que odeia ver imperfeições físicas e o Jamie que quer o dinheiro de Jacqueline devem estar aos tapas.

Mas — como se alguém pudesse esquecer isso — hoje é dia do Channel Four e tudo tem que ser perfeito. Em outras palavras, ninguém com espinhas, machucados, cortes ou um corpo como o da Jacqueline deve ficar perto das câmeras.

E querem saber a verdade? Não aguento mais concordar com esta merda toda. Quem ele pensa que sou? Lydia? Que vou enfiar todos os desajustados debaixo do tapete para que ele não os veja? Nem pensar. E não é porque não haja um tapete suficientemente grande para isso. Disse que iria mudar as coisas por aqui e é exatamente isso o que vou fazer. Assim que essa confusão das filmagens acabar. E assim que resolver a confusão que minha vida virou desde que um certo filho-da-puta com as iniciais KB apareceu.

Jamie me dá um último olhar ameaçador e entra no elevador, enquanto Daniel sai dele. Agarro seu braço e sussurro:

— Faça-me um favor e dê mais uma tremenda checagem Zone. Com o humor de Jamie hoje, se um cardápio estiver fora do lugar na lanchonete, seremos todos demitidos.

— Que diabos, relaxa, mulher! Não quero perder nada do que vai acontecer aqui. Faço uma checagem mais tarde.

— Ok, mas prometa que não vai esquecer.

— Acalme-se, não vou esquecer. Puxa vida, relaxe — ele diz, passando a mão pelos cabelos cheios de gel, espetados e duros como pedra. — Hoje deveria ser um dia divertido.

Olho pra minha sacola de ginástica no chão atrás do balcão. Penso nas fitas de vídeo enfiadas nela. E Daniel quer que eu me *anime*. O fato de que elas estão aqui no meio de toda essa confusão está me deixando apavorada. Mas o que poderia fazer? Deixá-las em casa? Acho que não. Eu me sinto como a brilhante cientista que encontrou um vírus mortal que pode destruir o planeta. O vírus está em um tubo de ensaio na mala e ela está desesperada tentando destruí-lo antes que os terroristas psicopatas o descubram e... Ok, talvez meu desastre não tenha proporções tão épicas — é mais provável que meu pai destrua a sala se encontrar as fitas —, mas você entendeu o drama.

E Daniel não sabe que bicho me mordeu.

Preciso falar com alguém a respeito disso. *Agora*, antes que minha cabeça exploda. Não posso falar com Sasha — não vou conseguir olhar pra ela depois do que a vi fazendo na fita. E ela não está falando comigo. Voltou ao trabalho hoje e a gente já se cruzou duas vezes, mas ela me ignorou. Vou ter que falar com Daniel.

— Bom-dia, pessoal, cheguei! Já começaram? — É Rebecca, completamente entusiasmada, doida pra entrar em ação e somente meia hora atrasada.

— Chegou bem na hora, Becks. Tome conta da recepção — ordeno. — Daniel, venha comigo.

— O quê, por quê, aonde? — ele dispara.

— Reunião executiva durante um café-da-manhã na lanchonete.

— Mas o show vai começar logo.

— Então é melhor irmos depressa.

— Inacreditável — ele diz, engasgado, depois que conto tudo. — Filmes secretos... Esta é a coisa *mais doentia* do mundo.

— Pode ter certeza disso — concordo com ele.

— Afinal de contas, se ele tivesse contado, você poderia pelo menos checar se a câmera estava filmando seu melhor ângulo.

— Isto não é engraçado, Daniel.

— Você pelo menos encolheu a barriga?

— Daniel, *por favor*!

— Desculpa, desculpa... O que você vai fazer? Vai contar pra Sash?

— Jesus, acho que não, nem mesmo se ela estivesse falando comigo. Morreríamos de vergonha. Literalmente. Você deveria ver como ela é...

— O quê? Você assistiu à fita dela?

Faço que sim com a cabeça e fico vermelha.

— E, *e*? Vamos lá, conte.

— Ela... Não posso contar. Mas ela não é nenhuma santinha.

— Não importa, esqueça dela. Ela é peixe pequeno. E a Blaize? Ela cospe ou engole? Ela faz sexo anal?

— *Daniel!* Não sei. Não assisti.

Ele engasga tanto que o café sai pelo nariz.

— Você ficou louca, menina? — exclama enquanto se recupera. — Como pode *não* ter olhado?

Bem, fiquei tentada. Mas me segurei porque, em primeiro lugar, o que Blaize faz na cama não é da minha conta e, em segundo lugar, estava começando a sentir um grande desconforto, sentada no chão do apartamento de Karl e cercada por vídeos pornográficos.

— Por favor, *por favor*, me diga que não deixou os vídeos da Blaize no apartamento dele — Daniel continua.

É o que deveria ter feito, né? Deveria ter colocado as fitas no lugar e saído. E foi exatamente o que fiz... Exceto por uma fita. É que estava pensando que, se tivesse que fazer a *coisa certa* e contar tudo pra Blaize, precisaria de uma prova. E pensei, sabe como é, que precisava verificar primeiro — ter certeza de que não era uma fita chata de um ensaio.

Ok, porcaria, confesso. *Eu queria assistir à fita.* Quem não quer? Ela é uma *estrela pop.* Fazendo *sexo.* E sendo *filmada.* Afinal de contas, todo mundo tem curiosidade de saber como as celebridades fazem sexo, né? Coisas do tipo, as trepadas deles são mais elegantes que as nossas? Os orgasmos deles duram mais tempo? Eles chamam alguém da equipe pra vir limpar a bagunça depois do sexo?

— Peguei uma — respondo.

— Só uma? Bem, melhor do que nada. Está aqui?

— Na minha sacola de ginástica — sussurro.

— Maravilhoso. Podemos escapulir mais tarde pro escritório de Jamie e assistir na TV tela plana. Podemos ouvi-la gozar no sistema em som Dolby.

— *De jeito nenhum* — respondo, embora pareça uma ideia ótima.

— Charlie, já pensou na dinheirama que poderia ganhar? — ele se anima.

— O que você quer dizer com isso?

— Pode vender a fita por uma fortuna para um tabloide.
— *Daniel, nunca* faria isso.

E não faria mesmo. Blaize pode ser uma menina mimada e sem coração, mas *nunca* faria uma coisa dessas. Não faria com ninguém.

— Sempre disse que você é boazinha demais para o seu próprio bem. Só os desonestos e os inescrupulosos se dão bem na vida — Daniel diz. — Vamos, vamos voltar ao trabalho. Tenho que ser a estrela do meu próprio filme.

Faltam dez minutos para as dez quando voltamos à recepção. Encontramos Rebecca tendo um ataque. Aparentemente, Jenna passou por ali e estava a mil por hora. Parece que está furiosa porque Karl conseguiu o trabalho com o Gurly-Wurly depois de ela ter recusado a oferta deles. Aparentemente, viram umas cenas com ele e acharam que o estilo especial de ele balançar a coisa era ainda mais intenso do que o estilo de Jenna rebolar a coisa dela, e mais adequado para a imagem que queriam projetar para o público (ou seja, crianças de oito anos que compram CDs). Que direito Jenna tem de ficar tão furiosa? Bem, provavelmente não teria recusado o trabalho se soubesse que Karl ia ficar com ele. Mas, por muito que Jenna me irrite, gostaria que ela tivesse ficado com o trabalho — Karl não merece uma chance neste momento, a não ser que seja uma chance de quebrar o pescoço.

Jenna está aqui esta manhã por causa das câmeras. E, como eu suspeitava, a presença delas levou Blaize a se recuperar rapidamente do seu trauma. Os ensaios recomeçaram e ela vai chegar a qualquer instante.

— Por que Jenna estava gritando comigo? — Rebecca choraminga, com o lábio tremendo. — Não fui eu quem deu a droga do trabalho para Karl.

A pobre coitada não entende nada.

— Ela brigou com você porque você estava na frente dela — explico, pondo um braço ao seu redor. — Vamos fazer assim: vá ao banheiro passar água no rosto. Não vai querer aparecer nas câmeras com os olhos vermelhos e inchados.

O ponteiro do relógio está chegando perto das dez horas, o elevador abre as portas e Jamie sai. Não está sozinho.

Nada sozinho.

— Charlotte, quero apresentar você a Velvet, a sua nova assistente — anuncia enquanto conduz *Velvet* para o balcão.

— Hã... Ok... Certo — gaguejo enquanto meu corpo entra em estado de choque.

— Você tem pego no meu pé sobre mais pessoal, não é? — ele diz, irritado. — Será que ouvi direito?

— Sim, sem dúvida — respondi, servil. — Oi, hã, *Velvet*, muito prazer.

Espreito Daniel pelo canto do olho. Seu queixo está caído. Eu o compreendo perfeitamente. Há várias razões para estar de queixo caído. Para começar, quando Lydia estava aqui era ela que fazia as contratações. O mínimo que Jamie poderia ter feito era mostrar o currículo dela para mim — pelo menos por cortesia. E *Velvet*. Que raio de nome é esse? Seus pais devem ter se inspirado em uma estrela pornô ou em um rolo de papel higiênico e, pensando bem, se alguém se defronta com o nome Velvet, é difícil saber quem fica com mais problemas psicológicos. Finalmente (e esta é a melhor de todas), *vejam só as tetas que ela tem penduradas!* Deus do céu, ela faz a Claire do Channel Four parecer um tamanho PP. É perfeitamente óbvio que as credenciais que impressionaram Jamie não estavam no currículo dela. A minha indignação, é claro, não tem nada a ver com ter sido posta na sombra — literalmente, porque a garota é um eclipse solar com pernas. Não, tem só a ver com a primeira razão: em ter uma atitude profissional relativa ao recrutamento de pessoal.

— Certo, vou deixar vocês mostrarem os ossos do ofício para Velvet — Jamie diz. — Oh, e leve-a para a Zone Clone e lhe dê alguma coisa para vestir.

E vai embora. Sai do edifício, e desta casa de doidos. *Velvet*. Olho para ela, de cima a baixo: um cardigã — tão apertado que deve ter sido comprado na seção infantil — bem esticado no seu tronco, e uma minissaia grudada nos quadris, que faz a minha parecer um vestido longo de baile. Coladas em toda a extensão de suas longas pernas, estão as botas mais altas, e com os saltos mais pontudos, que já vi na minha vida. Decididamente, essas botas não foram feitas para andar.

Veja só o que estou dizendo. Que megera! *Sou* a irmã gêmea de

Dez Ajustada

Lydia. Tenho de dar uma chance à coitada da garota. Talvez ela seja a melhor coisa que já aconteceu a este lugar.

— Estou tão entusiasmada — ela diz, toda feliz, soando *extremamente* entusiasmada. — E não é extraordinário que eu comece a trabalhar no *mesmo* dia em que há gente da TV aqui?

Olho para Daniel. Ele está com uma sobrancelha erguida, o que se traduz por: *Sim, uma coincidência extraordinária, não é? E com toda a certeza não tem nada a ver com satisfazer a necessidade primata de Jamie por uma protagonista com seios absolutamente gigantescos para aparecer no reality show para a TV.*

Rebecca reaparece, com o seu sorriso animadinho no lugar de sempre.

— Desculpem por aquilo, gente — ela diz. — Não faz meu gênero ficar tão abalada. Posso ajudar em alguma coisa?

— Sim, esta é... hã... Velvet... — (*Velvet.* Este não era também o nome de um cavalo em um filme de Hollywood?)* ... — Ela é a sua nova... hã... assistente.

Rebecca incha de orgulho: ela tem uma *assistente*. O olhar no seu rosto acaba com as minhas dúvidas. Certo, decidi. Vou treinar pessoalmente Rebecca até que ela se torne a melhor profissional de boa forma que este maldito lugar — que este *planeta*! — já viu. Vamos conseguir isso, sei que vamos. *Em breve*. Mas agora temos trabalhos menores a fazer.

— Faça um favor, Becks. Leve Velvet até a Zone Clone — digo. — Ajude a escolher um uniforme de trabalho. E escolha alguma coisa folgada. Para ela ficar mais... *confortável*.

Depois que saem, percebo minha cabeça dando voltas... e o dia ainda nem começou pra valer. Estou quase sentando, para relaxar um pouco e tentar alinhar meus pensamentos, quando Claire — que, depois de Velvet, é uma subdesenvolvida mamária sem graça — aparece na minha frente.

— Oi, gente. Estamos gravando — ela diz descontraidamente, acenando para as duas câmeras presas nas paredes. — Mas vamos fingir que não está acontecendo nada de especial. Simplesmente relaxem e façam de conta que nem estamos aqui.

---

* *National Velvet* (1944), um dos primeiros filmes de Elizabeth Taylor, ainda criança. (N.T.)

Fico imediatamente rígida de tensão.

Bem na deixa, as portas se abrem e Blaize entra, seguida da comitiva de costume. Ela deve ter ouvidos de tuberculosa e um radar de morcego para sentir uma câmera rodando a dois quarteirões de distância. — É bom ver você de novo — digo, pondo o meu melhor sorriso Zone, enquanto as fileiras de puxa-sacos e bailarinos se amontoam ao redor do balcão.

— Oh, os médicos queriam que Blaize descansasse direito, mas sabe como é, o espetáculo tem que continuar — diz Julie, da Mission Management, pondo o braço ao redor da sua cliente número um. Que estrelinha pop tão *valente*! Poderíamos estar no meio de um ataque nuclear, que ela estaria aqui, pronta para dançar.

— De qualquer modo, o que aconteceu no outro dia foi, sabe, um sinal, cara — diz um bailarino louro e magrelo.

— Sim, estamos de volta e vamos arrasar em homenagem a Karl — grita outro, e recebe uma salva de palmas. *Humm*, estão mostrando mais preocupação por Karl do que quando ele estava se esvaindo em sangue aos seus pés.

Cutuco Daniel e ele entra em ação, conduzindo todos para o andar de cima. Enquanto eles somem, suspiro de alívio porque estava tendo dificuldades em olhar para Blaize sem lembrar da fita. Julie ficou para trás, por algum motivo. Ela se inclina sobre o balcão e me dá o sorriso mais falso de todos os tempos.

— Agora, querida, duas coisinhas. As câmeras. Blaize é uma estrela que gosta muito da sua privacidade, por isso o estúdio é área proibida... A não ser que, é claro, ela os convide para entrar.

O que tenho a certeza de que, cheia de bondade no seu coração, ela vai acabar por fazer.

— Com certeza. A privacidade de Blaize é da mais alta importância — digo, pensando imediatamente na completa quebra da privacidade de Blaize que está na fita de vídeo e me remoendo toda por dentro. — Deseja mais alguma coisa?

— Sim, água. Pode pôr um bebedouro no estúdio?

Tem um bem na porta, no corredor — digo, apalpando o terreno.

— No corredor não dá, não é? Ela precisa de um no estúdio para se manter *completamente* hidratada.

Que Deus não permita que Blaize fique de outra maneira que não completamente hidratada. É uma estrela. Se deseja uma fonte de água bem na sua frente, quem sou eu para recusar?

— É claro — puxo o saco —, vou pedir para a manutenção cuidar disso.

— Oh, a propósito, estamos esperando Karl mais tarde. Ele não vai poder dançar, mas está desesperado para aparecer e levantar a autoestima. Ele tem sofrido barbaridades, por isso, por favor, certifique-se de que ele vai ter tudo o que... O que foi? Você ficou pálida.

— Eu... Hã... Não, estou... *ótima*. Só a pressão desta manhã, sabe, com as câmeras e... *Karl*, sim, não se preocupe, cuidarei dele.

— Excelente — ela diz, dando as costas. Preciso sentar. Minhas pernas estão fracas. Era tudo o que precisava hoje. Esse *merdinha* aparecendo, enfaixado como um herói de guerra. Filho-da-puta, filho-da-puta, *filho-da-puta*.

Tenho o pressentimento de que teria sido uma boa ideia falar da fita com Julie, ou pelo menos mencionar que tenho um assunto delicado para tratar com ela. Meu Deus, sou tão covardona. Qual é o objetivo de ter ideias quando só as tenho quando a pessoa com quem estou falando sumiu?

Olho para as câmeras na parede. As lentes estão me encarando. É melhor me recompor. Repare, não sei por que estou tão preocupada. Com uma celebridade das grandes no edifício, ninguém vai se interessar por mim. "*Oh, sim, querida, esqueça a diva da música pop, a primeira nas paradas de sucesso, e dê um grande e demorado close na recepcionista. Olhe só como ela está simplesmente ali, parada como um dois-de-paus. Adoro aquela expressão ligeiramente confusa e estúpida... A concorrência vai chorar de frustração ao ver o nosso Ibope!*"

Rebecca reaparece com Velvet usando suas novas roupas Zone.

— Ela não está maravilhosa? — Becks suspira, apresentando Velvet como se fosse uma superprodutora de moda. Observo a nova e aprimorada Velvet (será que alguma vez vou me acostumar com esse nome?). É óbvio que Rebecca e eu temos definições muito diferentes para as palavras *roupas folgadas*, porque o que Velvet está usando não poderia ser mais apertado e parece ter sido pintado no seu corpo. Agora seus seios parecem um par de bombas atômicas acondicionadas em um invólucro de lycra rosa brilhante.

— Sim, maravilhosa — repito com voz fraca porque, levando-se em consideração o estilo dela, o visual de Velvet é maravilhoso: é como um avião Jumbo, não é exatamente bonita, mas é simplesmente impossível não se impressionar com o tamanho da coisa.

— Isso é tão incrivelmente *excitante* — diz Velvet, arranjando uma voz ainda mais cheia de entusiasmo do que há quinze minutos. E isso também é assustador porque, na verdade, seus seios estão mesmo tremendo. Já vi dançarinas do ventre turcas que não conseguem fazer isso, mesmo depois de muitos anos de prática. — Ok, certo. Por onde quer que eu comece? — ela gagueja.

— Um bom começo é ficar longe de mim com essas *coisas* — diz Daniel, voltando à recepção. Daniel tem horror a seios. Fica desconfortável perto dos meus, que são de tamanho médio, por isso os dois monstros de Velvet devem estar revirando completamente a sua cabeça.

Os olhos de Daniel estão virtualmente saltando para fora das órbitas. Isto pode se tornar embaraçoso. — Pare de encarar deste jeito — cochicho, mas ele agarra meu braço e me arrasta para o meio da área da recepção, só parando quando estamos suficientemente longe para não sermos ouvidos.

— Você não reparou? — cochicha.

— *Sim*. Grandes, não são? Vamos tentar superar isso, tá bom? — cochicho de volta.

— Não é a porra das tetas, é o que está *sobre elas*. Enorme, cor-de-rosa e com a forma da porra de uma cabeça de porco.

Olho para Velvet, que está fazendo amizade com Rebecca e não reparou que a estamos checando. Olho para a grande extensão mamária que está lutando e se espremendo toda na tentativa de escapar do seu top bem decotado e... *Porra*, como foi que não vi *isso*? Um enorme sinal de nascença, cor-de-rosa-escuro e, sem dúvida alguma, com a forma de uma cabeça de porco. Devo ter ficado tão concentrada tentando não olhar para os seus seios que não reparei nisso. Pelo menos o fato confirma que ela não estava de *topless* quando Jamie a entrevistou. Ele vai ficar completamente alucinado quando vir a pinta.

— Merda — sussurro. — É melhor encontrarmos uma maneira diplomática de lhe pedir para cobrir aquilo.

Enquanto voltamos para o balcão, o telefone toca. Ansiosa por entrar em ação, Velvet atende a chamada.

— Alô? — ela diz, saindo o máximo possível do roteiro oficial da Zone para chamadas telefônicas. — Depois: — É para você, Charlie.

Pego o aparelho dela e digo: — Oi, aqui é a Charlie.

— Aquilo é o que penso que é, porra? — É Jamie.

— O *que é que* você pensa que é?

— Aquela... *coisa* na teta dela. Consigo ver isso daqui da porra da rua e está tirando a porra do meu apetite.

Espio na direção das portas e vejo Jamie se escondendo entre os seguranças, com um doce meio comido em uma mão e o celular na outra.

— Que porcaria é aquela? — ele pergunta. — Um sinal de nascença? Uma cicatriz? — acho que ele está suando.

— É um... Não posso falar agora, sério — digo, apontando com a cabeça para Velvet, que está chacoalhando tudo para cima e para baixo, acompanhando o ritmo do vídeo de Missy Elliott nas TVs.

— Sabia que era bom demais para ser a merda da verdade — ele diz. Está com uma voz (e aparência) desanimada, como um menino que arrancou o papel de presente da caixa que acha que é um novo e enorme Autorama, para descobrir que ganhou o Meu Pequeno Pônei. — Ela vai ter que ser despedida — suspira. — Você cuida disso, Ok?

— Quer dizer...

— Sim, despeça ela. Você é uma garota esperta. Vai conseguir pensar numa desculpa.

— Não posso fazer isso — digo, chocada. — Ela só está aqui há uma hora.

— Escute, está preparada para este trabalho ou não? Porque estou começando a ter sérias dúvidas. Tem até o fim do dia. Entretanto, faça ela tapar aquilo. Meu Deus, aquilo é *nojento*.

Olho de queixo caído enquanto ele desliga o telefone, sacode as migalhas da camisa e entra pelas portas automáticas, como se a conversa nunca tivesse acontecido. Sorri para nós e diz em voz alta:

— Todo mundo na mesma sintonia, espero — enquanto passa pela gente sem parar, indo para o elevador.

Hã, Becks — digo. — Por que não vai mostrar a Velvet como organizamos os horários dos estúdios? Pode fazer isso no meu escritório, se quiser.

Observo enquanto somem. Pelo menos consegui que ela — ou mais precisamente, o seu sinal — fique longe do olhar das câmeras por um tempo. Com sorte, um tempinho grande, porque, na verdade, ainda não mostrei a Rebecca como organizamos os horários dos estúdios. Podem ficar ali o dia todo.

Quando viro de costas, vejo o canalha mais desprezível e nojento que jamais existiu. Não, não é Fred West,* recém-saído da tumba e interessado em um dos nossos programas completos e personalizados de boa forma. É *Karl*. Está lançando o seu sorriso dourado à la Nelly e tem uma atadura enrolada na cabeça, que fica ainda mais legal do que qualquer faixa da Nike ou bandana. A verdade é que, depois da moda que Nelly inventou colocando BandAids no rosto, ele pode estar lançando uma nova moda no mundo hip-hop. Mas ele *não* é um cara descolado. É um porco pervertido e eu quero lhe dizer isso tudo, aqui e agora...

Mas um dos cinegrafistas da produtora escolheu este exato momento para passar pela recepção. A câmera enquadra Karl, obviamente atraído pelo seu carisma, tal como eu fui quando era uma garotinha inocente, não faz muito tempo.

— Parece que lhe devo uns agradecimentos, Charlie — Karl diz, descontraidamente. — Daniel me disse que você salvou a minha vida no outro dia.

— Oh, não foi nada — digo sem graça, sentindo-me enjoada e me arrependendo sinceramente por não ter deixado que ele se afogasse no próprio sangue.

— Não disfarce, estou lhe devendo um favor, bem *grande*. Oh, e obrigado por ter ido deixar a sacola na minha casa. Não consigo fazer nada sem ela. Toda a minha vida está lá.

Não, *seu merdinha nojento saído dos esgotos, toda a sua vida está na porra do seu quarto extra, cuidadosamente catalogada em uma merda de ordem cronológica.*

---

* Assassino e violador de garotas no Reino Unido, que cometeu suicídio na prisão. (N.T.)

Mas à minha ira se junta um crescente sentimento de pânico, porque, é claro, *ele sabe que estive no seu apartamento*. O que mais ele sabe? Será que deixei a porta *daquele* quarto aberta? Será que ele fez alguma coisa tão imatura como colar um cabelo no umbral, como fazia na porta do meu quarto quando era mais nova? (Ok, há três meses, quando percebi pela primeira vez que Emily estava xeretando os torpedos de Harvey.) Peraí, por que estou tão assustada? Ele é que deveria estar em pânico. Suando. Se borrando todo, porra. Não eu. Vamos encarar a situação, na escala de segredinhos escabrosos, entrar na casa de alguém às escondidas fica muito atrás de filmar todas as trepadas da sua vida às escondidas.

Daniel me chuta por baixo do balcão.

— Preciso conversar com você — digo a Karl, de modo involuntário, porque não quero nada falar com ele, quero voltar a mandá-lo pro hospital.

— Não há nada a falar — ele diz com voz doce. — Não vou processar ninguém. Seja como for, a cicatriz caiu bem em mim.

Que confiança!

Que palerma de merda!

Será que ele pelo menos sabe que eu sei? Se sabe, parece não ligar a mínima. Daniel me dá outro chute forte. Gostaria que ele desaparecesse daqui. Sinto-me em brasas, e subitamente fico hiperconsciente das câmeras ao nosso redor, como se a única coisa que vieram filmar hoje tenha sido a mim e minha humilhação.

— É melhor eu ir. O pessoal está à espera — ele diz, apontando para o elevador. — E não se preocupe, não vou chegar nem perto do sistema de som. Vejo você mais tarde, Ok?

Ele vai embora todo vaidoso, suas longas pernas saracoteando daquela maneira aparentemente casual que exige anos de treino em dança. Fico parada com o queixo caído, daquela maneira otária que não exige qualquer treino. E o cinegrafista, muito esperto, passou por mim e está acompanhando Karl indo embora.

— Bem, temos que admirar a cara de pau dele — diz Daniel em um tom de respeito enquanto admira sua bunda. Olha para mim. — Você está Ok?

Abano a cabeça, incapaz de falar.

O telefone toca.

— Quer que eu atenda? — pergunta Daniel.

Aceno com a cabeça.

Ele atende e, depois da saudação oficial do Zone, sussurra:

— É para você. Acho que é a sua irmã. Quer que eu me livre dela?

Pego o telefone da mão dele. É melhor lidar com ela.

— Oi — digo.

— E aí, você já ligou para eles? — ela pergunta, frenética.

— Quem?

— A clínica de não sei quantas, *sua cretina*. Você prometeu.

— Quer fazer o favor de se acalmar? Disse que iria telefonar e vou fazer isso.

— Não pode fazer isso agora? Me deixar em espera, ou coisa parecida.

— Não, Emily, não posso. Estou no meio da recepção, o lugar está cheio de câmeras... Não é exatamente o cenário ideal para telefonar para... você sabe quem.

— Mas você vai telefonar?

— *Sim*, assim que tiver uma oportunidade. A propósito, onde está você? Não deveria estar na escola?

— Faltei. Não posso ir. Minha barriga está tão pontuda que *todo mundo* vai perceber.

— Não seja ridícula. Vá para a escola e continue com a sua vida — disparo de volta, incapaz de esconder a minha irritação.

Ouço um soluço estrangulado do outro lado da linha. Isso me faz esquecer por um momento como ela me tira do sério, e amoleço um pouco.

— Desculpe, está bem. Emily? Você está aí?

— Você está ouvindo o barulho de linha? É claro que estou aqui. Meu Deus, *sabia* que telefonar para você seria, cacete, a ideia mais *burra* da *paróquia*.

— É normal você se sentir emotiva neste momento — digo, ainda *incrivelmente* calma. — Mais tarde conversamos melhor e prometo que as coisas não vão parecer tão...

— Você acha que consegue ser *mais* tolerante comigo? — ela grita.

Agora ouço o barulho de linha. Ela desligou.

Olho para os monitores de TV. Sister Sledge está soltando a voz com "We Are Family", uma música cheia do nauseante amor entre irmãs. Deus do céu, aqueles imbecis do canal VH1 devem estar fazendo isso de propósito.

— Você está bem? — Daniel pergunta, tenso.

— Não. E se você não tirar o som das TVs neste momento, juro que vou arrancar essas merdas da parede com as minhas próprias mãos.

Enquanto digo isso, agarro o tampo de mármore com tanta força que minhas dez unhas cuidadosamente pintadas ameaçam partir, e Rebecca e Velvet reaparecem.

— Como vão as coisas, garotas? — pergunto, tentando voltar a pôr a cabeça em modo Zone.

— Fantásticas, obrigada — Velvet responde, toda animadinha. — Becks é uma professora e tanto.

Só Deus sabe o que Becks lhe ensinou, mas me obrigo a ter pensamentos positivos. — Ótimo — digo. — Então você pode começar por imprimir os horários da próxima semana.

Bem, pelo menos pode fazer alguma coisa útil nas oito horas que tem entre agora e o desemprego.

— Por quê? — ela pergunta, nervosa, deixando claro que quaisquer dicas de treinamento que Rebecca possa ter dado entraram por um ouvido e saíram pelo outro.

— Os horários variam — explico. — Temos professores convidados, workshops, coisas assim, e por isso afixamos todas as semanas uma tabela de horários atualizada.

Ela olha para mim como se estivesse falando russo. E não o idioma russo normal, mas uma gíria russa das favelas, para atrapalhá-la ainda mais, caso ela fosse uma das poucas falantes de russo do mundo (fora os milhões de russos verdadeiros, é claro).

— Ok. Então vamos começar, Ok? Vamos — digo, encorajadora, apontando para o lindo computador Macintosh sobre a mesa.

Ela fica estatelada no mesmo lugar.

— O *que foi?* — pergunto numa voz que, lamento dizer, é digna da pura e gélida Lydia.

— É que — ela diz, olhando para o Mac — não posso mexer em um desses.

— Oh — digo, sentindo-me mal porque agora percebo. — Não tenha medo dele. É só um Mac. Funciona da mesma maneira que qualquer outro computador. Tudo o que tem de se lembrar é...

— Não, você não está entendendo. Não mexo em computadores. Por causa dos meus pulsos. Tenho lesão por esforço repetitivo. Meu médico disse que não posso nem chegar perto de um teclado.

Brilhante, Jamie, absolutamente fantástico, penso. *Contratou uma assistente que não pode usar o computador. E eu que pensava que os assistentes deveriam fazer toda a merda do trabalho chato que envolve, sabe, digitar em um teclado.*

Bom, há um pequeno consolo. Pelo menos ela me deu a desculpa perfeita para *despedi-la*.

Respiro fundo e digo:

— Há outra coisa que você *pode* fazer. Rebecca pode levá-la até o Estúdio Cinco. A aula de ioga da Maya deve estar terminando. Pode arrumar os tapetes.

— Também não posso fazer *isso* — ela reclama, como se tivessem pedido a ela para descarregar várias toneladas de tijolos de um caminhão parado a um quilômetro de distância daqui. — No momento não posso sequer me dobrar, quanto mais *erguer* qualquer coisa. Machuquei minhas costas na semana passada. Tenho semanas de fisioterapia pela frente antes de receber alta. — Ela empina o peito para frente para esticar a base das costas.

— Me diga, Velvet — pergunto, hesitante. — Tem alguma experiência em trabalhar na indústria da boa forma?

— Não seja boba. Quero ser apresentadora de TV. Você sabe, como a Davina.* Sei que não teria nenhuma oportunidade nesta área trabalhando em uma *academia*, mas aqui é diferente. — Ela olha para a câmera e depois abaixa a voz até sussurrar. — Conheci um cara em Chinawhite na semana passada e ele me deu a dica sobre o *reality show* da TV. Sentido de oportunidade é tudo, certo?

---

* Famosa apresentadora britânica de TV. (N.T.)

DezAjustada

Não consigo ouvir mais uma palavra sequer. Estou perigando perder a paciência tão completamente que vou despedir esta garota, não só na frente de Daniel e Rebecca, como na cara de toda a audiência do Channel Four. Tenho de fazer alguma coisa...

— Aonde você vai? — Daniel pergunta. Parece estar preocupado. Meu rosto deve estar cintilando em um tom de alerta vermelho.

— Dar um telefonema — grito, pegando o celular da minha bolsa. Vou telefonar para uma certa clínica e, enquanto estiver lá fora, vou respirar um pouco de ar fresco para me acalmar antes que exploda.

Estou encostada na banca de jornal a cinquenta metros do The Zone, sentindo os benefícios de uma dose tremenda de açúcar (causada pela ingestão de um Twix e de outra barra gigante de chocolate) e um ligeiro enjoo (causado pelos mesmos Twix e a barra gigante de chocolate). A única coisa que me impediu de comprar cigarros quando estava na loja foi não ter dinheiro suficiente. Além do pequeno pormenor secundário de que não fumo. Ainda.

Não acredito no dia que estou tendo. Em ordem de acontecimentos:

Os seios de Velvet.

Ver Sasha e saber que, mesmo que ela decida falar comigo, nossa amizade *nunca* mais vai ser a mesma.

O sinal de nascença de Velvet.

Karl.

Emily.

Velvet.

Em um dia comum, qualquer uma das razões acima me tiraria do sério. No dia em que as câmeras chegaram...

Tudo o que posso dizer é que é espantoso que ainda não esteja dentro de uma camisa-de-força. Mas o ar fresco — Ok, a fumaça de carro — está fazendo maravilhas. Poderia ficar aqui fora para sempre, alimentando-me com barras de chocolate e nunca tendo de encarar...

— O que diabos está fazendo aqui?

"*Aaaaaaagghh!*"

Isto foi Jamie perguntando, e eu saltando dez metros no ar.

— Desculpe, Jamie. Eu... estava... hã... apanhando ar fresco.

— Você sabe quanto gastamos em ar-condicionado no The Zone? Tecnologia de ponta. Filtra tudo menos a bosta do oxigênio. Nem o ônibus espacial tem uma máquina tão avançada. E você sai de lá para a merda das ruas de Londres cheias de *fumaça* para respirar *ar* fresco? Ele não está de bom humor, dá para perceber. — Hoje é o dia em que mais preciso que você esteja concentrada, Charlie. Na merda do Zone. O que significa, para além de todo o resto, estar *na* porra do The Zone. *Capisce?* Quero você lá dentro, já. Especialmente quando tem pessoal novo com quem lidar.

— Posso lhe perguntar onde a descobriu?

— Qual é o problema? Você vai despedi-la, né? — ele diz na defensiva, e então me parece que não a encontrou na Melhor Agência de Recrutamento do Mundo (lema: *você quer uma recepcionista, nós vamos mandar uma engenheira espacial*).

— Sim, vou despedi-la — digo, resignada. Ainda *vou* mudar esta mania dele do corpo perfeito. Um dia. Só não vai ser hoje. — Então, vou voltar. Vejo você mais tar... A propósito, aonde vai?

— Ver a porra dos advogados. Lydia está me processando, acredita? — ele diz, conseguindo andar e ranger os dentes ao mesmo tempo. — *Discriminação com base em diferenças físicas*. Que merda que aquela anormal estrábica quer dizer com isso?

— Não faço ideia, Jamie... Boa sorte — grito, enquanto ele se enfia num táxi.

Volto para o The Zone a passos largos, e rapidamente passa a ser uma corrida louca. Por quê? Porque acabei de me lembrar da minha bolsa. Deixei-a debaixo do balcão. Normalmente isso não seria motivo de preocupação, mas hoje está cheia de pornografia *hardcore* estrelando você sabe quem, você sabe quem mais e, ainda pior, você sabe quem também.

Alcanço os degraus, afasto os assassinos treinados do Mestre Stan Lee com um braço, atiro-me pelas portas adentro, lanço-me pelo pátio, passo por Velvet (que é uma barreira bem mais impressionante que os seguranças) e mergulho para baixo do balcão, jogando tudo o que está em cima da mesa para o chão. Enquanto estou freneticamente de joelhos, porta-canetas, uma lata aberta de Coca Diet, o controle remoto da TV, um telefone e um teclado de computador caem no chão atrás de mim, mas não quero nem saber, porque estou com a minha bolsa. Aperto-a contra o peito e olho para as fitas de vídeo lá dentro. Todas as sete — conto-as três vezes para ter certeza.

Daniel se junta a mim no chão.

— Isso deve ter ficado bem na câmera. E nem precisou de um dublê. Você está bem?

— Agora estou — respondo, ofegante.

— Você não está tendo um bom dia, né?

Balanço a cabeça.

— Vamos fazer uma pausa — ele diz.

— Não podemos deixar essas duas sozinhas — sussurro, apontando com a cabeça para as pernas de Velvet e Rebecca. — Nem minha bolsa.

— Você pode trazer a bolsa consigo, essas duas vão ficar bem. Diremos para elas brincarem de estátua por quinze minutos. Vamos lá, você precisa fazer uma pausa. Vamos para o escritório de Jamie. Ele está fora e é o único lugar do edifício sem câmeras.

Daniel tem razão. Preciso dar uma pausa. Ok, sei que acabei de ir até a confeitaria, mas outra pausa não vai fazer mal. Nos levantamos e, enquanto me recomponho, olho para Rebecca e Velvet. Estão olhando para mim como dois coelhos assustados.

— Desculpem por aquilo, gente — digo.

— Quer que a gente arrume o balcão? — Velvet pergunta, olhando para a confusão no chão.

— Você se importa? Charlie e eu temos que fazer a checagem Zone juntos — diz Daniel, assumindo as rédeas da situação. — Vocês ficam bem aqui por alguns minutos, não?

Rebecca fica com cara de pânico.

— E as TVs? — Olho para os três monitores. Estão desligados. Devem ter desligado quando o controle remoto caiu no chão, o que quer dizer que aconteceu o mesmo a todas as TVs do edifício. Daniel pega o controle remoto e enfia as pilhas lá dentro.

— Ligue as TVs — diz, passando o controle a Rebecca. Depois, em resposta à sua expressão apavorada: — É só apertar um botão, querida.

Uma vez para *ligar*, outra para *desligar*. Você vai conseguir... Vamos, Charlie.

— Então Karl é um tremendo pervertido filho-da-puta, com a consciência social de um assassino em série. Sasha diz que a culpa de tudo é sua e não fala com você. A sua irmã mais nova não lhe diz quem a engravidou. E seu chefe joga duas tetas com pernas pra cima de você e agora quer que você a demita por causa de uma horrível deformidade física... então, quer me contar o que está te incomodando? — Daniel diz, reclinando-se na grande cadeira de couro de Jamie e olhando concentradamente para o teto como se fosse um psicanalista.

— *Rá, rá*. Estou falando sério, Daniel. Provavelmente poderia lidar com um problema por vez. Por que tem tudo que acontecer ao mesmo tempo, pelo amor de Deus?

— Ouça, querida, daqui a quarenta e oito horas você estará rindo de toda a situação. Juro.

Provavelmente ele está certo. Só que não tenho a certeza de que vou conseguir sobreviver às próximas quarenta e oito horas.

— Sei o que vai tirar a sua cabeça das preocupações — ele diz. — Esse novo vídeo exclusivo de Blaize na sua bolsa.

— Essa é a única razão por que você queria que eu viesse até aqui? — digo, apertando minha bolsa contra o corpo de modo protetor. — Pensava que você se importasse comigo.

— É *claro* que me importo — ele protesta —, mas, já que estamos aqui, podemos aproveitar. Seja como for, você tem que assistir a isso para ter certeza. Pode não ser um filme de sexo. Ou ela pode saber que estava sendo filmada, o que quer dizer...

Ele tem razão. Eu deveria assistir, né? Só para confirmar. E *não* é para satisfazer minha curiosidade de ver como é Blaize na cama, de modo algum.

— OK, enfie isso lá — digo, atirando a fita para ele. — Mas só por um minuto — *não mais*.

Ele salta da cadeira, corre para o vídeo de Jamie e enfia a fita no aparelho antes que eu tenha a oportunidade de mudar de ideia. Liga a TV, aperta o botão *play* e se instala ao meu lado no sofá. Quase poderíamos ser um casalzinho apaixonado, enroscando-se para passar uma tarde aconchegante, vendo Meg Ryan e Tom Hanks em *Sintonia de amor*...

Só que, quando a tela passa de estática para uma imagem em movimento, posso ver muito claramente que não é bem *Sintonia de amor*. É mais *Depravações em South Kensington*, estrelando Karl e Blaize.

— Ele não gosta de perder tempo, não é? — Daniel diz enquanto o vemos atirar Blaize na cama, de barriga para cima, enquanto desafivela seu cinto. Depois: — Oh, meu Deus, ele é *giganorme*. Essa coisa é completamente desperdiçada em mulheres.

Olho, chocada, para a tela. Não pelo tamanho do pau de Karl — bem, já estive perto dele, bem perto —, mas pelo fato de que estou vendo Blaize — a megacelebridade, convidada regular dos programas infantis de sábado e, de acordo com o jornal *Sun* de há alguns dias, o mais novo rosto dos Cosméticos TeenQueen — rasgar as roupas como se o mundo estivesse acabando e esta fosse a Última Trepada Desesperada do Mundo.

— Bem, é óbvio que ela não sabe da câmera — Daniel diz, com certeza absoluta.

— Como sabe?

— Ela é uma profissional da mídia. Se soubesse da câmera, se despiria como em um anúncio de lingerie. E você a está vendo encolher a barriga? Fazer boquinha de estrela pop? Não. E veja, ela está de meias. Dá para ser menos descolada do que isso? Não, esta é a Blaize natural, em casa, fazendo sexo sem tirar as meias.

Ele tem razão. Ok, percebemos que ela não sabe que o namorado está filmando, e está na cara que isso não é uma fita inocente de ensaios. Deveríamos desligar agora o aparelho, certo?

Mas nenhum de nós se mexe, além de nos remexermos um pouco no sofá. Daniel deve estar tão constrangido vendo isso quanto eu, certo? Então por que ainda estamos sentados aqui e vendo a fita?

— Isto é errado. Daniel, desligue isso.

— Não podemos parar agora. Ele está fazendo sua entrada triunfal... Uau, ela é escandalosa. Deve ser todo aquele treinamento vocal. *Cruzes*, você poderia fazer uma absoluta fortuna com esta fita.

— Daniel, *faça-me o favor*.

— Você deve estar doida, para não pensar no assunto. E até é uma fita de boa qualidade. Na semana passada tivemos aqui aquele *paparazzo*, o que tirou a foto da namorada do Príncipe William em topless. Lembra-se de como era ruim, toda granulada? Bem, ele tem...

— Onde está o controle? — pergunto, forçando-me a me pôr de pé. Daniel não me entrega, então atravesso a sala na direção da TV. Mas paro no meio do caminho. Que coisa mais estranha, parece que estou ouvindo os gemidos de Blaize em estéreo, como se estivessem saindo de mais de uma TV. Como pode ser...

— Que porra de merda? — Daniel chegou lá antes de mim. — Como é que ela foi parar lá em cima? — Ele está olhando para a outra TV, pendurada na parede. Pelos seus alto-falantes estão saindo os gemidos estrangulados de Blaize. Na tela, uma das pernas dela está enroscada nas costas de Karl, enquanto a outra está balançando no ar, com uma fofa meia rosa precariamente pendurada na ponta dos seus dedos.

— O que porra você *fez*, Daniel? — grito, porque a segunda TV no escritório de Jamie é aquela que está em rede com TODOS OS MONITORES DO EDIFÍCIO.

— Pare de gritar — ele grita. — Desligue o vídeo. RÁPIDO!

Mergulho na direção do vídeo. Estou procurando o botão stop, mas minhas mãos se tornaram uma massa de dedos sem controle e não consigo mexer no aparelho direito. Por fim, acerto o botão. Ambas as TVs ficam sem imagem e só há silêncio, para além do som dos meus próprios pulmões. Da minha posição no chão, olho para Daniel. Parece estar tão abismado quanto eu. Nenhum de nós fala. Depois de um momento, consigo sussurrar:

— Você acha que todo mundo viu isso?

Ele encolhe os ombros de leve.

Acho que vou considerar isso como um *sim*.

— Aauurrgghh! — Por um minuto, esqueço-me do básico da língua inglesa.

— Não fiz nada, Charlie, juro. — Ele enfia a cabeça nas mãos, olhando para mim por entre os dedos.

— Não, não fez — digo, sentindo uma lâmpada se acender sobre a minha cabeça. — Foi Rebecca.

— *Becks?* Como chegou a essa conclusão?

Eu explico. Todas as TVs no The Zone estão em rede. Qualquer canal que a gente sintonize na recepção é o que os monitores mostram por todo o edifício. Só a TV de tela larga de Jamie não está permanentemente ligada à rede. Isto para que, enquanto todos nós estamos saltando ao som dos canais MTV, The Box ou VH1, Jamie possa passar o dia vendo as suas ações subirem nos canais da bolsa. Só que há uma maneira de sincronizar a TV de Jamie com todas as outras. Lydia tentou me explicar uma vez. Envolvia apertar uma absurda combinação de botões no controle principal da recepção, e eu me perdi na sexta ou sétima etapa do processo. Esse, é claro, é o mesmo controle que Daniel deixou com Rebecca antes de subirmos. "*É só um botão, querida!*", essas foram as suas exatas palavras. Agora, se a gente enviasse Rebecca para um curso de seis meses em domínio de controles remotos de TV, e depois lhe pedíssemos para sincronizar a TV de Jamie com as outras, ela não conseguiria. Nem que a a merda da sua vida dependesse disso.

Mas hoje, quando a sua vida não dependia disso, quando tudo o que tinha de fazer era apertar *um botão*, é claro que ela conseguiu.

— Quantas TVs você disse que há no edifício? — Daniel perguntou quando acabei a explicação.

— Quarenta e três.

— Porra, merda, *porra* — exclama.

Eu sei o que ele quer dizer.

— Bem, pelo menos não há nenhuma no Estúdio Quatro. Blaize não deve ter visto — ele diz, tentando se agarrar à mínima esperança.

— Sim, mas se um dos bailarinos dela estivesse fazendo uma pausa e tivesse visto enquanto estava fora do estúdio? Seja como for, o boato vai se espalhar por aqui como praga. Quanto tempo temos antes de ela descobrir?

Só silêncio, enquanto ele vê a sua esperança sumindo no horizonte. Depois:

— Acha que é melhor irmos lá pra baixo?

— Precisamos mesmo? — digo.

— Bem, podemos descer até a rua pendurados no andaime de limpeza das janelas, apanhar um táxi até o aeroporto e comprar dois bilhetes, só de ida, para o Rio de Janeiro, e depois viver o resto das nossas vidas com nomes falsos, ganhando a vida vendendo os nossos corpos a turistas sexuais... Era essa a ideia que você tinha em mente?

— É melhor descermos.

Vou até as persianas que escondem Jamie do resto do mundo, afasto um par de lâminas e espreito o corredor. Tão calmo quanto possível. Só se ouve o suave plim-plom do piano no estúdio de balé no fundo do corredor e a voz de Philip:

— Não, não, não, não! Eu disse virar para *fora*, não para dentro! O que é isto? A dança das galinhas?

Acho que *não* viu a performance de Blaize. Talvez mais ninguém tenha visto. Talvez todo mundo estivesse tão ocupado se exercitando, dançando, fazendo seja lá o que for, que não olharam para cima e não viram a cantora pop mais comentada da Grã-Bretanha, de pernas abertas, sendo comida. E talvez as pessoas encarregadas de monitorar a montagem das duas dúzias de câmeras fixas de TV (para não falar dos dois ou três operadores de câmeras móveis) estivessem tendo um ataque de espirros sincronizado por três minutos e também não tenham visto.

Quais as chances de uma coisa dessas acontecer, hein?

o pedaço em que acho que tudo pode acabar bem

Enquanto o elevador desce, sinto meu coração despencar junto. Nenhum de nós diz nada — o que se pode dizer? *Foi um prazer conhecê-lo, vejo você na agência de empregos*, esse tipo de conversa? Chegamos ao térreo, as portas se abrem e...

— Charlie, sinto muito.

Sasha — escondida dentro da enorme jaqueta acolchoada Zone — está na minha frente, *falando* comigo.

— Tenho sido uma idiota — ela balbucia. — Nunca deveria ter reagido daquela maneira. Tudo o que você tem feito é ter sido minha amiga e veja como eu retribuo.

Ela está me abraçando, quase me estrangulando, e corro o risco de morrer sufocada dentro da jaqueta acolchoada, mas tenho esperanças. Espero que não tenha me preocupado à toa. Porque, afinal de contas, se a fita foi vista por todo mundo, ela não estaria aqui representando a cena de Fazer as Pazes, Nunca Mais Ficar de Mal, estaria? Com toda a certeza teria percebido o que estava na fita e estaria à beira de um ataque de nervos.

Sinto lágrimas brotarem nos meus olhos.

— Sasha, *eu* sinto muito. Não queria magoar você.

— Por favor, não se desculpe. Estive andando para cima e para baixo pela rua na última meia hora, tentando reunir coragem para conversar com você porque...

Não disse que era um pedaço comprido, disse?

Ó meu Deus. Ela estava lá fora. De repente, o pequeno raio de esperança ao qual me agarrei não brilha mais.

— ... agora entendo que nada disso foi culpa sua. — Ela faz uma pausa e olha ao redor. — Mas acho que devemos conversar mais tarde. Parece que primeiro você tem que atender um monte de gente.

Há um mundo de gente na recepção. Pessoas que deveriam estar fazendo alguma coisa — como trabalhar — estão gritando histéricas ao redor de Rebecca e Velvet. Mesmo a uma distância de seis metros posso perceber que só há um tópico na conversa, e não é o clima. Rebecca está aos gritos no telefone.

— Não, Steve, não desliguei a TV. A coisa simplesmente acabou e... Bem, lamento que você... — Ela afasta o aparelho do ouvido. — Ele me chamou de provocadora barata — ela diz, com lágrimas se formando nos olhos. Velvet vê a mim e a Daniel e grita, animada: — Vocês perderam a coisa mais incrível. O novo videoclipe da Blaize na TV...

O novo videoclipe da Blaize!

— ... e era nojento!

Daniel e eu nos entreolhamos, nossos temores confirmados. Por favor meu Deus, não sei se já decidiu quando vou morrer, mas olhe, agora mesmo seria uma boa hora.

Todo mundo vira as costas e vem em nossa direção, todos falando ao mesmo tempo.

Ruby:

— Você precisava ter visto, Charlie.

Maya:

— Aquele pênis não pode ser real. Não para ser exibido na programação diurna.

Sasha:

— Sobre o que vocês estão falando?

Maya:

— Você não viu? Meu Deus, como foi que não viu aquilo!

Velvet:

— Achei a música meio boboca. Todos aqueles gemidos. Pelo menos o gemido final dela foi melodioso.

Francesca:

— Talvez seja algum novo vídeo de exercícios. Algo do tipo, Fodendo Para Ficar Em Forma.

Olho para Daniel e peço com os olhos, por favor me tire daqui.

— Puta merda, quase esqueci, tenho que fazer a checagem Zone — ele balbucia.

— Daniel!

Tarde demais, ele fugiu. Provavelmente decidindo pela opção de fugir para o Rio/adotar um nome falso/virar escravo sexual. Filho-da-puta.

— Escutem, não sei do que estão falando — grito para o saguão que não para de encher. — Por que não voltam ao trabalho?

Todos me ignoram, preferindo ficar comentando o vídeo de sexo da estrela pop. Abro caminho entre eles e vou para trás do balcão. Jogo a bolsa no chão, abaixo-me e enfio-a o mais fundo que posso atrás do balcão — quanto mais longe os vídeos ficarem de mim, melhor. Quando levanto, vejo Sasha conversando com Rebecca e Velvet. Se o seu rosto corado e ansioso for indicativo de alguma coisa, estão lhe contando exatamente o que ela perdeu enquanto estava lá fora, ganhando coragem para vir falar comigo.

— O que está acontecendo, Charlie? — ela pergunta com voz esganiçada. — Rebecca disse que era Karl no vídeo... Ben! Deve ter sido um vídeo de arte-performática ou algo assim... — Ela abaixa a voz e sussurra... — Mas tenho um mau pressentimento sobre isto.

— Precisamos mesmo conversar. Mas não agora — digo, pois percebo que um cinegrafista chegou. E não está sozinho. Claire está atrás dele, empurrando-o na minha direção. Sasha pode ter acabado de somar dois e dois, mas Claire certamente cheirou uma história suculenta assim que viu a primeira cena.

Posso ver o cérebro de Sasha trabalhando o mais depressa que já trabalhou na vida, e o processo parece estar causando imensa dor.

— Aaaah! — ela grita. — Velvet disse alguma coisa sobre lençóis pretos. A cama de Ben tem lençóis pretos...

A ficha está caindo. Muito lentamente, mas está caindo, e não posso fazer nada para impedi-la. Só gostaria que ela não pensasse EM VOZ ALTA. Os olhos de Claire encontram os meus e ela me encara séria. Seu rosto não demonstra nada, mas sei o que ela está pensando. Enquanto estou desesperada para abafar a coisa, ela está implorando silenciosamente para que tudo exploda enquanto ainda tem fita na câmera.

— Ben filmou a si próprio fazendo sexo com Blaize, não foi? — Sasha diz, vindo para o meu lado do balcão.

— Agora não, Sash.

— Ele me disse que a câmera no quarto estava quebrada. Ele filmou escondido?

Não respondo. Minha atenção está voltada para Claire, que está virtualmente salivando enquanto mantém o cinegrafista suficientemente perto para nos ouvir.

— Ó meu Deus, ele filmou, não foi? — Sasha continua. — O filho-da-puta... Merda, onde estão os outros vídeos?

— Por favor, Sasha — suplico. — Vamos conversar mais tarde.

— Me diga, Charlie — ela diz, agarrando meu braço. — Ele filmou você...? A mim...?

— Agora não — sussurro, enquanto dois bailarinos de Blaize aparecem no fundo da escada. Dão uma olhada na confusão e sobem novamente. Meu corpo treme inteiro. Tudo o que quero é gritar, mas não posso porque a câmera está bem na minha cara. Quero dar um empurrão nela, como as celebridades fazem quando saem bêbadas de boates, com a cara toda amassada. Sinto a mão de Sasha apertando a minha com firmeza.

— Você tem que me contar, Charlie — ela grita, lágrimas brotando nos olhos.

— Agora não! — sussurro novamente, acenando em direção da câmera. Caramba, vê se entende a dica, por favor!

Mas não funciona e ela começa a guinchar histericamente.

— Cacete, o filho-da-puta esteve filmando escondido enquanto fazia sexo comigo, você, Blaize e Deus sabe com quem mais, né?

— AGORA NÃO! — grito. Mas não preciso gritar mais porque todo o saguão ficou quieto de repente. Vejo Claire olhar subitamente para longe e cutucar o cinegrafista. Acompanho as lentes que giram para a escada... e param em Karl e Blaize. — Bem, ele filmou? — Blaize pergunta em voz baixa.

Acho que acenar que sim com a cabeça neste momento seria supérfluo.

O cinegrafista está recuando, tentando enquadrar a mim e a Blaize ao mesmo tempo. Faço a única coisa que uma garota pode fazer numa situação como esta. Rezo: *Meu Deus, faça com que este seja um programa de TV diferente. Faça com que seja um programa de pegadinhas. Depois, tudo isto — a fita de Blaize, a nova garota que tem nome de papel higiênico, a coisa toda — pode acabar sendo parte de uma brincadeira elaborada e acabamos rindo histericamente, com todo mundo me dando tapinhas nas costas por encaixar tão bem a piada, exatamente como fizeram com Justin Trousersnake daquela vez. Por favor, Deus, faça isso, por favoooooooooor... Amém.*

Hoje Deus deve estar ocupado com outra coisa, porque (exatamente como há pouco não me fulminou quando lhe pedi educadamente que fizesse isso) noto a falta de gente saltando das sombras com microfones na mão e dizendo "Ei, Charlie, garota, conseguimos mesmo enganar você, hã?"

Blaize olha para Karl, que ergue as mãos como se fosse protestar inocência. Abre a boca, mas não diz nada. E tenta se safar com o sorrisinho de praxe, que, de repente, não parece mais tão maneiro assim. Ela aperta os pequenos punhos com força, como se quisesse bater nele. *Faça-me este favor, garota.* Mas ele tem mais de 1,80m e ela mal chega a 1,50m, duvido que conseguisse atingi-lo. E ela deve ter chegado à mesma conclusão porque as suas mãos mantêm-se paradas, ao longo do corpo. Jenna está ao lado dela, abraçando-a.

— Vamos, querida, vamos embora — diz, levando-a para a porta. Karl dá uns passos na direção delas, mas não dá para saber se é para tentar se explicar ou para sair correndo para bem longe dali.

Sasha, tremendo visivelmente, olha para mim. Todo mundo faz a mesma coisa. Como curiosos num acidente de estrada, olhando como se pudessem ver meus intestinos espalhados pela pista e pedaços de osso saindo pela minha carne despedaçada. Depois de um segundo, a gritaria recomeça, mas Sasha ergue a mão.

— Ok, acabou o espetáculo — grita, ainda tremendo.

Foi a mesma coisa que a mulher invisível falar, porque ninguém ligou a mínima. Embora esteja me sentindo péssima, pelo menos eu já sabia há algum tempo da existência das fitas. Sasha sempre esteve atrasada nas descobertas deste pesadelo. Está soltando fogo pelas ventas, os olhos faíscam e ela grita:

— Eu disse acabou! Vocês não têm que trabalhar, não?

Não acredito no que ouço. Nunca na vida teria apostado em Sasha ser uma daquelas pessoas que conseguem manter a calma no meio de uma crise. Ela bate palmas e a multidão reage, começando a se afastar. Mas agora param e olham para o segurança que entra no saguão.

O que foi agora?

Ele grita:

— Tem alguma Thaglotta aqui? Tem uma pessoa aqui que quer ver uma tal de Thaglotta, e diz que é urgente.

Eu me encolho toda e fecho os olhos, porque sei o que vem a seguir.

— Olá, querida, surpresa. Nón poder isquecer quí você estar hoje no TV, nón é? Ver o quí mim trazer, fresquinhos do mercado de frutas.

Por favor, meu Deus, não, isto não, não depois de tudo o que aconteceu.

Abro os olhos. Meu pai está bem na minha frente, segurando uma caixa de abacaxis maduros. Durante três anos, esperei que ele demonstrasse o mínimo interesse em meu trabalho, e quando ele faz isso quero simplesmente morrer pela quinta vez nesta manhã.

— Então, posso liberar? — pergunta o segurança. — Ele está com você?

— Claro quí mim estar com ela, estopido — diz meu pai. — Ela ser meu filha.

Aceno desanimada com a cabeça para o segurança — sou, sem dúvida, filha dele.

DezAjustada

Meu pai está radiante. Não por minha causa, por causa do segurança ou da multidão, mas por causa da câmera que está virada para ele como se o astro do show tivesse finalmente aparecido.

— Ok, onde mim colocar eles? — ele pergunta para a câmera. Depois vê Sasha. Ela não deu um passo desde que sua inacreditável exibição de assertividade funcionou. Está paralisada e não sei o que a chocou mais: as ações nojentas do namorado ou o fato de ter se comportado melhor do que eu como gerente geral.

— Ó meu moldito Jesus — meu pai exclama. — Sushou, ela andar novamente. Ela estar de pé nos próprias pernas e tudo. Ser uma milagro!

O que quer que eu diga?

Pergunto honestamente, o que quer que eu diga?

O êxtase de meu pai dura pouco porque as portas se abrem. Julie, do Mission Management, passa por elas e vem na minha direção.

— Você tem sérias explicações a dar, mocinha — ela dispara quando chega perto de mim.

— Foi um completo acidente — digo, com a voz trêmula e fraca.

— Ser isso mismo, ser ocidente — diz meu pai. A voz agressiva dela fez com que ele ligasse automaticamente o sistema defensivo. Não faz a mínima ideia do que está falando, mas isso não importa. Os laços de sangue entre os Charalambous são inquebrantáveis.

— Bem, seu pequeno acidente deixou minha cliente à beira de um ataque de nervos... — ela para de falar, pois se lembrou das câmeras. — Precisamos ter uma conversa séria — ela diz. — Em particular. E acho bom que seu chefe participe dela. — Onde ele está?

— Fora... em uma reunião.

— Não, não estou. Estou aqui.

Ergo os olhos e vejo Jamie, com a pasta executiva nas mãos e um ar horrorizado no rosto. Seus olhos passam da multidão para mim, para Julie, para a câmera, para os abacaxis de meu pai, enquanto tenta desesperadamente entender a confusão em que se meteu.

— O que aconteceu? — ele pergunta, tentando manter a calma.

— Temos um... problema — Julie explica.

— Olhe, Jamie, foi um acidente — balbucio, percebendo que não faz sentido algum para ele, mas não consigo me controlar. — Não sabia que todo mundo iria ver a fita.

— Ela nón saver de nada. Ser ocidente — meu pai confirma, sem saber de coisa alguma.

— Bom, acho que a polícia vai ficar muito interessada em saber como uma fita particular caiu em domínio público — diz Julie, agora erguendo a voz.

— A polícia! — choramingo. — Mas não fiz nada de errado.

— Ela nón fazer nada irado — diz meu pai.

— Nada? — Julie grita. — Você não compreende o dano...

Jamie ergue as mãos.

— CALADA!

Silêncio.

Ele olha rapidamente ao redor e começa a latir ordens.

— Rebecca, acompanhe esta jovem até a sala de reuniões — diz, apontando para Julie. — Sirva o que ela quiser beber... Daniel... Onde diabos está Daniel?

Sim, onde diabos está Daniel?

— ... Não faz mal. Sasha, cuide da recepção por alguns minutos.

— Eu faço isso — diz Velvet, porque Sasha não responde.

— Não importa. Os demais, de volta ao trabalho. Charlie, vá para minha sala. Agora.

Estava quase saindo dali quando meu pai pergunta:

— Que quirer quí mim fazer com os abaxaquis?

— A entrada de serviço é nos fundos — Jamie dispara. — A propósito, quem foi que encomendou abacaxis?

Há quanto tempo estou sentada aqui? Séculos. Para sempre. A merda de uma eternidade e mais uns dias. Estou aterrorizada. E vou estar morta quando Jamie aparecer. Onde ele está? Que pergunta boba! Está com Julie. Puxando o saco. Amansando as coisas. Prometendo o mundo para evitar que Blaize nos processe, como, por exemplo, me demitir. Afinal de contas, quem é a estrela maior da música pop, cuja boa vontade é essencial para o futuro lucrativo do The Zone, e quem é a maria-ninguém completamente dispensável, com um pai grego imbecil que aparece com um monte de malditos abacaxis no momento mais inadequado?

Dez Ajustada

Sentindo pena de mim mesma?

Pode ter certeza que sim.

Estive pensando nesta confusão toda — o que mais poderia estar passando pela minha cabeça? E cheguei a uma conclusão: não é culpa minha. Nada disso é. Na verdade, a culpa é de todos os outros. Todos eles. Vamos repassar os fatos:

As fitas — fui eu quem as gravou? Não, foi um garanhão tarado e pervertido quem teve a ideia.

A fita de Blaize — quem a colocou no aparelho e apertou o botão de reproduzir? Esse seria Daniel. Estava babando de vontade de ver aquela merda, não eu.

O fato da fita de Blaize ter sido transmitida para todo o sistema de TV do Zone — culpa de um monte de merda sem cérebro chamado Rebecca.

Mas ela é uma menina. Não posso pôr a culpa nela. Além disso, ela é minha responsabilidade, minha protegida. Supostamente sendo treinada por mim para que, quando eu morrer (oh, provavelmente daqui a alguns minutos), ela possa receber o meu manto e usá-lo com orgulho, contando a todos sobre o tempo e o amor que investi em seu crescimento e desenvolvimento pessoal. Não posso pôr a culpa nela.

Estremeço quando a porta abre. Jamie vai direto para sua mesa e senta na cadeira.

— Sua idiota imbecil — ele diz baixinho.

— A culpa é da Rebecca. (Sim, eu sei, eu sei, mas foda-se, tenho que salvar a minha pele aqui.) Ela estava com o controle remoto e deve ter reprogramado...

— Pare! Pare aí mesmo. Não insulte a minha inteligência. Agora é você que está no comando. Tudo o que acontece é culpa sua — ele grita e nunca o vi tão zangado.

— Sinto muito — digo, porque ele tem razão.

— Sentir muito não resolve nada. Agora quer me contar, desde o começo, por favor, como é que todo o The Zone assistiu a um filme pornográfico no meio de uma manhã ensolarada de quinta-feira?

E começo a contar — desde o começo.

— Meu Deus, por onde começar? — ele diz quando acabo. — Em primeiro lugar, você não deveria estar no meu escritório, durante o expediente, assistindo a uma fita pornográfica. Em segundo lugar, não deveria ter deixado a recepção nas mãos de uma funcionária inexperiente, que, devo acrescentar, você deveria estar treinando, em vez de estar ocupada assistindo a fitas pornográficas. E em terceiro lugar... vou descobrir alguma outra coisa, se me der um minuto.

Não digo nada.

— E hoje, justamente hoje. Que merda você tinha na cabeça? Como acha que vamos ficar quando tudo aparecer na TV? A melhor academia de Londres, onde as celebridades aparecem quando querem que sua vida sexual seja exibida para o mundo?

Sei o que vem pela frente.

— Deveria dar um pontapé na sua bunda agora mesmo...

Sim, foi isso o que pensei.

— ... Mas não vou fazer isso.

Jura? Lydia foi demitida por ser estrábica. Não vou ser demitida depois de tê-lo metido no maior pesadelo de relações-públicas de sua vida?

— É loucura, mas gosto de você, Charlie — ele diz, cuspindo as palavras. (Se gosta tanto de mim, por que ainda está gritando?) Pode acreditar nisso? Não posso acreditar em mim mesmo. Você apronta uma dessas e ainda gosto de você... E ainda acho que você tem qualidades para este trabalho. Além disso, promovi você na semana passada. Vou ficar com cara de palhaço se despedi-la agora.

— Obrigada, Jamie — sussurro, não me preocupando em comentar que, quando Velvet for despedida, nem um dia terá passado, quanto menos uma semana, o que vai fazer com que pareça mesmo um perfeito palerma de merda.

— Você vai fazer mais do que me agradecer. Agora sua alma me pertence. Vai trabalhar como uma escrava pelos próximos meses. — Ele respira fundo. — Acho que arrumei as coisas com a quadrilha da Blaize — ele diz, agora mais calmo.

— Como? — pergunto.

— Bem, Blaize quer processar — você, a mim, todo mundo —, mas a empresária dela é mais racional. A última coisa que quer é um julgamento no tribunal, onde a fita será exibida publicamente. Portanto, se conseguir convencer Claire a deixar esta história fora do *reality-show*, ficaremos bem. Não acho que Blaize vá voltar a ensaiar aqui, mas encontram-se garotas como ela por uma libra a bacia. No mês que vem ela será a garota do mês passado e teremos duas Blaizes novas lutando pela vaga que ela deixou.

Quero abraçá-lo, dizer que ele é maravilhoso, mas este não é o momento certo. E me viro com outro:

— Obrigada — murmurado.

— Vamos fazer o seguinte — ele diz. — Você tira o resto do dia de folga. Não quero mais nenhum desastre na frente das câmeras. Mas antes vai me dar a fita de vídeo. Prometi à empresária da Blaize que entregaria o vídeo a ela.

— Ok, sem problemas — respondo. — Está lá embaixo, na minha sacola de ginástica.

— É a única cópia, certo?

Aceno que sim com a cabeça e acrescento:

— Há uma caixa cheia delas na casa de Karl, mas só peguei uma.

— Isso não é problema nosso. Ela vai ter que negociar o resto com ele. Ou prendê-lo. Temos uma diva muito zangada — ela quer arrancar os olhos de alguém. — Então vamos.

A recepção está novamente silenciosa — e vejam só: Daniel voltou ao seu posto atrás do balcão. Dou uma olhada venenosa na sua direção e ele se encolhe, pois sabe exatamente por que estou furiosa com ele. Sasha está de pé ao seu lado, parecendo aterrorizada. Ainda está vestida com a jaqueta acolchoada Zone que usou para dar uma volta. Está um calorão aqui dentro, mas parece que ela está paralisada, em estado de choque. Deve ter usado todo o seu poder de concentração para aquela exibição de força e provavelmente está exausta.

Mas consegue sorrir para mim e quero abraçá-la. Mas não posso. Jamie está bem atrás de mim. Vou até o balcão, me abaixo e puxo a bolsa. Daniel se afasta, todo encolhido. Parece tão assustado quanto Sasha e deve estar mesmo. Não vou dizer nada pra melhorar a situação. Reviro a sacola. As fitas estão lá: quatro de Sasha, duas minhas...

Merda.

Sinto-me subitamente tonta, e consigo sentir o gosto da bílis na minha garganta. Minhas pernas enfraquecem e preciso fazer um esforço enorme para ficar de pé. Pego a sacola e despejo tudo no balcão. Maquiagem, agenda, celular, chaves, toda a tralha da minha vida se espalha no mármore e no chão, mas não ligo a mínima. Só me importo com uma coisa. Uma fita. Não está lá. Checo. Checo novamente. E mais uma vez.

Quatro de Sasha.
Duas minhas.
NENHUMA DA BLAIZE.

o pedaço no qual, no fim das contas, até Jesus era grego

— Sente-se melhor? — Sasha pergunta.
— De jeito nenhum. E você?
— Também não. Mas vamos tentar ser positivas. Pelo menos somos amigas novamente. — Ela tenta sorrir, mas não consegue, e acaba fazendo uma careta estranha. — Como pudemos ser tão burras? — ela pergunta pela centésima vez. Ainda não se conforma como não percebemos que estávamos sendo filmadas, mas estou mais preocupada com o desaparecimento de uma certa fita de vídeo.

— E se a fita não aparecer? Ou, *Meu Deus*, e se aparecer na maldita Internet? Disponível para download *gratuito*? — digo. Posso dar a impressão de ter me acalmado desde que chegamos aqui, no café da esquina, mas as aparências enganam e por dentro estou tremendo feito gelatina.

Sasha não responde. Faz uma careta como se não soubesse bem o que dizer. Está indecisa entre "*Ora, ora, não se preocupe*" ou "*Aaaarrggghh!*". Mas está se esforçando ao máximo. E, apesar de não ter que se preocupar em perder o emprego, acho que tem tanto direito quanto eu de estar abalada.

— Olhe, Charlie, você precisa pensar positivo — ela diz, sem soar exatamente positiva. — Talvez seja como quando você revira a casa toda tentando encontrar as chaves, e quando desiste de procurá-las é que elas acabam aparecendo em algum lugar estúpido.

Como gostaria que fossem apenas umas simples chaves...

Reviramos o The Zone procurando a fita. Bem, não fizemos exatamente como a polícia, erguendo tábuas do piso à procura de drogas, mas chegamos bem perto disso. Queria erguer as tábuas do piso, mas

Jamie já estava suficientemente furioso. O rosto dele exibia vários tons novos de roxo.

— Sua filha-da-puta imbecil, como você foi perder a fita? — gritava.

— Não perdi. A fita estava na sacola — respondi.

— Bem, a merda da fita não está lá, está?.... Olhe, vá para casa. E não se dê ao trabalho de vir trabalhar amanhã.

— Você está me demitindo?

— Sim... Não... Não sei, merda. Acho melhor você ficar longe daqui por um ou dois dias enquanto decido que merda fazer.

— Estou suspen...

— *Desapareça* da minha frente, Charlie.

A fita estava na bolsa quando desci depois de tê-la visto na sala de Jamie. Alguém deve tê-la roubado. A oportunidade surgiu quando Jamie estava me descascando na sala dele. Mas quem? O mundo inteiro estava na recepção naquela hora. Qualquer pessoa poderia ter abaixado atrás do balcão e roubado a fita. Rebecca? Será que a sua completa ineficiência é um recurso astucioso, concebido para ocultar um brilhante gênio do crime (um pouco como aquele cara coxo do filme Os *Suspeitos*, que, a propósito, eu nunca entendi)? A hipótese é ridícula demais. Sasha? Nem pensar — estava traumatizada demais para ser inescrupulosa. Velvet? Nova demais no trabalho e não tem motivos para ser leal a mim ou ao The Zone, portanto está na lista de suspeitos.

Mas a coisa mais deprimente é que há somente um suspeito sério na lista: Daniel. Foi o primeiro a saber da existência da fita. Era o único a saber onde ela estava — viu quando eu a coloquei de volta na bolsa na sala de Jamie. E não se esqueça do comportamento dele nos últimos tempos. Os comentários irônicos sobre a minha promoção, aprontando comigo naquela aula, obrigando-me a ver a fita — que merda, talvez tenha sido ele quem reprogramou o controle remoto antes de dar a Rebecca. Quem sabe ele esteja tão zangado com o fato de não ter ficado com a vaga de Lydia que, desde então, vem tramando coisas para me prejudicar? E eu achando que ele era o meu melhor amigo. Mas vamos analisar o modo como escapuliu assim que viu o tumulto no saguão. É assim que um amigo age?

E qual foi a primeira sugestão que deu quando soube da fita da Blaize? Isso mesmo. Ganhe um dinheiro com isso, venda para um tabloide. Quanto mais penso nisso, mais certeza tenho de que foi ele.

Quando descobri que Karl estava transando com a Sasha, senti-me mal, mas não traída. Com Daniel é diferente. Nos últimos três anos, mentimos e quebramos vários galhos para salvar a pele um do outro — aprendemos a confiar um no outro. Agora sim, sinto-me traída.

— Sei quem pegou a fita. Foi Daniel — digo para Sasha quando terminamos de beber o café.

— Jura? — Ela parece surpresa. — Mas vocês são tão chegados.

— Ele mudou muito depois da minha promoção.

— Olhe, sinto muito, Charlie, mas acho que você pensa assim porque disse que todo mundo te odeia, e talvez, *talvez* eu tenha exagerado um pouco. Na verdade, exagerei muito porque ninguém... Bem, odiei um pouco, mas não odeio mais porque...

Ergo a mão para silenciá-la. Ela não tem que se explicar. Sabia que estava me agredindo porque estava magoada. E está aqui comigo agora. Isso é o que importa.

— Sabe, nunca vi você chorar antes — ela comenta, referindo-se ao estado em que cheguei ao café. — Você é sempre tão, ah, sei lá, controlada. Acho que isso prova que você, afinal de contas, é um ser humano.

O que ela achava que eu era? Uma máquina? Sinto lágrimas brotarem novamente, mas não vou ficar sentada aqui chorando o dia todo.

— Pra você ver — respondo, piscando como uma louca para segurar as lágrimas. — Suas fitas. Se fosse você, destruiria elas.

— Vão direto para o fogo, não se preocupe.

E quando ela fizer isso, acho que tudo termina. Pelo menos para ela. Se isso acabasse também com os meus problemas...

E como se pudesse ler minha mente, Sasha diz:

— Não se preocupe, Charlie. Jamie está somente sendo Jamie. Ele vai superar isso.

O otimismo dela é admirável e gostaria de poder acreditar nisso. Mas não consigo.

— Ligo pra você à noite — digo quando saio.

* * *

— Quando foi que compramos isso? — é a primeira coisa que me vem à cabeça quando entro na sala.

— Ser belezura, nón? — meu pai pergunta, orgulhoso.

— É uma monstruosidade.

Olho para a nova TV tela plana que ocupa um quarto da sala e não deixa muito espaço para os outros móveis. Faz com que a televisão de Jamie pareça um modelo portátil.

— O imagem ser isselente. Ver. — Meu pai aperta um botão no controle remoto e a TV acorda.

— Socorro! — grito dando um pulo para trás. Uma mãe grega, vestida de preto, aparece na tela. É pelo menos duas vezes maior do que o tamanho normal. *Merda*, a imagem é tão clara que posso contar quantos pelos ela tem no buço.

— Ser hora de nós ter uma TV altamente tégnica, nón? — meu pai pergunta.

— É ótima, papai. Mas você poderia ter economizado uma fortuna e simplesmente mudado para a sala do cinema Odeon.

— Você estar a tirar sarro do meu cara?

— Meu Deus, não. Jamais. Onde está Emily?

— Na quarto dela. Fazer lición de casa. Ela ser boa menina...

Humm, tão boa menina que saiu por aí fazendo sexo sem proteção antes da maioridade, sabe lá Deus com quem, e está quase lhe dando mais um netinho.

— Ela nón ir terminar travalhando em casa de loucos como irmón dela. Quí haver de errado com aquele lugar?

Esta pergunta é somente um dos motivos pelos quais fiquei enrolando para chegar em casa até por volta das sete da noite. Passei a tarde indo a vários cafés para evitar Emily (Já resolveu o que fazer com o bebê que não quero?) e meu pai (leia novamente o diálogo acima).

— Oi, Charlotte, você chegou — diz minha mãe entrando na sala e me salvando de responder a meu pai. Está carregando uma tigela de pipoca e quatro pacotes tamanho família de batatinhas. — Gosta da televisão nova? Foi uma surpresa de seu pai esta tarde. — TVs tela plana, abacaxis — meu pai está cheio de surpresas hoje.

— Sim, é linda. Onde a comprou, papai?

— No atacadista.

DezAjustada

Resposta que me faz recear que talvez tenha comprado por atacado e eu acabe por encontrar outras quarenta e nove TVs empilhadas no meu quarto, do chão ao teto.

— Comprar isto e isto. Ser para bebê nova. — E ergue uma roupinha azul com vários pompons fofos. — Gostar?

— É azul — respondo.

— Claro quí ser azul. Meu cor faborita.

Aparentemente, o sexo do novo bebê o traumatizou profundamente. Sei como a cabeça do meu pai funciona. Acha que se Soulla vestir o bebê com roupas azuis pode, pelo menos, fingir que é um menino.

— Ela já tem um nome? — pergunto.

— Aphrodite — diz minha mãe.

Primeiro Velvet, agora Aphrodite... A loucura não acaba mais?

— Cumpletamente estopidos — meu pai desdenha. — Uffrodite! As outras crianças vão chamar ela de Uffro. Uffro ser aquele estilo de penteado de homens negros. Mim chamar ela Bee-unga.

— Você quer dizer Bianca?

— Mim dizer egsatamente isso, Bee-unga. Mim ser igual o Migg Jugga, mim ser. Nós gostar nomes mudernos, nón gustar porcarias de nomes estopidos.

— Eles virão com ela aqui, mais tarde — diz minha mãe.

— Ela tem poucas horas de vida. Isto é seguro? Não deveria estar em uma quarentena ou coisa assim?

— Não seja boba. Além disso, os Georgious vão dar uma passadinha aqui e adorariam ver o bebê novo.

Meu Deus, uma armadilha na minha própria casa. Não surpreende que Emily esteja enfiada no quarto. A chegada próxima de visitas explica o porquê de minha mãe estar enchendo cada centímetro da sala que não está ocupada pela nova televisão com uma seleção variada de salgadinhos. Isso também explica a televisão nova. Foi impossível não notar a enorme TV tela plana na casa de George e Maroulla no domingo passado. Meus pais saíram de lá convencidos de que nossas vidas só seriam completas se tivéssemos uma TV do tamanho de uma Kombi.

A culpa é dos malditos Georgious. Acho que vou subir e me esconder antes que eles...

Ding-dong.

Tarde demais.

Meus pais vão abrir a porta e minutos depois aparecem com Maroulla, George e um enorme buquê de flores.

— Quí televisón linda — Maroulla diz, com uma vozinha vaidosa. — Ser igual como nossa. Ser o melhor coisa quí nós comprar. Você saber... — a voz dela abaixa e vira um sussurro conspiratório — ... você ver coisas quí você nonca vir antes. — Ela sorri e acrescenta — E ser bom para você porqui você nón ficar com dor de cabeça.

Uau! Uma TV que alivia dores de cabeça causadas por tensão nervosa. Imagino que os comprimidos de paracetamol estejam sendo retirados das prateleiras das farmácias no mundo todo.

— Você estar acabando de chegar da travalho, Thegla? — Maroulla pergunta, olhando para minha jaqueta.

— Sim, ela estar acabar de voltar para o casa — meu pai responde. — Ela ser pissoa muito importante no travalho. Vocês precisar ver o local. Mim ir lá hoje, levar abaxaquis.

Estremeço, pensando no que virá a seguir.

— Ser istupendo. Igual hotel cinco estrelas. Um choque.

Fico aliviada ao ver que ele resolveu dizer que o local é chique. Deveria saber que ele não iria dizer aos futuros sogros da filha que o local é um asilo de loucos.

— Então, quando seu pai vai aparecer na TV? — Minha mãe pergunta porque, afinal de contas, a visita inesperada de meu pai hoje tinha tudo a ver com sua estreia na TV.

— Acho que no mês que vem — respondo.

— Mal posso esperar para ver — minha mãe diz, entusiasmada.

Ah, mas eu posso.

— Desculpar nós atrasar — George finalmente diz alguma coisa. — Mas ser tráfico... Moldiçón!

— Mim dizer quí todo ser maluco no tráfico — meu pai responde, assumindo o controle do seu assunto preferido. — A taxa de congestón ser estopida. Mim pagar cinco libras todos dias para travalhar e os estradas estar pior, nón melhor. Saver qual problema, nón? Todos os trafigantes de drogas russos...

(Uma palavrinha de explicação. Meu pai acha que o termo controlador de tráfego, usado para descrever quem trabalha no trânsito, foi escolhido porque há pessoas vendendo drogas para os motoristas nos carros, o que — logicamente — explica o motivo dos congestionamentos no centro de Londres.

— Vocês achar quí os molditos russos pagar o taxa de congestón? Claro quí nón. Mim dizer vocês, os istrangeiros acabar com este país.

— Você ter razón, Jimmy — George concorda. — Os imigrantes acabar com nós. Os pissoas quí travalham no meu cunfecção, mim nón saver de onde eles vir. Romênia, Polôkia, Eslouvakia... Parecer os molditas Nações Unidas.

Este seria o momento de acabar com os dois — façam-me o favor, dois imigrantes falando mal da imigração —, mas não digo nada. É hora de escapar.

— Vou tomar um banho rápido, mamãe — sussurro.

— Ótima ideia. Seja rápida e vai poder ver Aphrodite.

— Bee-unga!

— Mal posso esperar.

Desabo na cama e fecho os olhos. Que dia! Sinto-me esquisita — uma sensação de estar no limbo, sem saber se ainda tenho um emprego ou não. Estou exausta e só quero dormir. Mas não posso. A campainha toca, sinalizando a chegada de meu irmão e sua família. Receio que o resto da noite passaremos chacoalhando a bebê até ela vomitar e falando do doutor Dino.

Mas não posso evitar. Sou uma Charalambous — laços de sangue mais fortes que aço, e toda aquela bobagem de costume. Mas antes de descer preciso esconder as duas fitas de vídeo. Tiro-as da minha sacola de ginástica e sento com elas no colo, olhando para o nome nas etiquetas. O que diabos vou fazer com elas? Queimar em uma fogueirinha no jardim? Isso não vai levantar suspeitas, vai? Posso desenrolar tudo e jogar no lixo, mas quem me garante que algum espião não pegue e remonte tudo? Que espião, sua maluca? Estou ficando louca.

A porta se abre com um estalido e me deixa apavorada. Enfio as fitas debaixo do travesseiro, mas não sou suficientemente rápida para impedir que Emily me veja.

— O que está escondendo? — pergunta.

— Nada — respondo, com a voz repleta de medo e culpa.
— Mentirosa. O que é? Não está usando drogas, está?
— Não seja ridícula. O que você quer?
— O que você acha que eu quero? Aposto que não telefonou para a clínica.
— Na verdade, telefonei — respondo com ar levemente arrogante. — Você tem uma hora marcada para amanhã às duas e meia.
— Tenho aula de geografia nesse horário — ela diz, com a voz aguda.
— Ah, Em, o que é mais importante? Resolver este problema ou descobrir onde fica o Japão? Afinal de contas, você já cabulou aula antes. Que mal vai fazer perder outro dia?
— Acho que sim... Estou assustada, Charlie.
Ela parece mesmo. Pálida, frágil e lutando contra as lágrimas.
— Sente-se aqui — digo.
Ela se senta ao meu lado na cama, embora eu tome o cuidado de ficar entre ela e o travesseiro — eu a conheço muito bem. Ela começa a chorar e eu a abraço. Vejo nosso reflexo no espelho da penteadeira. Esquisito. Parecemos duas irmãs perfeitas, que se amam. Poderíamos ser as irmãs na Família Do-Ré-Mi. Não acho que tenha assistido a um episódio em que a mais nova estava com medo do aborto enquanto a mais velha imaginava como iria se livrar das fitas de sexo pornográfico, mas você entendeu o espírito da coisa...
Tenho que me concentrar. Na minha irmã de verdade, que não tem cachinhos dourados e dentinhos separados, mas que está grávida e não quer ter o bebê.
— Deve ser mesmo assustador — digo —, mas tudo vai acabar bem.
— Você vai comigo? — ela choraminga.
— Sim, eu tirei... hã... um dia de folga. Vou com você.
— Quando farão o aborto?
— São muito rápidos na clínica. Se você fizer a consulta amanhã e resolver que quer mesmo abortar, acho que marcam a operação para o dia seguinte.
— Não posso ir a um hospital — ela diz, aumentando o tom da voz em pânico. — O que vou dizer aos nossos pais?

DezAjustada

— Você entra e sai no mesmo dia. Eu invento uma desculpa. Digo que você vai fazer um estágio de um dia no The Zone ou coisa parecida.

Ficamos caladas quando ouvimos alguém subindo a escada.

— O quí vocês fazer aqui? Vem vir ver bebê de seu irmón — meu pai grita.

— Vamos descer em um minuto — grito de volta. E falo com Emily: — Você consegue descer e encontrar todo mundo?

— Não sei. Não me sinto bem. Deve ser um enjoo matinal. Você não contou nada para nossos pais, contou? — ela pergunta, entrando novamente em pânico.

— Claro que não.

— Se eles descobrirem, você sabe que vai ter que dizer que é tudo culpa sua.

— Você está brincando.

— Não. A culpa *é* sua — ela diz, emburrada.

— E como diabos você chegou a esta conclusão? — digo, afastando-me dela.

— Ora bolas! Se você não fosse um lixo de pessoa, eu não estaria metida nesta confusão. As irmãs mais velhas devem cuidar das menores, né? — ela responde como se a lógica disso fosse óbvia. — E esta história de aborto é ideia sua. Você está me obrigando a fazê-lo.

— Esta é a coisa mais ridícula que eu já ouvi — rosno, fazendo o possível para manter a voz baixa. — Não fui eu quem te engravidou, fui? Estou tentando ajudar você. Se quiser descer e contar para nossos pais que vão ser avós novamente em nove meses, fique à vontade.

Damos um pulo quando a porta se abre e meu pai aparece.

— O quí vocês fazer aqui tón quietas? Falar segredos? — Ele finge estar brincando, mas está revirando o quarto com os olhos, procurando sinais. Remexo minha bunda na cama até chegar ao travesseiro. Se estivéssemos brincando de esconde-esconde, estaria com a bunda em chamas.

— Já vamos descer, papai — Emily responde, dando seu melhor sorriso de Rosa Inglesa.

— Ir agora — ele dispara. — Acabar de começar um programa isselente na RIK. Ser sobre o aldeia onde meu pai nascer.

Ele vira e sai correndo. Inacreditável. A nova bebê, que encheu meses da vida dele de esperança e entusiasmo, está aqui e sendo completamente ignorada por causa de um programa de TV. Bem, isso vai ensiná-la sobre o que é ter o sexo errado.

— O que você está escondendo debaixo do travesseiro? — Emily pergunta, estreitando os olhos.

— Não é da sua conta.

A mão dela dispara e tenta passar por debaixo da minha bunda. Ela é rápida, mas eu sou mais. Agarro o seu pulso e o torço.

— Aaaaargh — ela geme. — Você machucou o bebê, sabia?

— Desculpe — respondo e sinto muito mesmo.

Meu Deus, quantas vezes eu disse isso hoje?

Emily e eu entramos na sala, fazendo o possível para parecer que gastamos os últimos quinze minutos numa conversinha de meninas sobre truques de maquiagem. Todo mundo — exceto, lógico, meu pai e George — está ao redor da bebê. Estão fazendo barulhinhos e falando com vozinhas infantis, e nada funciona porque a pequena Aphrodite está com o rosto roxo, espremendo seus minúsculos pulmões de tanto gritar.

— Tenho certeza de que são cólicas — Soulla diz, cansada. — Quando pequena, Georgina costumava berrar desse modo... (Costumava?) Tenho certeza de que são cólicas.

— Mim achar quí ela ter fome — diz Maroulla. — Ela ser magra demais. Você ter que alimentar mais.

O instinto maternal grego de enfiar comida pela goela abaixo de uma criança. Se Maroulla estivesse no controle da situação, Aphrodite, com dois dias de vida, já teria sido desmamada, e uma grande tigela de massa, com uma azeitona no topo, estaria sendo despejada na sua boca.

— Quem sabe ela só quer nos dizer que está cansada — minha mãe diz, bocejando.

Talvez a bebê esteja tentando nos dizer algo. Talvez os gritos desesperados sejam a maneira de ela dizer que percebeu que nasceu no seio de uma família maluca e que quer sair desta encrenca. E quem pode culpá-la?

— Ah, Theglottsa, chegar no hora — diz meu pai com o nariz grudado na tela. Ele está animadíssimo. Normalmente, quando está grudado na tela deste modo, perde a paciência se alguém vira a página de uma revista. Os gritos de Aphrodite deveriam estar mandando-o até a estratosfera de tanta raiva. Deve ser o copo de uísque na mão que o deixa de bom humor. — Este aldeia ser chamada Neogorio, que traduzir litoralmente como Aldeia Nova, mas ser o aldeia mais velha de Chipre, — ele explica, como se esta fosse a coisa mais interessante que iremos ouvir na vida. — Ou do até mismo do mundo. E neste aldeia, muitas pessoas acreditar que ser onde Jesus nascer realmente. Eles até ter pruva. Eles encontrar este pidaço de papel velho...

— Acho que ela está com cólicas, papai — Tony interrompe a conversa.

— Calarboca Andonih — meu pai dispara, lutando para ser ouvido acima dos gritos, que parecem estar mais altos. — Mim contar quí eles encontrar pidasso de papel com dois mil anos de idade. Ser igual como antigo cirtificado de nascimento. Ter nome de Jesus nele e todo o resto.

Humm, o que será que está escrito em *profissão do pai*? Criador do universo?

Tenho que sair deste manicômio. Ir para longe de meu pai antes que ele tente dizer que agora podemos traçar nossa linha genealógica até o Filho de Deus. Ir para longe da bebê aos berros antes que alguém a jogue no meu colo, esperando que eu faça algo com ela. O telefone no corredor toca e Emily e eu saímos em disparada para atender — ela deve estar pensando em como escapar, como eu. Ela é rápida, mas, novamente, sou mais rápida que ela e atendo.

É Sasha.

— Você disse que ia ligar pra mim — ela diz e até consigo ver os lábios dela fazendo biquinho.

— Desculpe — respondo. — A família toda está aqui. Está um pouco tumultuado.

— Parece mesmo. O que são os gritos?

— A nova bebê de meu irmão.

— Ahhh, que fofa... Escute, o que você fez com as suas fitas?

— Ainda não tive chance de fazer nada...

— Eu arrebentei as minhas quando cheguei em casa. Parti as caixas, cortei as fitas em pedacinhos e coloquei tudo em...

Embora simpatize muito com Sasha por tudo o que passamos juntas neste pesadelo, preciso desligar. Não estou sozinha. Meus pais aparecem no corredor e estão ajudando George e Maroulla a vestirem os casacos. Os gritos da bebê devem ter surtido efeito, eu acho. Pelo menos isso significa que não vou ter que falar sobre o doutor D., ou seja lá por que nome ele atende estes dias.

— Quím ser na tilefón? — Maroulla pergunta. — Ser Dino? Aaargghh!

— Por que ele estaria ligando pra cá? — Emily pergunta com ar confuso.

— Ele dizer quí ir tilefonar para mim ista noite — Maroulla explica, como se fosse absolutamente lógico que ele telefonasse para cá. — Ser ele?

— Não, é para mim — respondo.

— O que é para você? — Sasha pergunta.

— Nada, estava falando com... Não interessa. Estamos no meio de uma série de despedidas, aqui. Pode esperar um pouco?

— Mas estou na parte mais importante...

Afasto o fone do ouvido enquanto meus pais continuam se despedindo. Lá vamos nós novamente. O que estão fazendo? Tentando quebrar algum recorde? Por que não podem dizer adeus com poucas palavras? Até logo daria conta do recado muito bem.

Mesmo com todo o barulho no hall e o telefone no colo, ainda consigo ouvir Sasha. Ela parece histérica. Pego o telefone novamente e digo:

— O que é?

— Estou tentando contar para você. Joguei todos os pedaços das fitas no vaso sanitário e ele entupiu. Agora estou com muito medo e não quero chamar um encanador porque não quero que ele comece a fazer perguntas. Queéqueeuvoufazeeer?!?!

Esta é a mesma garota que manteve a calma quando todos enlouqueceram na recepção?

— Sasha, sinto muito, mesmo, mas...

— Ah, ser Sushou — meu pai grita. — Nón contar você Maevou, ela retornar ao ficar de pé. Andar e tudo. Ver com meus olhos. Ser uma milagro!

— O que está acontecendo? — Sasha fala com a voz aguda. — Estão falando de mim? Meu Deus, você não contou sobre as fitas, contou?

— Fica fria, Sasha — respondo depressa. — Lembre-se, um passo por vez. Conversamos mais tarde, Ok? — E desligo.

Bem, o que mais posso fazer?

Enquanto meu pai começa a contar a lenda: Meu Filha, O Garota Milogrosa, o telefone toca novamente. Atendo pensando que é Sasha, mas não. É Judas. Quero dizer, Daniel.

— Nossa, que rápido — ele disse. — Nem ouvi tocar.

— O que você quer? — Minha voz está fria como gelo. Amigos há anos e agora parece que não o conheço mais. No fim das contas, vai ver até que ele não é gay.

— Ser Dino? — Maroulla pergunta, metade do corpo para dentro de casa, metade do corpo para fora.

Balanço a cabeça negativamente.

— Você está com raiva de mim, não está? — Daniel diz.

— Você o quê? Não consigo ouvir. — Não é uma estratégia de fuga. O barulho é realmente ensurdecedor. Tony, Soulla e as pirralhas se juntaram à multidão no estreito corredor. Os gritos de Aphrodite atingiram o estágio de um vocalista de uma banda heavy-metal e Georgina — que não admite nunca ficar para trás — está fazendo os vocais do coro.

— Já ir, Andonih? — meu pai grita. — O programa estar apenas a começar. Eles estar chegando na parte onde mostrar os provas. Você poder ver com seus olhos. Em todas os pinturas, Jesus parecer tón grego quí deve ter nascido em Chipre.

— É melhor irmos, papai — meu irmão responde. — São mesmo cólicas.

— E Georgina não costuma ser assim birrenta, não é, querida? — Soulla fala macio. — O que há de errado, benzinho?

— Talvez ela pegar cólica também — meu pai sugere, bufando. — Achar quí tudos estar pegando.

O que há de errado com estas pessoas? Não está na cara qual é o problema? Ninguém nunca ouviu falar em hora de criança estar na cama, como em "Já passou da sua hora..."? Estas crianças deveriam estar na cama com seus ursinhos, não presas no nosso corredor, participando do Ato III, Cena IV, de O Adeus Interminável.

— O que está acontecendo? Parece um manicômio — Daniel diz.

— Não é uma boa hora — digo, aumentando o grau de frieza na minha voz. — Melhor ir ...

— Por favor, não desligue — ele suplica. — Sinto-me péssimo. Lamento muito ter largado você na mão hoje.

— E por que você fez aquilo?

— Não sei. Vi todas aquelas pessoas na recepção e entrei em pânico...

— Não estou falando sobre me abandonar. Por que pegou a fita? Digo isso com a cabeça virada para a parede, tentando abafar a voz no suéter — não que alguém vá me ouvir, com os gritos histéricos da bebê. — Me diga se é essa a sua ideia de uma pegadinha, porque eu estou mijando nas calças de tanto rir.

— Você acha isso? — ele engasga. — Meu Deus, eu nunca, juro que nunca, nunca faria isso como você. Sei que disse que você poderia ganhar um monte de...

— Guarde a saliva para algum imbecil que acredite em você — digo, antes de bater o telefone.

Molditomaricón de um raio, como meu pai costuma dizer.

o pedaço em que somos todos uma grande família (e minha irmã está comigo)

Este lugar é adorável. Cadeiras bonitas e confortáveis. Paredes recém-pintadas. Nenhuma pilha de *Seleções* velhas na mesinha. E nada de pôsteres amassados dizendo para não agredirmos os funcionários. É maravilhoso o que o dinheiro pode fazer. Se os hospitais públicos tivessem a metade desse luxo, seria mais fácil ficar na fila ao redor do quarteirão para conseguir um transplante de rim.

Emily e eu estamos na sala de espera de um consultório de uma clínica. E a psicóloga nos deixou a sós para um momento entre irmãs. Depois de ter analisado todos os prós e os contras da situação, ela saiu da sala para "deixar a gente à vontade" e permitir que Emily possa chegar a uma decisão que seja "emocional e espiritualmente correta", em um ambiente de "tranquilidade, sem pressões". Em outras palavras, a coitada da Emily precisa decidir se fica e faz o aborto ou se sai correndo, em direção à rua, aos gritos.

— Você está bem? — pergunto.

— Acho que sim. Não parece tão assustador quando se está aqui dentro, né? É um lugar agradável. Você não precisava ter pago isto tudo, sabe.

Ela está certa. Não precisava. Mas quer saber a verdade? Os sentimentos mais estranhos me invadiram. Hoje Emily parece verdadeiramente frágil. Normalmente, a sensação me levaria a provocá-la, dando um tapão na sua orelha, mas hoje tudo parece diferente. Parece que um instinto fraternal profundamente reprimido encontrou uma saída e veio à superfície. Ou talvez seja simplesmente a boa e velha culpa. Afinal de contas, ela tinha razão, não tinha? Se, em primeiro lugar, eu tivesse sido uma boa irmã mais velha, talvez tivesse transmitido um pouco da minha sabedoria. Um conselho de gênio como, ah, sei lá, use camisinha.

Sinto também muita pena de Sasha. Era louca por Ben e ainda está tentando aceitar o fato de que ele era um calhorda. Mesmo assim, conseguiu telefonar esta manhã para saber como eu estava. Até se ofereceu para puxar o saco de Jamie por minha causa. Não acreditei muito nisso, mas odeio não saber se ainda tenho um emprego ou não. Decidi que vou trabalhar amanhã e esclarecer tudo com ele.

— Sinto-me muito mal por ter descontado em cima de você na noite passada, Charlie — Sasha comentou antes de desligar. — Se eu puder fazer alguma coisa, me ligue, Ok? Ela pode navegar distraidamente pelo Mundo de Sasha a maior parte do tempo, mas está tentando ficar do meu lado.

E é o que vou fazer pela minha irmã, a partir de agora? Na verdade, já decidi que as coisas vão mudar — e já que na maior parte do tempo pareço ser a pessoa mais imprestável do mundo, isso significa que vai haver mesmo muitas mudanças. Vou começar com o *eu profundo*. Esquecer as extensões de cabelo, as unhas, o bronzeado em spray que demora cinco minutos para ser aplicado, aquela excelente base da Clarins que cobre todas as imperfeições. Não quero mais saber como ficar uma pessoa mais bonita. Só como ser uma Pessoa Melhor.

Quem sabe, se Jamie acabar me despedindo, talvez vá para a África, viver em uma simples cabana de lama e ensinar a população a fazer poços de água (depois de aprender como fazer poços de água). Mas estou começando com um projeto mais facilmente atingível: minha irmã. Ela está numa encrenca. Eu posso tirá-la de lá.

Ela me olha com aquele olhar de cachorrinho perdido que costuma usar com meu pai, e pela primeira vez isso funciona comigo. Uma sensação vagamente derretida, toda melosa, cresce dentro de mim e eu não luto contra ela. Quando percebo, estou me inclinando na direção de Emily, e quando menos espero estamos abraçadas. *Somos,* que nem diz a canção do Sister Sledge.* Somos família. E — *puta que pariu* — agora estamos chorando.

---

* Sister Sledge é um grupo musical americano formado por quatro irmãs. (N.E.)

Dez Ajustada

— Sinto muito, mesmo — ela choraminga. — Tenho sido tão horrível com você e você tem sido sensacional.

— Não precisa pedir desculpas — choramingo de volta. — Daqui para a frente vou sempre estar do seu lado.

Revoltante/Chocante.

Mas eu sou sincera no que digo. E tenho que admitir que esta coisa de ser uma Pessoa Melhor faz com que eu me sinta *fantástica*. Assim que tudo isso terminar, embarco no primeiro avião em direção a um lugar de clima quente e seco, com cabanas com paredes de lama.

— Não conseguiria fazer isto sem você, Charlie — diz Emily.

— Vai fazer, então? Interromper a gravidez? (Acho que não podemos dizer a palavra que começa com A, aqui.)

— Não tenho escolha, tenho?

— Veja, Emily, eu irei apoiar a sua decisão, seja ela qual for. E enquanto digo isto, rezo para que ela decida abortar, porque não quero ter que tomar conta da Aphrodite número dois enquanto Emily vai fazer vestibular. Mas é claro que farei isso sem reclamar porque, como você já sabe, eu agora sou Uma Pessoa Melhor.

— Estou chorando porque me sinto feliz — ela soluça. — Porque estamos juntas e tudo isso. Não é uma bobagem?

— Não é bobagem. É *lindo* — respondo, toda derretida.

— Tive uma ideia — ela diz, sorrindo por trás das lágrimas. — Talvez devamos contar para nossos pais... Bem, talvez mamãe.

— Você quer o quê? — respondo, endurecendo levemente o corpo na cadeira.

— Pense a respeito, Charlie. Nunca fomos uma família unida. Mas olhe para nós duas agora. Unidas por uma crise. É como se fosse em um filme, sabe, com a Julia Roberts e a Meg Qualquer Coisa.

Dou uma risada, mas uma risada tímida. Não quero acabar com o entusiasmo dela porque também me sinto assim.

— Vamos discutir isso, Ok?

A porta abre e a psicóloga reaparece.

— Como vão vocês? — ela pergunta suavemente.

— Ok, eu acho — respondo.

— Ótimo, ótimo. Já chegou a uma decisão, Emily?

Minha irmã olha para mim e eu aperto a mão dela.

— Sim — ela diz. — Quero fazer o... A voz dela desaparece.
— Interromper a gravidez? — a psicóloga completa.
Emily faz que sim com a cabeça.
— Tem certeza disso? — pergunto.
Ela acena novamente.
— Ótimo, excelente — a psicóloga diz, embora eu duvide que vá ser qualquer dessas coisas. — Ok, aqui estão alguns formulários para você preencher, mas primeiro precisamos ir para o consultório no fim do corredor para fazer um exame de sangue. — Os olhos de Emily se arregalam, alarmada. — Não se preocupe, é um exame de rotina. Nada para ter medo. Só uma espetadela. — Ela acena com a mão para Emily, que se levanta.
— Você quer que eu vá com você? — pergunto.
— Vou ficar bem — ela responde, mal segurando o tremor no queixo. — Vejo você daqui a pouco.

Enquanto observo as duas saírem da sala, sou invadida pela emoção do momento que acabamos de compartilhar. Penso no que Emily disse antes de sermos interrompidas e fico chocada ao ver como tinha razão. Meu Deus, ela é uma criança, vai passar maus bocados, e está completamente *certa*. Se quisermos ser uma família unida, temos que aprender a *compartilhar* nossos problemas. Se eu posso ser Uma Pessoa Melhor, quem sabe meus pais possam também... Bem, talvez mamãe.

Pego a bolsa e tiro o celular de dentro dela. Sem hesitar, ligo para casa. Ponho o aparelho no ouvido e, enquanto ouço tocar, penso na letra daquela canção melosa. Pode ser a música mais açucarada do planeta, mas (desculpe), concordo com ela agora: *Posso sentir o amor no ar.*

O pedaço inevitável em que todo mundo quer matar todo mundo

—Mim ir matar o filho-de-puta fedido! Deixar mim colocar meus móns nele!

Minha mãe, Emily e eu nos encolhemos com a explosão. Decididamente, agora não há nenhum amor *nesta* sala. Meu pai está *mesmo* furioso. Sei disso, não porque ele quer matar alguém — isso é normal —, mas porque está usando o palavrão que começa por F (sim, *fedido* é essa palavra).

— Ele tirar udvuntagem. (Acho que ele quer dizer *vantagem*, embora não tenha certeza — o sotaque dele fica incompreensível quando a raiva aumenta.) Mim ir arrancar cabeça dele fora!

— Jimmy, pelo amor de Deus, se acalme — minha mãe pede. — Sabia que não deveria contar para você, *sabia*.

Não deveria mesmo, porque eu a jurar que não contaria nada para papai.

— Você nón contar mim? — ele grita. — Você meu esposa. Você contar tudo ou mim matar todos vocês.

— Pare de gritar, Jimmy! — minha mãe grita. — A vizinhança toda deve estar ouvindo a quarteirões de distância.

— Você nón gritar com mim. Mim gritar com você.

— Os dois parem de gritar — grito. — Vamos conversar calmamente e...

— Cunversar? Nón ser hora de cunversar. Ser hora de *acsón*. Você contar mim quim ser ele e mim ir até lá e *matar* o filho-de-puta.

— Você não vai a lugar algum, Jimmy Charalambous — diz minha mãe. — Não contei para que você tivesse um ataque de nervos. Contei para que você começasse a se comportar como um verdadeiro pai. Não me admira que as meninas não conversem com você, se você não passa nenhum tempo com elas. Está sempre trabalhando. Já é hora de você...

— Ah, esta ser outra coisa. Mim perder dinheiro fechando lanchonete mais cedo para poder ir matar ele. Ele ir ter quí reembolsar prejuízo para mim primeiro, depois mim matar ele. Ir agora e você nón ter como parar mim, Maevou. Ir pegar meus sapatos.

Inacreditável. O homem é uma máquina mortífera sem controle, mas ainda precisa que minha mãe vá buscar os sapatos dele.

Ele dispara em direção à porta de saída, mas estou parada ali, bloqueando a sua passagem.

— Sair de meu caminhón, Thegla, a menos quí você quirerquí mim matar você também.

— Ninguém vai matar ninguém, papai — digo, desafiadora, embora trema de medo quando ele investe na minha direção. — Você vai se acalmar, vamos sentar e conversar direitinho sobre tudo.

Olho — ou melhor, dou uma encarada — em minha irmã, esperando uma confirmação.

— Não se atreva a olhar para mim deste modo, sua *dedo-duro* — ela grita com voz aguda, saindo repentinamente do buraco onde estava escondida. — Deveria matar você por ter contado pra eles.

— Foi a *sua* estúpida ideia — disparo. — Meu Deus, como queria ter deixado você ir sozinha naquela clínica idiota e deixar que você se virasse para resolver esta merda toda sozinha?

(Ora, ora, vamos falar a sério agora, quanto tempo você acha que iria continuar naquela porcaria de papel de Pessoa Melhor, quando minha irmã é uma tremenda e completa idiota?)

— Nón gritar com seu irmón deste modo — meu pai troveja, tentando passar por mim. — Ser mim quí estar louca de raiva!

— Bom Jesus, olhe a merda que são estes três — minha mãe grita, com um forte e repentino sotaque irlandês (algo que só acontece em momentos de estresse extremo). — Querem que toda a maldita rua escute esta loucura?

Os "estes três" estão paralisados de espanto. Chocados porque minha mãe nunca fica zangada, e juro que nunca a ouvi soltar um palavrão antes.

— Ok — ela diz, com a voz abandonando o sotaque irlandês sem problemas e voltando ao tom londrino. — Vamos sentar e conversar como adultos?

Ficamos parados, olhando uns para os outros sem graça por alguns instantes, antes de sermos arrastados para a sala de estar.

— Assim é melhor — diz minha mãe, a Pacificadora, enchendo o silêncio enquanto ainda pode. — Agora, vamos sentar e...

— Mãe, pai, não foi minha culpa, *juro* — Emily a interrompe, falando a cem por hora. — Ir até a clínica foi ideia de Charlotte. Ela pagou e tudo. Ela fez uma pressão danada...

— Espere aí, quem é que *estava grávida*, eu?

— Não, mas...

— Nón ter mas — meu pai grita. — Calar o boca! Nón mim interessa de quem ser o ideia. Mim só quirersaber quem ser o filho-de-puta desgraçado que pôs os móns no meu menininha, para matar ele. Você contar, Thaglotta?

— Não me pergunte. Não fui eu quem transou com ele. Emily baixou as calcinhas sozinha.

— Ei, nón falar deste modo. Nón ter rispeito? Nón ser de admirar que ela perder o controle quando você ser uma influência tón ruim. Você ser grande irmón. Você ser quem dever dar izemplo.

— Jimmy, pare de gritar, pelo amor de Deus — minha mãe diz — e não grite com Charlotte. Não é culpa dela.

— É isso aí. E outra coisa também não é minha culpa — dou a deixa para Emily.

— O quê? — ela pergunta, distraída, como se tivesse esquecido completamente do detalhe crucial que foi o tema principal da conversa quando voltávamos para casa.

— Você sabe — respondi.

— O quê, Charlotte? — minha mãe pergunta.

— Sim, o quí? — meu pai faz eco.

Olham para mim esperando, mas estou encarando minha irmã, esperando que ela abra a boca. Ela não faz nada.

— Papai, me *escute*. Você não vai matar ninguém porque não existem motivos para isso. Você entende?

— É claro que não existem motivos para se matar alguém. A violência nunca é uma boa solução — diz Kofi Annan... quero dizer, mamãe. — Jimmy, você está sendo ridículo. E, se quer saber, tem assistido a muitas novelas tolas... (*Como é que é?* Terra chamando mamãe.) ... quem se aproveitou de Emily é um grande filho-da-puta, mas isso não é motivo para sair em disparada...

— *Mamãe*, deixe que eu acabe de falar. As coisas não são bem assim — digo. — Emily cometeu um erro... não foi, Emily? — Eu me calo e olho para ela, dando a ela uma chance de falar por si própria, como combinamos no táxi (bem, como eu combinei, enquanto ela, aos berros, mandava eu ir me foder).

— *Não* cometi um erro — ela responde gritando. — É tudo culpa *sua*. Se você tivesse pensado em verificar o resultado, não estaríamos metidas nessa confusão, e papai não estaria aqui tendo um ataque cardíaco. (Porque, desta vez, ele parece estar perto de ter um de verdade, não como o anterior, mas não vamos falar disso agora.)

— O quí mim estar tendo? Mim estar tendo nada. Você dar nome dele ou...

— *Por favor*, papai, pare com isso. Olhe, se Emily não explica a situação, eu vou explicar. Tudo aconteceu porque ela é burra demais e não soube ler as instru... — Emily explode neste momento, uma pequena arma de destruição em massa cipriota-irlandesa, e voa para cima de mim. Ela me pega desprevenida e, quando percebo, estamos rolando no carpete como dois lutadores de vale-tudo, mas sem os golpes legais, as roupas engraçadas ou o pelo no corpo — bem, Emily tem pelos no corpo.

Serei honesta: estamos lutando como mulheres (*claro*) — puxando cabelos, dando unhadas e gritando como complemento. Ela agarra minha cabeça e arranca metade das minhas extensões. Isso me deixa alucinada. Voo para cima dela e caímos no chão. Rolamos pela sala, derrubando o abajur, que despenca em cima do vaso na mesinha de centro, espalhando flores murchas e água suja em cima de todas as revistas. Minha mãe grita e acho que é por causa da visão devastadora de ver suas filhas arrancando pedaços uma da outra. Mas estou completamente enganada.

— Jimmy, dê um jeito nas duas, pelo amor de Deus. A água vai molhar o Guia da TV!

— *Thegla, você parar agora!* — ele ordena (pelo menos acho isso, é difícil ouvir direito quando sua cabeça está sendo esmagada contra o chão debaixo da barriga de sua irmã). Minha mãe se abaixa e puxa o ombro de Emily, mas ela ainda não acabou comigo e não quer soltar o osso assim facilmente. Empurra a barriga de minha mãe com as duas mãos e dá um violento empurrão nela. Minha mãe se desequilibra e cai de bunda pra cima. Tudo desaba e minha mãe se encontra em uma posição pouco digna em cima da mesinha.

Isto é demais para meu pai, que começa a entender que seus planos para assassinar e gerar o caos não vão funcionar se a filha dele matar a todos nós.

— Emily, *parar com isso!* — ele grita, em poderosa voz de comando. Tão poderosa que ela o ignora completamente e continua firme. Começa a me esmurrar e eu cubro o rosto com os braços. Embora não consiga ver nada, sinto que meu pai está em cima dela, tentando puxá-la. Logo a seguir, ouço um grito de dor, seguido de passadas cambaleantes e pesadas, acompanhadas por um ruído alto e, logo depois, uma explosão abafada.

Silêncio.

Emily para de me bater e retiro cautelosamente os braços do rosto. Ela ainda está montada como em um cavalo em cima de minha barriga, mas não está olhando para mim. Olha para meu pai, encolhido contra a parede no canto mais afastado da sala — o canto no qual, segundos atrás, estava a novíssima televisão tela plana. A TV está no meio da sala, virada para baixo, do lado de minha mãe e da mesinha de café.

Meu pai, em estado de choque, se levanta e vai até a sua amada Sony. Ele se agacha e a coloca de pé. A tela não existe mais e podemos ver suas entranhas.

Minha mãe, ainda deitada no chão e coberta de estilhaços de vidro, solta um grito angustiado.

— Olhe o que você fez, seu *gorila* idiota! — minha mãe dispara a frase, novamente com sotaque irlandês, e mais zangada do que nunca.

— O quí? Mim nón fazer nada. Ser seus filhas estopidas, lutando como onimais que...

— PAREM, TODOS VOCÊS, PAREM COM ISSO! — Emily grita, a face marcada pelas lágrimas que escorrem, provavelmente causadas pela frustração de não ter me matado. — NÃO ESTOU GRÁVIDA!

Isso mesmo.

Ela não está grávida. Foi o que disse o exame de sangue. E foi quando perdi completamente a paciência com ela, no momento em que voltava do consultório, com um sorriso feliz no rosto. Lamento, mas não consegui compartilhar da sua alegria. Afinal de contas, tinha acabado de acender o estopim da bomba, telefonando para minha mãe e contando tudo, né?

— Pelo amor de Deus, os testes de gravidez são feitos de uma maneira que até uma completa retardada mental consiga usar. Como conseguiu se confundir? — Gritei com ela enquanto a psicóloga tentava intervir, dando algumas sugestões que deve ter aprendido em um curso de controle de raiva.

— Não é culpa minha. Achei que a linha azul queria dizer gravidez — Emily respondeu, emburrada. — E você deveria ter verificado o resultado para mim. Só tenho quinze anos.

Eu bem que queria ter verificado, porque, na verdade, onde a embalagem do teste de gravidez diz noventa e nove por cento *preciso,* deveria estar incluído *a menos que seu nome seja Emily Charalambous e você seja tão burra que não sabe sequer como atravessar a faixa para pedestres.*

Para dizer a verdade, não estava zangada somente com Emily. Estava zangada comigo, também. *Deveria* ter checado o teste dela. Eu me acalmei um pouco no caminho de casa. Lembro que minhas últimas palavras antes de abrir a porta foram:

— Com sorte, mamãe não fez nada de estúpido. Deve estar sentada na frente da TV, vendo a novela, e podemos esclarecer as coisas antes da merda bater no ventilador.

Rá!

Bem, voltando à zona de guerra.

Enquanto nós quatro estamos espalhados no meio dos destroços, ouvimos uma voz diferente:

— *Alô. O quí acontecer?* — É Maroulla.

Qual o problema com os gregos? Marque um dia e hora e são incapazes de chegar pontualmente, mesmo que sua vida dependa disso, mas, quando aparecem sem ser convidados, chegam no momento certo.

— Sabem, nón dever deixar porta do frente aberta — George diz, de modo descuidado. — Ser muito perigo. Qualquer um poder entrar.

E concordo completamente com ele. Emily e eu devemos ter deixado a porta escancarada, movidas pelo pânico de chegar em casa e ouvir nosso pai ameaçando iniciar a Terceira Guerra Mundial na sala. E agora, graças ao nosso descuido, Maroulla e George inspecionam o resultado desastroso.

— Olá, Maroulla... *George* — diz minha mãe, levantando-se do chão. — Que surpresa adorável! — A voz dela está vários tons acima do normal, mas ela está se esforçando.

Agora me diga, o que há de *normal* nesta situação? Estou deitada de costas no chão. Sinto meu olho direito levemente fechado, inchado por causa do único soco que Emily conseguiu desferir. Meu pai está abaixado, ofegante e com o rosto vermelho, os pés ainda enroscados nos cabos da TV. Emily está de pé, com a camiseta toda rasgada. A mão ainda segura as extensões que arrancou do meu megahair — as extensões que custaram uma pequena fortuna e que a desgraçada da Sheena, do salão Hair We Go, jurou que nem cavalos selvagens seriam capazes de arrancar. O cabelo de Emily parece o de um espantalho eletrocutado. E, para finalizar, minha mãe, coberta dos pés à cabeça com estilhaços da tela de TV, age normalmente, dizendo *como vão vocês,* como se este fosse um dia normal na casa dos Charalambous.

Bem, afinal de contas, talvez seja isso mesmo.

— Nós chegar em hora errada? — Maroulla pergunta. — Nós passar aqui e mim dizer a George dar uma paradinha, para mim dar você o receita do *maccaronia quí* prometer.

— Não, não... É ótimo ver vocês — minha mãe responde, apressada, com a voz subindo outra oitava. — Desculpem a confusão...

A voz falha e observo-a enquanto percorre a sala com os olhos, em busca de uma explicação convincente. *Lamento, mamãe, não posso ajudar você.* Costumo ser bastante criativa quando se trata de arrumar desculpas para me livrar de encrencas, mas aqui... *Impossível.*

— Foi a TV — ela diz de repente, com um brilho de inspiração nos olhos. — Ela simplesmente...

— *Iqsplodiu* — meu pai grita, apanhando a deixa e se virando da melhor maneira possível. — Simplesmente iqsplodiu. Bum! Moldita porcaria japonesa.

— Foi um choque — minha mãe acrescenta. — Não matou alguém por milagre.

— *Ah,* mim ver quí vocês comprar *Sony* — George responde, espiando a pequena marca prateada dependurada na frente da televisão com as tripas de fora. — Nós comprar uma *Jó Cê Vê.*

Isso, claro, explica tudo.

Meus pais relaxam visivelmente, porque parece que os Georgious são suficientemente burros para acreditar na história.

— Bem, o drama acabou — minha mãe diz, animadinha. — Por que não sentam enquanto preparo um chá para todos?

— Mim dar uma mónzinha para você, Maevou — Maroulla diz.

— Não precisa. Sentem-se e fiquem à vontade. Jimmy, Charlotte e Emily me ajudam, né? — minha mãe diz isso enquanto nos fuzila com os olhos, deixando claro que nossa presença na cozinha é necessária imediatamente para ajudar no complexo trabalho de ligar a chaleira na tomada.

Maroulla e George vão para o sofá, do qual minha mãe removeu estilhaços de vidro com uma almofada. Sentam-se nervosos, com os olhos fiscalizando a sala em busca de objetos com potencial explosivo. Com as visitas sentadas confortavelmente (mais ou menos), minha mãe leva meu pai, a mim e Emily para a cozinha.

— Muito bem, não quero ouvir mais um pio de vocês — minha mãe ameaça em um tom muito irlandês.

— Mim... — meu pai começa.

— Eu disse, nem mais um pio, Jimmy. Isto tudo é um desastre e, antes de voltarmos para a sala, quero saber exatamente o que está acontecendo... E então, Emily?

— Cometi um erro — ela murmura.

— Vocês estar bem aí? — Maroulla grita da sala. — quirerajuda com choleira?

— Esperando que a água ferva, Maroulla. Só um segundo — minha mãe grita de volta. — Que tipo de erro, Emily? Vamos, não temos o dia todo.

Emily não pode ou não quer responder e assumo o controle.

— Ela se enganou com o teste. Não está grávida.

— Bem, isto é um alívio, né, Jimmy? — minha mãe diz, esperando obviamente que esta seja a parte em que todos batemos com a mão na testa e começamos a gargalhar. Mas meu pai ainda nos fuzila com os olhos. — *É, né, Jimmy?* — minha mãe pressiona.

— Nón, nón ser nón. Ele ainda ser um filho-de-puta moldito. Você contar nome dele agora mesmo, Emily, ser uma ordem — meu pai rosna entredentes.

— Não vou dizer coisa *nenhuma* — ela responde e sai correndo da cozinha. Ouvimos seus passos subindo as escadas e a porta do quarto batendo com força.

Meus pais me encaram esperando uma explicação, mas só consigo retribuir a encarada com a boca aberta. O que querem que eu diga? Tentei arrancar o nome dele durante a viagem de volta, mas os lábios dela permaneceram colados. Sei tanto quanto eles.

— Mim falar com ela — meu pai diz, mas minha mãe põe a mão no braço dele.

— Fique quietinho aí, Jimmy. Temos que nos livrar dos Georgious e esclarecer isto cal...

Ela para abruptamente porque a cabeça de Maroulla aparece em uma fresta da porta da cozinha.

— Maevou, quirer quí mim limpar um pouco? Ter vidro em todo lugar. Você dar ispanador e mim...

— Por favor, não se incomode — a minha mãe responde, esforçando-se ao máximo para dominar a irritação.

— Só ficar sentada — meu pai responde, sem esconder nada.

Maroulla olha para nós com ar desconfiado antes de fechar a porta.

— Ok, ligue a maldita chaleira, Jimmy — diz minha mãe. — Charlotte, vá se limpar. Sua irmã fez picadinho de você.

* * *

Não espero os Georgious irem embora e vou conversar a sério com Emily.

— Vamos lá, conte a verdade, Emily — digo, apoiada contra a porta do quarto, encarando-a com o único olho não danificado. Ela está na cama, enroscada em si mesma em posição fetal, o rosto inchado de tanto chorar. Não parece mais perigosa. Somente muito jovem e muito cansada. Ela não responde. Nem me olha.

— Quem é? — pergunto.

— Só um rapaz.

— Há quanto tempo namoram? — pergunto gentilmente.

Ela encolhe os ombros e depois de um minuto de silêncio diz:

— Tenho meus motivos para não querer contar nada pra você. O nome dele é... — e para de repente.

— Qual é o nome dele?

— Faz diferença saber?

— Estou curiosa. Além disso, você desperdiçou meu tempo e meu dinheiro, deixou meu olho roxo e arrancou metade dos meus cabelos. O mínimo que você me deve é uma explicação.

— Ok, mas jure que não vai dizer nada pra ninguém se eu contar... porque senão mato você. — E acredito nela.

— Juro.

— Seu nome é Mehmet.

— Como é que é? — digo engasgada, mas ouvi perfeitamente bem. — Ele é turco?

Ela não precisa responder à pergunta. E eu acredito nela, porque nem mesmo nas fantasias mais alucinadas minha irmã inventaria estar envolvida com um turco. Nem ela seria tão burra. Eu explico. Quando se trata de meu pai, nunca se sabe como irá reagir em uma situação — a palavra "contradição" foi inventada para descrevê-lo. E isso é muito verdadeiro quando se trata de rapazes. Posso aparecer com o solteiro grego mais lindo e perfeito do mundo e meu pai vai odiá-lo. E posso apresentá-lo ao amor da minha vida, que por acaso é um viciado em heroína, com uma folha criminal com metros de comprimento, e meu pai irá brindá-lo com o melhor conhaque grego. Ou pode jogá-lo pela janela. E este é o meu ponto: nunca se sabe. Mas há um cenário do qual tenho certeza absoluta.

DezAjustada

Meu pai e os turcos... *Jamais.* E não está sozinho. Milhares de pais gregos compartilham de sua opinião. E, da mesma maneira, milhares de pais turcos não aceitariam receber suas filhas acompanhadas de um rapaz grego. O que querem que eu diga? Estamos lidando com fatos históricos aqui. A invasão ilegal em 1974 e todo o resto... Mas não é hora para uma aula de história. Tenho que resolver o problema com minha irmã.

— Você está namorando um rapaz turco? — repito, ainda sem fôlego. — Ficou louca?

— Eu o amo.

E só posso pensar que é verdade, porque está arriscando sua própria vida.

— Por que não me contou? Por que não falou comigo?

Ela não tem que explicar. Ergue uma sobrancelha e o gesto diz mais que o suficiente.

Agora me sinto esquisita. Chocada também. E um pouco aliviada. Por quê? Bem, ela nunca mais irá me chantagear porque, seja lá o que faça, nunca cometi o crime de namorar um turco. Não é só isso.

— Por que está sorrindo? — Emily pergunta.

— Acho que você me fez um favor, Em.

— Jura?

— Bem, depois da merda toda que viram hoje, acho que os Georgious vão cancelar o casamento.

Posso ouvi-los agora. Mesmo com a porta do quarto fechada. As vozes no corredor reverberam pela escadaria. Devem estar indo embora.

— No próxima vez, você comprar o *Jó Cê Vê* — George diz, parecendo ter engolido a história da televisão que explodiu. Só Deus sabe no que estão realmente pensando.

Ouço a porta fechar. Uma despedida rápida — muito curta e simpática para gregos — e nem uma palavra sequer sobre Dino. *Humm*, acho que me livrei da forca.

— A área está livre — digo a Emily. — Vai descer?

Ela balança a cabeça em negativa. Não posso censurá-la.

Quando me viro para sair, ela diz:

— Quer isto de volta? — Está segurando as extensões que arrancou do meu cabelo.

— Não, obrigada — respondo. — Já estava enjoada delas. É hora de mudar.

Minha mãe está passando o aspirador sobre os últimos estilhaços de vidro quando volto para a sala. Meu pai está sentado na poltrona. A TV está novamente no canto da sala. Tudo pareceria normal, se não fossem os fios e circuitos aparecendo.

— Entón, falar com ela? — meu pai pergunta.

— Sim.

— Como ela está? — Minha mãe pergunta, desligando o aspirador e despencando no sofá.

— Cansada. Muito envergonhada. Mas era de se esperar.

— Obrigada por cuidar dela, Charlie — minha mãe diz, agradecida.

— Ah, até parece que fiz um excelente trabalho — respondo, passando um dedo pelo arranhão profundo na minha bochecha.

— Bom, você fez o possível.

— Ok, agora mim falar. — meu pai nos interrompe, ranzinza. — Quím ser ele?

— Um garoto da escola. Não se preocupe. Ela não vai mais namorar com ele.

Poderia contar a verdade — depois da surra que ela me deu, não devo favores à Emily. Mas já vi derramamento de sangue suficiente por um dia.

— *Arre* — meu pai bufa. Parece que o desejo de brigar também o abandonou. Não vai mais matar alguém... pelo menos não hoje.

Sento no sofá ao lado de minha mãe. Ninguém fala. Estamos olhando para a TV. Acho que é força do hábito. Isto é ridículo. Vivo nesta casa há vinte e quatro anos e não me lembro de um único momento sem TV. A televisão costuma ser ligada logo cedo e a última pessoa a ir para a cama é quem a desliga.

E agora? Estamos sem TV. Meu Deus, isto quer dizer que precisamos conversar. Conversar. Trocar ideias sobre vários assuntos até a hora de irmos para a cama.

Ficamos sentados em silêncio...

... até que minha mãe olha o relógio e diz: — Droga, estou perdendo *O Elo Mais Fraco*.

— Nón me importar com esse — meu pai responde. — Mim estar perdendo meu novela. Estar ficando mismo boa agora. Ser o parte onde o pai descobrir quí seu filho e sua filha vón ter bebê e ele sair louco de casa com espingorda.

Humm, começo a notar uma semelhança.

— A minha novela também iria ser interessante hoje — minha mãe acrescenta, tristonha.

Bem, já é um começo. É uma conversa, mesmo que seja somente sobre os programas que estão perdendo. Decido mudar de assunto. É uma manobra arriscada, mas preciso testar o ambiente.

— E então, quando vamos encontrar os Georgious novamente? — pergunto cuidadosamente.

— Não temos planos, né, Jimmy?

— Para dizer verdade, mim estar um pouco de saco cheio deles — meu pai responde. — Sempre aparecendo aqui, nunca dar um mumento de sossego.

— Acho que vamos nos afastar um pouco — minha mãe resume.

Ah, sim, o casamento está definitivamente cancelado.

— Vai voltar a trabalhar amanhã, Charlotte? — minha mãe pergunta depois de um tempinho. — Todos devem estar animados com o *reality show* que vai começar.

Um lado bom do dia de hoje é que ele me fez esquecer do pesadelo que é o trabalho.

— Sim, vou — digo. Mas não acrescento que acredito que serei imediatamente mandada de volta para casa.

Mas penso a respeito. Estamos conversando. Comunicando-nos, como as famílias costumam fazer. Por que *não* compartilho um pouco da merda da minha vida com eles? E, neste exato momento, conto tudo o que aconteceu...

Na verdade, dou uma versão quase verdadeira, e digo que Jamie e eu nos "desentendemos".

— Ser hurrível — meu pai diz quando termino de contar. — Você estar fazendo um travalho muito bom. Ver isso com meus olhos. Você nón poder perder tudo agora. Mim dizer o que fazer, amanhã mim ir com você. Seu chefe ir lembrar de mim com bons olhos — afinal de contas, mim levar abaxaquis para ele, né? Nón preocupar Charlotta, ele ir esquecer de tudo sobre estopido desentendimento.

Droga. Sabia que havia um bom motivo para não conversar com meus pais. Há um velho ditado que acabei de inventar: um problema dividido é um problema dobrado. Minha mãe percebe que estremeço ao seu lado e diz:

— Se fosse você, deixaria Charlotte resolver as coisas sozinha, Jimmy.

— Para dizer verdade, nón poder fechar lanchonete novamente — meu pai responde, sem querer armar uma discussão, mas não querendo deixar de ter a última palavra. — Você ir ter quí resolver sem mim... Mas mim mandar para ele meu melhor bolo de cenoura como uferta de paz. Ter cenouras de verdade nele, saber?

O telefone toca. Não tenho vontade de atender. Na verdade, ninguém tem, e acabo indo atender no corredor.

— Alô — digo com voz cansada.

— Oi — diz o mau-caráter cara-de-pau mais nojento da face da Terra.

— O que você quer, Daniel? — pergunto do mesmo modo gelado da última vez que conversamos.

— Queria saber como você está.

— Estou bem, obrigada. É só isso?

— Não... Escute, juro que não peguei a fita e não suporto a ideia de você achar que fui eu.

Não respondo. Ouvimos a respiração um do outro por um segundo. E então ele pergunta:

— Você vem trabalhar amanhã?... Sinto saudades.

Ainda não respondo.

— Adivinhe só. Velvet não apareceu hoje.

— E daí?

— Bem, está mais do que na cara, não está? Ela deve ter pego a fita. E sumiu porque vai vender a história.

— Velvet não apareceu porque deve ter percebido que seria demitida, Daniel. Ou Jamie a demitiu mesmo e você não viu.

— Estive com Jamie hoje e ele não disse nada.

— Ah, você não perde mesmo tempo. Mal saio da sua frente e você já está puxando o saco do chefão.

— Charlie, por favor, deixa disso. Estava falando sobre você, se quer mesmo saber. Disse que não podemos trabalhar direito sem você, que os clientes e os funcionários te adoram e que ele precisa te chamar de volta... Disse que a exibição da fita para toda a academia foi minha culpa.

— Que monte de merda! Os funcionários não me *adoram*. A única pessoa que se importa comigo é Sasha.

— Você está completamente iludida! Quantas vezes preciso dizer que ela tem uma fixação doentia em você? É inveja, ou algo assim, não sei explicar, mas você é a única pessoa que não vê isso.

Sei que Sasha pode ser muito grudenta, mas ela faz isso com todas as pessoas de quem gosta — Jenna, por exemplo. Ben/Karl. Acho que Daniel está somente desesperado para colocar outra pessoa debaixo dos holofotes. Mas, por outro lado, acabou de dizer que assumiu a culpa da exibição da fita para Jamie. Não precisava fazer isso, precisava? Quero dizer, se não estiver mentindo.

— Olhe, Jamie disse que vai deixar você escapar da encrenca e só lhe dar uma tremenda bronca — Daniel continua. — E como ele já fez isso ontem, não vai repetir a dose... Como vê, você *precisa* vir trabalhar amanhã. — Fico quieta. — Por favor.

Uma parte do meu cérebro — a mesma parte que horas atrás me fez decidir ser uma Pessoa Melhor — grita para que dê a ele o benefício da dúvida. E, claro, estou feliz — melhor dizendo, absolutamente em paz — em saber que ainda tenho um emprego.

Mas, depois de um longo dia sendo espancada mental e fisicamente, só vejo uma maneira de encerrar essa disputa interior.

— Vejo você amanhã, então — respondo da maneira mais descortês que posso.

Depois, a durona machona aqui desliga...

Antes de subir correndo as escadas e chorar no travesseiro.

A parte em que descubro que o Daniel nasceu com o rabo virado para a lua

Fico parada do outro lado da rua olhando para os sete andares de vidro da The Zone. Só agora percebo o quanto senti falta disto. Sinto lágrimas brotando e ainda bem que estou usando óculos escuros (por causa do meu olho roxo, e não pelo brilho do tempo nublado). Por quanto tempo estive afastada? Um dia e pouco. Coisa de *doidos*. Deve ser porque pensei que nunca mais voltaria. Para você ver, né? Nunca se dá valor ao que se tem até quase se perder...

O que é quase uma fantástica letra de música.

As ruas estão silenciosas no West End. É aquele tempo de intervalo entre chegar ao trabalho e sair para o almoço. Até os trens estão vazios. Consegui um lugar sentado e fechei os olhos — principalmente para não ter que olhar para o reflexo do meu cabelo ridículo e desarranjado na janela à minha frente. Acabei dormindo quase o caminho todo. Seria capaz de dormir uma eternidade, de tão cansada.

O que será que vai ser quando entrar? Todo mundo vai dar risadas? Será que a minha autoridade de gerente geral foi fatalmente comprometida pelos acontecimentos de há dois dias? Por falar nisso, será que os acontecimentos de então provaram que nunca tive qualquer autoridade? Essas e outras perguntas terão uma resposta assim que eu passar pela porta.

Então acho que é melhor fazer isso de uma vez por todas.

Estou quase atravessando a rua quando o meu celular toca. Tiro-o da bolsa e olho para o visor. Um torpedo... É de Karl.

VC TINHA Q FODER
COMPLETAMENTE MINHA VIDA?
O Q FIZ COM VC

PARA ALÉM DE PASSARMOS
UNS MOMENTOS AGRADÁVEIS?
QUEM SEMEIA VENTOS COLHE TEMPESTADES.
ESPERE SÓ...

Estou seriamente apavorada. Quero dizer, este é o cara com a tara de filmar às escondidas. Que outras coisas doidas ele será capaz de fazer? E por que esperou dois dias para descarregar sua raiva em cima de mim? Que planos malévolos e doentios ele tem andado a maquinar no seu covil subterrâneo (Ok, no primeiro andar) de South Kensington?

Meu Deus, chega de paranoia. Ele está magoado. Ferido. Com sorte, sem chances de se recuperar. Oh, sim, ele está sofrendo e ainda bem. *Excelente*. Eu me congratulo mentalmente. Hoje já está sendo um dia melhor do que esperava.

Atravesso a rua me sentindo um pouco melhor. Subo as escadas, as portas se abrem *eeeeeeeeeeee*... Estou dentro.

Fico parada por um momento e olho para os seis metros de mármore até o balcão. Daniel está lá sentado. Rebecca atrás dele. Tudo como deveria estar. Mas, *Meu Deus*, só se passou um dia e pouco. Não são propriamente as boas-vindas do filme *Lassie volta a casa*. Daniel tem um ar abatido — como se alguém tivesse morrido. Merda, ele deve estar se sentindo horrível... Como a bruxa do *Mágico de Oz*, eu *me sinto derretendo*... Como pude tratá-lo tão mal?... *Derretendo*... Como pude acusá-lo?... *E derretendo*... É Daniel, meu melhor amigo. Ele não seria capaz de... Agora sou mais ou menos uma poça. Consigo fazer meus pés se mexerem pelo saguão. Daniel sai detrás do balcão e nos encontramos a meio caminho, caindo nos braços um do outro. Rebecca sorri para nós.

— Porra, estou contente de você ter voltado — ele exclama. E depois: — O que aconteceu com o seu rosto? E, merda, o seu *cabelo*!

— Oh, eu e a minha irmã estávamos experimentando viver *como a Família Sol, Lá, Si, Dó*... Correu meio mal — digo. Depois (porque era o que queria dizer desde que pus os olhos nele): — Sinto muito, Daniel. Nunca deveria ter acusado você.

— Não, *eu* sinto muito. Nunca deveria ter fugido como fugi.

— Esqueça. Provavelmente eu teria feito o mesmo.

— Não, não faria. Você é melhor que eu.

— Não, você é.

— Meu Deus, ainda bem que você está aqui. Senti a sua falta.
— Também senti sua falta... O que se passa com a Becks?
Ela está vendo a gente se abraçar e passou de sorridente a assustada. Quase como aquela vez em que fez uma marcação dupla para a Yoga Tântrica Superrelaxante e Wing Chun (Técnicas Mortais Avançadas) no mesmo estúdio, e nesse dia ela estava *histérica*.
— Você não leu o *Sun* no caminho para cá, leu? — pergunta Daniel.
— Não, dormi a maior parte do caminho. Becks está nua na primeira página ou alguma coisa assim? — Estou brincando, mas subitamente tenho uma profunda sensação de calamidade.
— Quem me dera. Charlie... é melhor você se preparar.

— Você sabe que não fiz isto, não sabe, Charlie? — Daniel pergunta pela décima vez.
— *Shiu*, estou lendo — digo.
Estamos sentados no meu escritório, com o *Sun* na mesa à nossa frente. Blaize está na capa. E nas páginas quatro, cinco, seis e sete. A manchete é "BLAIZE ESCALDANTE". A imagem embaixo é granulada e desfocada, mas não há dúvidas sobre de quem são aquelas pernas enroladas ao redor do dorso atlético de Karl. Dou uma olhada nas outras páginas. Não é preciso ler o texto. As imagens — e há muitas — contam a história. Largas barras pretas escondem os detalhes mais íntimos, mas não é preciso muita imaginação para preencher os espaços. E também há outras fotos. Uma da The Zone, o cenário da estreia mundial da fita. Há uma foto de Jamie saindo do Bar Atlantic com uma apresentadora qualquer, de quinta categoria, que ele estava vendo há alguns meses. E outra de um ator de sétima ou oitava categoria do novelão *Holby City*, que, a legenda nos informa, destruiu o seu cartão de membro da The Zone, enojado com tudo isso.
Meu Deus, não me admira que o torpedo de Karl tenha sido tão violento — obviamente, ele é um leitor do *Sun*. Está tudo lá, em preto, branco e em cores, tudinho.
— Você está bem? — Daniel pergunta.
Boa pergunta. Estou bem? A única maneira de me sentir ainda pior seria se as fotos esparramadas no jornal fossem minhas e de Karl fazendo sexo.

Dez Ajustada

Mas isso não é consolo algum.

— Meu Deus, que desastre — digo. — Como isto aconteceu?

— Não sei, mas é tudo culpa minha. Se não tivesse feito você passar a...

— Pare com isso, Daniel. Agora isso já não interessa para nada. Quem diabos fez isto? Isso é o que quero saber.

Ele balança a cabeça. — Já li tudo e não há nem uma pista sequer de quem é a fonte deles. Só pode ser Velvet. Quem mais? Ela tinha um motivo, a oportunidade, e desde então desapareceu. Aposto que agora está por aí, atrás do volante de um Porsche Boxster.

— *Vaca* — murmuro, porque, agora que penso sobre o assunto, acho que ele tem razão.

A porta se escancara e Rebecca entra caindo.

— Nunca ensinaram você a bater antes de entrar? — Daniel pergunta, ríspido, tentando segurar o coração para que ele não saia fugindo pela sua boca. — O que você quer, Becks? Estamos aqui numa reunião de crise.

— Desculpem, mas o Jarvis quer saber se vocês podem me dispensar para ir cobrir a falta na Zone Clone. Sasha ligou de novo, dizendo que está doente.

— Vamos tentar dar conta disto aqui. Vá lá.

Ela some, deixando a gente novamente a sós.

— Sasha vai ficar sem emprego se não se recompuser em pouco tempo — diz Daniel.

— Bem, pelo menos vou ter uma amiga para conversar na fila dos desempregados. Jamie já sabe disso? — pergunto, olhando para a barra preta que cobre o traseiro nu de Karl.

Antes que Daniel possa responder, o telefone toca. Olho para ele, enquanto se mexe em cima da mesa. É uma chamada interna... Só pode ser Jamie.

— Ele sabe — digo baixinho.

Isso foi há dez minutos...

Quando ainda tinha um emprego.

Jamie foi brutal, mas pelo menos foi rápido. Não consigo me lembrar de muito do que foi dito, para além de uma expressão ou outra.

Coisas como *chocante quebra de confiança* e *impressionantemente pouco profissional*... Oh, e *desonesta, vendida gananciosa* e *puta* devem ter estado na parte principal da conversa. A minha tentativa comovente de "Mas não fui eu" não teve grande aceitação — não tenho nem a certeza de ele ter ouvido, com toda a sua gritaria. Estava tão furioso que nem notou o meu olho roxo, o arranhão de dez centímetros na minha bochecha e o buraco na minha cabeça, onde antes estavam as extensões de cabelo. Em outra ocasião estes seriam três motivos perfeitamente válidos para ele vomitar ali mesmo no tapete e me despedir.

Filho-da-mãe. Só para deixá-lo enojado, gostaria de ter baixado a calcinha e mostrado o sinal na minha bunda.

Estou de volta ao escritório, mas só para tirar as minhas coisas da mesa.

Uma vez que foi minha só por duas semanas, e ainda mal tive tempo para personalizá-la com fotos emolduradas da minha maravilhosa família, isto deve demorar ao todo um minuto.

Não estou chorando. Devo ser mais forte do que pensei. Daniel está tomando conta da recepção. Ele queria estar comigo (como se fosse a Susan Sarandon, eu o Sean Penn, e esta fosse a cena final em *Os últimos passos de uma gerente geral*), mas agora está ali sozinho e não pode fazer isso. Ele foi fantástico, para dizer a verdade. Tudo o que um amigo deveria ser. Tenho sorte de tê-lo como amigo.

Estou quase acabando. Ponho minha bolsa no ombro e vou para a porta. Paro quando o telefone toca — desta vez é uma chamada externa. Deveria simplesmente ignorá-la. Continuar andando... Mas Daniel está ali sozinho, e acho que isto é o mínimo que posso fazer por ele. Vou atender. Dou a volta, pego o telefone e, pela última vez, anuncio:

— Bom-dia, você ligou para o The Zone, fala a Charlie, como posso ajudar?

— Oh, oi — diz uma voz de mulher. — Daniel Conrad está aí?

— Desculpe, ele agora está ocupado — digo. — Quer deixar recado?

— Não, não é preciso... Oh, tudo bem. Pode pedir a ele para me ligar quando tiver um tempo?

— Claro. E você é...?

— Jill Simon... do *Sun*.

ÚLTIMO PEDAÇO
(MAS VOCÊ JÁ SABIA DISSO, NÉ?)

A parte em que exibo o meu treinamento de fuzileira naval

É difícil acreditar que tudo isso aconteceu há apenas seis semanas. Parece que foram anos. Outra vida completamente diferente.

Na verdade, *foi* outra vida. Agora acredito em reencarnação. A Charlie renascida está vestindo um macacão de poliéster, uma rede nos cabelos e luvas transparentes de polietileno. Suas mãos estão enfiadas, até aos punhos, em uma bacia de margarina de uma cantina, besuntando freneticamente várias fatias de pão, porque um grego redondo e cabeludo está gritando:

— Vá lá, vá lá, pissoas estar quirendo sonduiches para almoço, nóm para o moldito lanche do tarde.

E foi assim que isso aconteceu.

— Partir de segunda-feira, você travalhar com mim, Ok? — papai disse durante o café-da-manhã no dia seguinte da minha demissão.

— Não é preciso, obrigada. Vai aparecer outro trabalho — respondi.

— O quí aparecer ser milhor quí travalhar com seu pai?

Talvez uma vaga no mundo dinâmico e empolgante da varredura de ruas, mas não disse isso.

— Mim dizer você, você nóm pensar nada — ele continuou.

E que tal apanhadora de ratazanas, coveira, guarda de trânsito...?

— Próxima simana, sua irmón voltar à escola, sua mãe ajudar Soulla com a bebê Bee-unga. O quí fazer dia todo em casa sozinha?

Oh, relaxar, descontrair, mergulhar em grandes tigelas de pipoca e baldes de autopiedade, imagino.

— Você vir ajudar mim. Ser divertido.

— Não é preciso, papai. Vou tentar arrumar algumas entrevistas. Tenho um amigo que trabalha naquela loja de artigos esportivos, a David Lloyd. Ele pode me ajudar. E há algumas outras coisas que eu...

— Quím ser este Davey Lloyd? Ser outro cafetón como seu chefe antigo? — meu pai alardeia. Meus pais leram o *Sun*... ou melhor, meu pai não leu nada, mas viu as fotos, e está convencido de que o The Zone é uma espécie de bordel de alta classe. — Mim estar dizer quí nenhuma filha minha ir travalhar no ramo do sixo. Nón, nón, você ir travalhar com mim. Mim cortar, você pissar a manteiga. Ir ser o dupla dinâmica das lunchonetes.

Tentei explicar que Blaize e Karl não fizeram sexo no The Zone, mas, como havia uma foto dos dois em ação ao lado de uma mostrando o meu local de trabalho, meu pai não precisa de mais provas. Se algum dia você estiver sendo julgado no tribunal e meu pai for um dos jurados, bem, que Deus ajude você.

Foi o domingo mais estranho de que me lembro. Afinal de contas, dois dias antes, a TV tela plana novinha em folha tinha sido destruída, sua Rosa Inglisa havia sido deflorada e sua outra filha, demitida sem cerimônias do trabalho em um prostíbulo. E, mesmo assim, ele estava comendo seu café-da-manhã, feliz da vida. Não sei o que minha mãe fez para deixá-lo tão feliz assim (e, honestamente, não quero saber). Mas talvez tenha sido simplesmente o fato de ela ter quebrado o hábito de um casamento de trinta anos e preparado ovos mexidos.

A imprevisibilidade, como sempre quando se trata de meu pai, orientou sua atitude para comigo e com Emily naquele domingo, ou seja, foi previsivelmente imprevisível. Depois do que aprontamos, deveríamos estar no pelourinho ou coisa pior. Mas ele voltou a colocar Emily em seu pedestal e decidiu me transformar em sócia da dinastia dos sanduíches Charalambous.

Isso não quer dizer que ele manteve a boca fechada. Não, meu pai só está satisfeito quando está despejando suas opiniões polêmicas. E, ao mesmo tempo em que mastigava e engasgava com a meleca amarela que minha mãe *jurava* ser ovos mexidos, oferecia a sabedoria grega de Jimmy.

Meu irmão e seus sogros:

— O infeliz de seu irmón, ele ter sorte sua pobre momóm ir ajudar Soulla. Por que momóm dela nón ir ajudar? Aqueles molditos grigos estopidos e gordos me deixar doente. (Frase dita enquanto coçava a cintura de um metro e meio de diâmetro.)

Os Georgious:

— Nón dever ter deixado eles ficar tón íntimos de nós. Eles ter inveja de nós porque só conseguiram comprar uma porcaria de TV Jó Cê Vê. Aquela burra e gorda Maroulla, ela pôr olho-gordo, mim saber disso.

E, enquanto ele atacava seus compatriotas, esperava que ele tivesse esquecido da oferta de emprego. Mas não. Voltou ao assunto assim que engoliu o último pedaço de tomate frito.

— Entón, Thegla, quí tal começar nova carreira em lunchonete de alta classe?

— Obrigada, mas, não, obrigada, papai — respondi com firmeza. — Quero tentar continuar no ramo da boa forma.

Mas parece que a indústria da boa forma não queria nada comigo. No final da semana, depois de dezenas de telefonemas, ficou claro que o boato tinha se espalhado: não se pode confiar em Charlie Charalambous. Se alguém rasgar a roupa de ginástica na aula, ela irá direto levar uma foto do acontecimento para os jornais. Cheguei ao ponto de ligar para Lydia e pedir ajuda. Isso é o que se chama engolir um sapo — e permita-me dizer que o gosto não é nada bom.

— Lamento, querida — ela cantarolou —, mas estou fora do ramo. Estou envolvida em algo muito maior na área musical. É um segredo, portanto não espalhe.

— E suponho que não há chances de você ter uma vaga para mim? — Mas não disse isso porque, apesar de tremendamente desesperada (e o fato de estar ligando para Lydia mostra exatamente o grau de desespero em que estava), ainda há um limite para o quanto consigo rastejar.

E quem liga? Agora estou envolvida em algo sensacional no ramo dos sanduíches. Uma semana depois da oferta de meu pai, acabei aceitando, cansada e abatida.

E cá estou eu: a executiva encarregada de passar manteiga. E, meu Deus, quando conseguirei remover o cheiro de galinha frita do meu cabelo? Este é o especial do dia de hoje. Galinha frita em pão sírio. O Oriente encontra o Ocidente em uma explosão temperada. E, por incrível que pareça, é um sanduíche muito popular na hora do almoço. A fila sai da lanchonete e quase vira a esquina.

Trabalhar com meu pai tem sido uma experiência e tanto. Estava convencida de que ele era o cara mais chato do planeta, mas cá está ele, no coração de Covent Garden, cercado por mais representantes do estilo *clubber* e antenados moderninhos do que jamais houve em um dia normal no The Zone. E quer saber a verdade? Eles adoram papai. Ele é o charme em forma humana e tem uma frase de efeito para cada um que entra na lanchonete. Robbie Williams poderia aprender alguma coisa com ele sobre como seduzir uma plateia; e se meu pai subisse no balcão e começasse a cantar *"Angels"*, eu (a) não ficaria *tão* surpresa assim (b) apostaria que todos os clientes iriam acender seus isqueiros como num concerto de rock. Até mesmo os confusos turistas japoneses que entram aqui por acaso, com o Guia da Cidade de ponta-cabeça nas mãos, esperando ter finalmente encontrado o Palácio de Buckingham, saem com um sorriso no rosto (e, frequentemente, com um dos seus famosos *supersanduichões de quijo e piggles*).

Aqui há um número inacreditável de coisas para se cair na gargalhada, e não estou falando somente das coisas das quais se pode debochar e tirar sarro. Não sabia, por exemplo, que ele possui dois relógios idênticos na parede, com plaquinhas identificadoras. Uma diz LONDRES e a outra diz WOOD GREEN. Ele acha que isso dá um ar "internaxional" ao lugar. Vai colocar também um painel luminoso novo na frente. É um presente de um dos publicitários da agência de propaganda do outro lado da rua, porque acham que a agência vai ganhar um prêmio de criatividade com isso. Já contei qual é o nome da lanchonete? Não, acho que não. Chama-se Mordidinha do Jimmy. Isso me faz rir o tempo todo.

Em resumo, esta... hã... leve mudança de carreira não tem sido tão ruim assim. Gosto dessa nova faceta Deus do Rock dos Sanduíches do meu pai. Também estou ficando orgulhosa por ser capaz de fazer um sanduíche de atum e queijo derretido, em um tom perfeito de bege-escuro e, ao mesmo tempo, limpar o suor da testa do meu pai, como uma enfermeira de cinema, enquanto ele retira cirurgicamente a carne de uma carcaça de peru.

DezAjustada

Tenho de confessar que tem sido muito divertido. Porém, há um lance muito desagradável. Passo muito tempo de quatro. Na verdade, é como estou agora.

— O quí você fazer aí? — meu pai pergunta. Não é uma pergunta irracional.

— Estou procurando aquela travessa com fatias de pepino — respondo.

— Nón ser aí embaixo, estopida. Ser no gelodeira.

É claro que sabia disso, mas não ia dizer. Na verdade, eu me abaixei com a velocidade de um oficial de elite da Marinha Real sob fogo inimigo, porque pela janela vi Ruby, do The Zone, passando na rua. Este é o problema de trabalhar em Covent Garden. Há uma possibilidade de cinquenta por cento de encontrar um de meus antigos colegas de trabalho. Até agora — graças a Deus —, nenhum deles me viu, e se tiver sorte nunca verão, porque estou ficando muito boa nessa coisa de abaixar e evitar o fogo inimigo.

Não é porque estou com vergonha. Afinal de contas, por que estaria com vergonha de trabalhar em uma lanchonete, vestindo um avental de poliéster e uma rede nos cabelos, em vez de estar usando uma roupa de ginástica colante de última geração e um boné de basebol ao contrário? Ok... um pouquinho de vergonha. Mas a maior parte das vezes eu me abaixo porque nunca mais quero ver um daqueles merdinhas falsos e fúteis, que vivem babando em cima de celebridades e que me largaram na mão.

Bem, só há uma pessoa que não me importo de encontrar.

Na verdade, vamos tomar um café depois que papai fechar a lanchonete.

Eu sei que é só a Sasha, mas ainda me sinto nervosa; enquanto bebo meu *cappuccino*, espero por ela. Como é que estou? É claro que tirei o avental e a rede dos cabelos, mas será que ainda pareço uma montadora de sanduíches? Olho minhas unhas mais uma vez, procurando traços de atum e milho. Estão limpas.

Este encontro para tomar um café foi adiado cinco ou seis vezes. O trabalho sempre atrapalhou, levando a um cancelamento de última hora.

Não, claro que não foi o *meu* trabalho. *"Desculpe, vou ter que cancelar o café. Preciso ir para o aeroporto pegar o voo noturno. Sou a principal palestrante no seminário internacional dos passadores de manteiga em sanduíches em Dallas."* Uma desculpa assim não funciona.

Não, Sasha é quem tem cancelado sempre. E sempre usando a mesma palavra: *trabalho*. Se eu não fosse tão bem resolvida e segura de mim mesma, começaria a pensar que ela está me evitando porque me tornei uma intocável, uma coisa, uma exilada, uma marginal social, uma leprosa...

Preciso trabalhar mais nessa coisa de segurança e confiança.

Ergo os olhos e a vejo parada na porta do café. Ela me vê e, quando chega à mesa, trocamos um abraço afetuoso — já me sinto mais segura.

— O que é esse cheiro de curry? — ela pergunta, sentando-se.

— Não sei — respondo e sinto que fico vermelha. — Deve ser algo que estão preparando na cozinha.

— Seu cabelo está lindo — ela diz.

Meus cabelos estão murchos, cheirando a curry e precisando ser lavados desesperadamente, mas estão sem as extensões e acho que ela se referiu a isto.

— Bem, já era hora de me livrar daqueles pelos de rato. Você mesma disse que eram horríveis.

— Não queria dizer aquilo, você sabe.

— Era a única coisa sobre a qual você estava certa, Sash. Eram uma porcaria. Emily deu um puxãozinho de nada e metade caiu.

— Então, me conte, como vão as coisas? — ela pergunta. — Você gosta de trabalhar com seu pai?

— Ah, sabe como é... — Pensei em dizer que estou presidindo um comitê governamental importante que busca encontrar uma maionese que não respingue, mas acabo dizendo: — É legal. Pelo menos não é tão horrível como pensei que seria. E você? Como vai o The Zone?

— Ah, como sempre, sabe como é — ela responde sem graça. — Todos mandam lembranças.

— Verdade? Você disse que iria se encontrar comigo?

É a vez de ela ficar vermelha e fico sem graça — ela estava dizendo uma mentira, mas queria ser gentil.

— Bom, Becks manda lembranças — ela diz, olhando para o café. — Acho que vai pedir demissão. Está tendo grandes dificuldades em se adaptar, depois de tantas mudanças.

Aparentemente, houve várias mudanças. Jenna foi embora. Ficou escandalizada com o tratamento dado à sua cliente célebre e pediu demissão em protesto. Mas foi uma jogada equivocada. Achou que todos os seus alunos adolescentes iriam atrás dela, mas, embora vários quisessem fazer isso, a multa do cancelamento da academia é exorbitantemente alta. Jamie agiu depressa e colocou uma substituta que, com sorte, seria tão boa com a garotada quanto a Princesa Cor de Rosa. Mas ele não precisava se preocupar porque — como já sabia há anos — Sasha é uma bailarina muito melhor que Jenna. Jamie a convenceu a assumir temporariamente as turmas de Jenna e foi a melhor coisa que poderia ter acontecido para os dois. Ensinar a dançar, em vez de dar aulas de aeróbica, fez com que Sasha recuperasse a confiança. Descobriu que, quando se dança tão fantasticamente como ela, basta dar o exemplo. Não demorou muito para que cativasse a audiência. E me conta que largou o trabalho na loja e está ensinando o dia todo.

Irônico, né? Lá estava eu, tentando arrumar uma chance para ela o tempo todo, quando só o que precisava fazer era sair do emprego e deixar que ela se virasse sozinha. Estou mesmo feliz por ela. Depois do que passou com Karl/Ben, ela merece.

Ela não foi a única que se deu bem nisso tudo. Adivinhe quem ficou com meu emprego. Dica: ele não beija meninas. E deve estar com os bolsos lotados. Não acredito que ele tenha *doado* a fita para o *Sun*.

A história também não fez mal algum a Blaize. Acho que ela passou alguns dias pensando que iria morrer de humilhação, mas acabou saindo da experiência como uma nova mulher — pornograficamente falando, você pode acrescentar se quiser. Enquanto reencarnei como alguém insignificante no ramo alimentício, ela renasceu como a Deusa do sexo. É difícil acreditar que há poucas semanas ela atraía somente a camada adolescente, porque agora legiões de homens adultos estão babando por ela, e exércitos de mulheres querem ser como ela.

E Jamie? Ao contrário do que se imaginava, a reportagem no *Sun* não foi o beijo da morte, mas a sorte grande do The Zone. Mas, se ele tivesse gasto milhões em propaganda, o efeito não teria sido o mesmo. Sasha me disse que precisaram contratar uma pessoa só para atender às solicitações de matrícula. Agora — depois que saí de lá — é que ele contrata mais gente.

E tudo se deve ao fato de que eu tive a *presença de espírito* de pegar a fita no apartamento de Karl. E qual o agradecimento que recebo? Bem, fodam-se todos.

Menos Sasha. Tudo bem, ela está olhando ao redor, nervosa como um coelho assustado, provavelmente apavorada com a ideia de que algum conhecido possa vê-la na companhia da mesquinha que vendeu a Blaize, mas pelo menos está aqui. Foi a única que não me abandonou, a única que *acredita* que não fiz isso.

Ela respira fundo e diz: — Acho que você não quer ouvir sobre Dan...

— Nem mencione o nome daquele filho-da-puta miserável. — Ela fica pálida. — Ok, vá lá, conte — digo.

— Você deveria ver como ele puxa o saco de Jamie.

— Ele sempre foi um fingido — digo... Ah, e eu não era? Puxar o saco de Jamie faz parte do trabalho. Na verdade, a frase *puxar o saco de Jamie pelo menos três vezes ao dia* é o item número um na lista das obrigações do gerente geral.

— Ainda não acredito no que ele aprontou com você — ela suspira.

Nem eu. Depois daquela ligação do *Sun,* tentei esclarecer as coisas. Ele deu uma desculpa esfarrapada sobre o jornal querer reservar um estúdio, mas que era altamente secreto, o que explicava de modo muito vantajoso por que não tinha dito nada a ninguém. Mas, *ora bolas*, Daniel e eu sempre contamos tudo um para o outro — principalmente quando algo deveria ser *altamente secreto*. E o *Sun* tem usado o local? Segundo Sasha... hã, não.

Poucos dias depois de ter sido demitida, ele telefonou. Para quê? Vangloriar-se? Minha mãe guarda um apito ao lado do telefone — ouviu em um programa feminino que é uma excelente maneira de se livrar de telefonemas obscenos (não que ela tenha jamais recebido um). Não sei como funciona com tarados, mas é perfeito para dar cabo do filho-da-puta que ficou com seu emprego e destruiu sua reputação. Sasha contou que ele foi trabalhar no dia seguinte com um algodão no ouvido.

— Como ele se atreve? — Sasha continua. — Vocês formavam uma *dupla* e tanto. Unidos como o Tico e Teco, acho.

Quis rir, mas estava quase chorando. E disfarcei, olhando para o lado.

— Sinto muito — ela diz. — Não deveria ter mencionado o nome dele, né? Puxa vida, eu e minha língua enorme.

— Estou bem — minto. Mais uma vez.

— Por que não conta sobre o telefonema do *Sun* para Jamie?

— O que adiantaria? É a minha palavra contra a de Daniel. Além disso, não apunhalo ninguém pelas costas. Olhe, esqueça o Daniel. Um dia desses ele vai receber o que merece em algum beco escuro, de madrugada... Deixe para lá. Você vai ver o *reality show* esta noite?

Finalmente o *reality show* de Tetas Grandes vai ao ar. Segundo o jornal, é "uma exposição reveladora da vida nos bastidores de uma academia sofisticada de Londres". (Posso ouvir Jamie agora. *"Não é uma merda de academia de ginástica. É um EMPÓRIO COMPLETO PARA O CORPO!"*) Enquanto meu pai espera que apareçam tomadas em close de seus abacaxis frescos, acho que o resto do público espera ver os melões de Blaize.

— Ah, *isso* — Sasha diz de modo casual. — Na verdade, hoje todo mundo estava meio eufórico. *Vamos aparecer na tevê, vamos aparecer na tevê!* Patético. Não, não irei assistir.

É bom ver que ela tem alguma integridade.

— Vão passar um documentário sobre cirurgia plástica no Channel Five às 22 horas e vou gravar. — Oh.

— Você vai assistir? — ela pergunta.

— Acho que não.

— Não quer ver como fica na TV?

— Sei como pareço, obrigada. Parecido com o que um dos cães purgantes de Sharon Osbourne deixa no tapete.

— Ah, eu contei? — ela diz, mudando repentinamente de assunto. — O Gurly-Wurly despediu Ben, quero dizer Karl. Deixa pra lá. Alegaram *diferenças criativas*.

— Coitado — digo, mas estou feliz em saber que não sou a única com a vida destroçada com o que aconteceu.

— Adivinhe quem pegou o trabalho.

— Não me conte. A desgraçada da Jenna Mason.
— Não — *eu*!
— Isto é ótimo — respondo, e uma onda de felicidade me invade. — Sempre soube que você era talentosa.
— E adivinhe o que mais...

Sasha começa a fofocar sobre o The Zone e eu desligo. Penso em todas as conversas que costumávamos ter, nas vezes em que tentei fazer com que ela tivesse mais fé em si mesma, que acreditasse que poderia fazer o que quisesse. A transformação é surpreendente e me sinto feliz por ela. Mas, enquanto ela fofoca, a sensação desaparece e é substituída por... O quê? Tristeza? Autopiedade? É difícil descrever... uma sensação enorme, gigantesca de não ser de carne e osso.

— ... E Ruby ficou muito chateada com Maya porque ela acha que Maya sempre é a primeira a escolher os estúdios para dar aula, e agora ela *e* Francesca não falam com ela...

Uma espécie de vazio inútil. Porque a vida continua no The Zone e, embora a minha ausência não tenha perturbado o local em quase nada, eu meio que sinto falta dele.

O pedaço em que lavo os cabelos

— Nón puder acreditar quí eles dizer isso de nós — meu pai resmunga. — Se mim vir eles, mim matar eles.

— Mude o disco, papai — respondo. — Não acredito que você ainda está resmungando a respeito disso.

Está reclamando há três horas, desde que voltei do encontro com Sasha e não parou mais. Para resumir a história, ele ficou sabendo através da rede de fofocas cipriota que os Georgious estão metendo o pau na gente. E muito. Não os vimos mais desde o... hã... *incidente*. Os rumores são de que George e Maroulla acham que somos completamente loucos. E como é que chegaram a esta conclusão? Absurdo, né? Parece que estão dizendo para quem quiser ouvir que nós não somos flor que se cheire e que devemos ser evitados como a peste.

— Molditos grigos, ser sempre mesma coisa — ele resmunga. — Molditos campuneses fufuqueiros. Mim dizer você, quí o quí eles dizer ser difamaçón. Falar com Margus Gristy na lanchonete. Mim pedir ele uns conselhos zurídicos.

— Quem?

— Você conhecer ele. Ser advogado de Phil Midgell.

— É Marcus *Christie*, papai, e ele é um *ator*. Ele só *faz de conta* que é um advogado.

Fico pensando se a crença de que a novela *EastEnders* é um documentário é um fenômeno generalizado ou se só atinge meu pai.

— Você ser jovem, Thaglotta. Nón entender dos leis britânicas como mim. Mim ir processar os filhos-de-puta e pegar todo dinheiro deles.

— Ah, essa é uma boa ideia. Contar toda a verdade nos tribunais.

— *Egsatamente!* Agora você estar a entender. A burdade. O justiça britânica ser sobre isso.

— Vamos ver se entendi direito. Você vai ficar feliz se o mundo todo souber que os Georgious pegaram suas duas filhas se estapeando na sala porque a menor de idade recebeu a notícia de que o resultado positivo do exame de gravidez era na verdade negativo?

— O quí você estar a falar? Nón ser nada assim. Ser um pequeno disontendimento subre nada importante e eles estar a aumentar os coisas fora de proporçón — responde o homem que não precisa ser diplomado em história para saber como reescrevê-la. — Se mim vir eles, mim matar eles. E mim proibir você de encontrar eles, mas, se encontrar, você matar todos.

— Meu Jesus, não me digam que ainda estão falando nos desgraçados dos Georgious, estão? — Minha mãe diz isso quando aparece na sala com uma nova rodada de salgadinhos deliciosos. — Parem com isso, tá?

— Onde estar Emily? — meu pai pergunta, finalmente terminando o assunto. — Você ver quí horas ser?

— Já disse, Jimmy — responde minha mãe. — Está na casa de Alicia, fazendo a lição de casa.

— Mim contente quí ela estudar tanto. Ela estar consertar coisas. Ser bom, nón?

Estudando uma ova — a menos que você considere uma aula de anatomia com Mehmet como estudo. Sim, ela ainda namora com ele, arriscando não somente a sua vida, mas a vida dos habitantes de Chipre, Turquia e Grécia. Só me resta rezar para que tenha entendido a dica, quando encontrou o pacote com dez preservativos que eu deixei debaixo do seu travesseiro. Sim, tenho desempenhado o papel de irmã mais velha boazinha com certa regularidade, embora ela nunca tenha me agradecido.

— Sim, é bom, papai — respondo. Não sou eu quem vai destruir o sonho dele. Minha irmã pode estar rolando na cama com um turco, mas quem sou eu para dizer alguma coisa? Está certo que ultimamente tenho tido a vida sexual agitada e variada de uma freira, mas não faz muito tempo estava fazendo sexo com um perfeito desconhecido em um banheiro para deficientes físicos — uma lembrança que ainda me faz transpirar, e não se deve à excitação sexual.

Dez Ajustada

— Jimmy, depressa! — minha mãe guincha repentinamente. — Você viu que horas são? Ligue a televisão. No Channel Four. Está *começando*.

Merda, esperava que ela fosse esquecer.

Enquanto meu pai aponta o controle remoto para a novíssima televisão tela plana (outra Sony, comprada em total desafio aos Georgious), levanto e saio de fininho em direção à porta.

— Não vai assistir, Charlie? — minha mãe pergunta.

— Adoraria, mas preciso lavar o cabelo para remover o cheiro do curry.

— Vou gravar, então.

— Sim, está bem — respondo e fecho a porta atrás de mim.

— Desça depressa, Charlotte. É *você!* Você está na TV — minha mãe grita ao pé da escada. — Meu Deus, aquela saia é um pouco curta.

Estou encolhida na cama. Levanto o travesseiro, coloco a cabeça debaixo dele e o aperto contra os ouvidos.

— Meu Deus, que confusão... Achei que Charlotte estava no comando... O que está acontecendo?... Por que estão todos parados olhando a TV?... Achei que as pessoas deveriam estar fazendo exercícios... — Os comentários aos gritos de minha mãe não param por meia hora. Não preciso assistir ao programa porque, mesmo com um travesseiro abafando o som, posso ouvir exatamente o que está acontecendo.

— ... Depressa, *depressa*, Charlotte, é seu *pai* — ela grita. — *Ahh*, aqueles abacaxis não parecem ser *deliciosos*?

Agarro o walkman no criado-mudo. Coloco os fones de ouvido, aperto *o botão de reproduzir* e aumento o volume até os tímpanos doerem.

Pisco na escuridão e olho os números vermelhos iluminados do despertador.

4h13

Não consigo dormir. Como posso, quando sei que há uma gravação do programa lá embaixo?

Até parece que eu não vou assistir.

Saio da cama, visto o roupão e ando pelo corredor, ouvindo três tipos diferentes de ronco. Desço as escadas na ponta dos pés. Os degraus rangem, mas ninguém acorda.

Chego na sala e ligo a TV. Pela minha mente passa o pensamento de que não preciso assistir a isto. Por que devo me obrigar a reviver o pior dia da minha vida? Posso zapear pelos canais. Ou assistir a este fascinante programa da Open University que está quase começando. Tudo sobre uma coisa chamada fadiga de metal.

Arrggh!

Talvez deva voltar para a cama e tentar dormir um pouco.

Quem estou tentando enganar? Onde está o maldito controle remoto?

Play.

Meu pedaço no papel de detetive

Estou do outro lado da rua olhando os sete andares revestidos de espelho do The Zone. Só agora percebo quanto senti falta deste lugar... *Déjà vu*. Há seis semanas e meia não estava neste mesmo lugar, sentindo exatamente a mesma coisa? Mas dessa vez há uma nova emoção à tona. *Entusiasmo*. É fraquinho, mas existe. E, se há alguma coisa que vai me fazer ter coragem para ir em frente, é ele.

Caminho pela calçada, atravesso a rua e não paro até ter subido os degraus e atravessado as portas. Lá dentro posso ouvir música, e não vem das TVs. É algo novo. Será ideia de Daniel Conrad? É uma trilha sonora suave, meio oceânica... Estou ouvindo baleias? Acho que é uma tentativa (de Daniel Conrad, gerente geral?) de criar sensações flutuantes e tranquilas assim que os clientes entram e deixam o agito londrino atrás deles. Em mim, a sensação que está criando é de enjoo marítimo, e estou prestes a vomitar quando uma voz me tira de meu transe.

— Charlie! — Rebecca grita do outro lado do saguão.

Lá está ela, atrás do balcão, acompanhada de rostos novos. Dois rapazes. Jovens e em forma. Está na cara que é Daniel quem está fazendo as entrevistas. E, nunca se sabe, pode até ser que saibam usar o computador.

O rosto de Rebecca está iluminado com um sorriso enorme, cheio de dentes, mas é um sorriso forçado e rígido, preso no rosto para disfarçar o pânico.

— Jamie sabe que você está aqui? — ela pergunta, e com isso deixa escapar que sim, ela está aterrorizada.

— Não. Ele está?

Ela encolhe os ombros. Pelo menos algumas coisas não mudaram por aqui. Um encolher de ombros de quem não tem a mínima ideia do que acontece ao redor sempre foi a resposta padrão de Rebecca a qualquer pergunta que fizesse quando trabalhávamos juntas.

— Como vão as coisas? — pergunto quando encosto no balcão.

— Ah, sabe como é, como sempre. — Uma *loucura*! — ela responde, dando risadinhas e acenando com a cabeça na direção da pasmaceira do local.

— Sim, posso ver — respondo, repetindo o gesto. Espere um pouco, por que estou sendo maldosa com ela? Não foi ela quem me despediu ou traiu maliciosamente nossa amizade. Ela somente iniciou o Apocalipse, usando apenas um controle remoto de televisão.

— Sabia que o documentário foi exibido ontem à noite? — ela pergunta.

Sim, sabia.

— Bem, recebemos mais de *duzentos* telefonemas hoje de manhã de pessoas querendo se associar — ela diz, impressionada. — Uma *loucura*!

— Fantástico — respondo, sem entusiasmo. — É uma pena não estar aqui para ajudar.

Ela abaixa os olhos, rosto vermelho. Merda. Agora me sinto *culpada*.

— Então, que tal o novo chefe? — pergunto, tentando suavizar as coisas.

— Daniel? Ah, ele é legal — ela responde animadinha. Das duas uma: (a) *ele é legal* ou (b) *toda a recepção está com escutas e só me resta dizer que ele é legal.* — Mas sinto mesmo a sua falta — ela diz baixinho, obviamente tentando escapar da fiscalização eletrônica.

Não tenho tempo de responder porque ouço o barulho do elevador abrir e fico paralisada. Ouço passos conhecidos vindo em nossa direção. Viro de costas ao mesmo tempo em que Jamie diz:

— Olá, Charlie, veio buscar a papelada do fundo de garantia?

— Na verdade, não, mas acho que posso fazer isso, já que estou aqui.

Ficamos olhando um para o outro por um segundo. O rosto dele está sem expressão, não demonstrando nada do que pode estar sentindo. Espero que esteja sendo igualmente capaz de esconder os nervos que se agitam dentro de mim.

— Então esta é uma visita puramente social? — ele finalmente pergunta.

— Não exatamente... Vim ver você... Se tiver um segundo.
— Então não é mesmo uma visita social — ele diz, entredentes. Enquanto me fuzila com os olhos, espero que esteja sentindo um pouco de remorso ao ver como a minha aparência está fantástica. Gastei uma fortuna no salão de beleza, cortando o cabelo, fazendo uma limpeza de pele, e estou usando um top da DKNY que acabou com o que tinha no banco — fiz tudo isso porque, se não *tenho* coragem para fazer o que preciso fazer, talvez possa *comprá-la*.

Sentir remorso? Jamie? Nem pensar, e ele comprova isso, dizendo:
— Não temos nada a dizer um ao outro. Estou saindo para o almoço. Rebecca pode mandar a papelada do fundo de garantia pelo corr...
— Não quero saber disso — eu me obrigo a dizer, porque passei a manhã toda prometendo a mim mesma que *não seria intimidada*. E, como reforço, jogo o cabelo para trás do ombro, daquele jeito que só se consegue quando se gastou uma pequena fortuna nele. — Preciso conversar com você, Jamie. É muito importante... muito, *muito* importante.

Ele me encara. O desprezo que sente por mim é visível e faz com que eu fique desconcertada. Mas responde, ríspido:
— Ok, na minha sala. Você tem um minuto.

— Afinal de contas, do que se trata? — ele diz, zangado, enquanto fecha a porta da sua sala. — Arrumou mais fitas pornográficas? O que você vai fazer? Experimentar fazer chantagem desta vez?

Sei que disse que não seria intimidada, mas, do modo como me sinto neste momento, talvez devesse ir embora.

— Eu *confiei* em você, Charlie — ele cospe as palavras. — *Gostava* de você. Tem ideia do quanto me *magooou*?

Meu Deus, isso já é ser um pouco melodramático demais, né? Principalmente o detalhe da mão contraída sobre o coração. (Preste atenção, papai. Pelo menos ele sabe onde fica o coração.)

— Como pode fazer isso comigo? — ele continua. — *Me trair*.

O ressentimento dele é palpável e parece querer me jogar contra a parede a qualquer minuto. Mas ele disse um minuto — melhor me apressar. Respiro o mais fundo que jamais respirei na vida — provavelmente o meu subconsciente acredita que será a última vez — e começo a falar:

— Em primeiro lugar, Jamie, você não pode estar indignado porque, quem quer que tenha entregue a fita ao *Sun*, fez um grande favor para estimular os seus negócios... (Este é um ponto fundamental. Jamie pode não gostar de ser traído, como qualquer pessoa, mas dinheiro é a sua prioridade absoluta. Ele não se importaria de levar uma facada nas costas desde que ela viesse acompanhada de um cheque com mais de seis dígitos)... e em segundo lugar...

Não consigo dizer o que vem em segundo lugar porque a porta se escancara. Daniel e Sasha entram, e estão rindo tanto que não percebem que Jamie e eu estamos aqui antes de chegarem no meio da sala.

— Jamie! — Sasha diz engasgada, o rosto contorcido de susto. — Pensei que estivesse almoçando.

— Charlie! — Daniel esgasga ao mesmo tempo. — Seu cabelo... está lindo.

Tão desgraçadamente *gay*. O ar do ambiente está soltando faíscas com a hostilidade de alta-voltagem e ele nota o meu cabelo. Mas depois desta frase brilhante ele cai em si, e o medo toma conta dele. Deve ter se lembrado do apito que ouviu em nosso último telefonema.

— O que estão fazendo aqui? — Jamie grita. — Sempre usam minha sala como parque de diversões quando pensam que não estou por perto?

Vejo os dois se encolherem. Fico envergonhada de admitir, mas estou adorando vê-los assim desconfortáveis... *Que nada*, não tenho vergonha alguma em admitir isso.

— Não — Sasha responde na defensiva. — Bem, quer dizer, não mesmo, de jeito nenhum... Hã, tenho uma aula em cinco minutos, e nós só estávamos, hã... — Ela olha para Daniel pedindo ajuda, mas ele é um cachorro com o rabo metido bem no meio das pernas.

— Não quero saber — Jamie diz, sem querer esperar que os dois inventem uma desculpa. — Desapareçam daqui. Charlie e eu estamos no mei...

— Não, Jamie, deixe que fiquem — disparo. — Eles precisam ver isto.

— Ver o quê?

Pego a bolsa (com mãos levemente trêmulas) e tiro uma fita de vídeo...

Sesssssão de cinema!
Daniel e Sasha parecem confusos. Jamie parece furioso.
— Não tenho tempo para isso, Charlie — ele diz.
— *Quer fazer o favor!* — digo rispidamente. Funciona, porque Jamie senta no sofá, acompanhado por Daniel e Sasha. Vou até a TV tela plana e coloco a fita no videocassete, ignorando o comentário de Jamie:
— Meu Deus, eu sabia. É outra maldita fita de vídeo. — Estou prestes a apertar o botão *play*, mas paro. Começo a perceber que a cena parece saída de uma série *de detetive*. Sabe como é, a cena final que é sempre igual em todos os episódios. Todos reunidos na sala e o detetive revela a pista fundamental antes de apontar para... o *culpado*. E ele sempre faz um pequeno discurso, né? Viro e olho minha plateia. Daniel (com ar muito assustado), Sasha (com ar muito confuso) e Jamie (olhando para o relógio). Limpo a garganta e...
Mando tudo à merda. Aperto *o botão play* e vejo os créditos de abertura aparecerem.
Droga, merda, *droga*! E para completar, *puta que pariu*! Se isto fosse uma série de detetives, é claro que o personagem principal já teria tudo programado e deixado a fita no ponto exato para o grande clímax. Não perderia tempo rebobinando tudo até o início, obrigando-o a rodar a fita em busca do *ponto exato* enquanto o público espera impaciente... Mas o que posso dizer? Puxa vida, já era muito tarde quando acabei de assistir ao documentário, passava das cinco da manhã. Estava exausta. Não pensei direito.
Jamie perde a paciência.
— Meu Deus, garota, que diabos você está aprontando? Você espera mesmo que eu fique aqui sentado...
— Jamie, *cale a boca* — respondo, de novo rispidamente. — Não vai demorar nada... sei exatamente o que estou procurando. E espero que sim, enquanto meus dedos procuram o botão *forward*. Encontro o botão, e as imagens avançam em disparada... Passamos por Daniel perseguindo a câmera como se fosse alguém que sabe que seu destino é ter uma série de TV só para ele. Passamos por Fenton levando seus bailarinos a um transe *à la* Justin Timberlake... Passamos novamente por Daniel, imitando demais os trejeitos afetados de um ator famoso...

Steve flexionando os bíceps... Mestre Stan Lee partindo um tijolo com um só golpe da mão (nunca entendi o motivo desta coisa. Não existem ferramentas para fazer isto?)... Daniel... *Mais uma vez...*

— Vou dar mais dez segundos — Jamie diz. — Se até lá não tiver dito o que pretende, vou embora. E você vai junto.

— Falando nisso, acho que já está na hora de ir — Sasha diz, nervosa. — Minha turma está me esperando.

Viro e olho para ela, suplicante. Relutantemente, ela se senta de novo.

— Estamos quase lá, gente — digo.

E quando volto a olhar a TV, vejo que estou quase chegando lá mesmo. Cheguei no ponto em que a fita da Blaize está sendo exibida nas TVs do The Zone. E, preciso admitir, a equipe do Channel Four lidou com isso de maneira brilhante. Não mostraram nada. Nenhum fotograma da trepada apareceu na tela, o que tornou a coisa mais poderosa ainda — como nos filmes de terror em que o monstro só aparece no final. Mas deixaram que ouvíssemos o sexo. Os gemidos de uma Blaize ofegante (que, logo, logo, algum DJ esperto vai incluir em uma música e transformá-la em um hino de um clube em Ibiza) podem ser ouvidos no glorioso som estéreo. Optaram por *exibir* as reações das pessoas. O cara na lanchonete deixando cair a barra de chocolate no copo de Coca-Cola. A garota na piscina parando no meio da braçada. O cara despencando da esteira ergométrica... E, finalmente, a recepção — meu antigo lar longe do lar — em que Rebecca e Velvet estão com o queixo no chão, olhando os monitores.

A seguir, surge a multidão no saguão. Daniel e eu saindo do elevador e encontrando Sasha esperando por nós; Daniel fugindo do local; Blaize e Karl chegam e vão embora; Sasha pedindo calma; meu pai e a entrega de frutas; Jamie voltando da reunião com o advogado. Estou de costas enquanto estudo as imagens, mas ouço que estão se movendo desconfortavelmente. Posso ouvir as bundas remexendo no sofá de couro. Finalmente chego aonde quero.

Aperto *o botão play* e a fita volta à velocidade normal. Não estou mais visível porque Jamie tinha me mandado para a sala dele. Meu pai está no centro da tela — outro homem que sabe que seu destino é ter uma série na TV (provavelmente chamada *E mim ir dizer mais uma*

DezAjustada

coisa para você). Está segurando um abacaxi e dizendo "O modo de saver quí ser pirfeito é apertar e sentir quí estar macio... Aqui, você iksperimentar".

— Já chega, Charlie, seu tempo terminou — Jamie diz. — Vamos...

— Está quase, está *quase* — respondo, frenética. — Olhem com atenção, porque se piscarem vão perder... *Ali*! Viram?

— Ver o quê?

Aperto o botão *de pausa*, depois recuo. Rebobino cerca de trinta segundos, e dessa vez reproduzo a fita quadro a quadro.

— Olhem com atenção — digo. — Ignorem o meu pai. Olhem para o que acontece atrás dele... no balcão da recepção.

Com as imagens avançando v-a-g-a-r-o-s-a-m-e-n-t-e, é mais fácil focalizar o caos atrás de meu pai. É mais fácil ver Daniel voltando ao saguão depois da fuga fingida e...

— Aqui — digo. — Esperem aí... *Pronto*... Desta vez vocês viram, certo?

Atrás de mim, só silêncio. Não me atrevo a virar... Mas, por fim, Daniel fala.

— Sua grandessíssima filha-da-puta.

Ah, sabia, ele viu tudinho.

E agradeço a Deus pela invenção das televisões gigantescas. Como foi que Maroulla descreveu a sensação quando viu a nossa TV nova? "Saber, você ver coisas quí você nonca vir antes." Nunca pensei que daria crédito a uma inspiração de Maroulla Georgiou, mas aí está.

— Que diabos preciso ver? — Jamie diz, zangado, porque odeia ser o último a entender o que está acontecendo.

Rebobino, aperto o *play*, e dessa vez faço uma narração.

— Ok, vejam Daniel passando por trás de meu pai... Vejam Rebecca, Velvet e Sasha atrás do balcão... Daniel passa na frente delas... Agora só temos *duas* garotas... Cadê a Sasha?... Ah, aqui está ela, levantando. Deve ter abaixado para amarrar o tênis... Mas o que é isso?

Paro de falar e aponto para a tela. Para um objeto retangular preto — com a forma e o tamanho de uma fita de vídeo — na mão de Sasha. E logo depois ela desaparece, colocada dentro de um bolso interno na sua jaqueta acolchoada Zone.

— Puta que pariu — Jamie diz, finalmente entendendo.

Agora me viro e os encaro. Ninguém olha para a TV. Jamie e Daniel encaram Sasha, que está com os olhos fechados. Jamie abre a boca para falar/gritar/berrar com ela, ninguém sabe o quê, mas, antes que ele possa começar, Sasha levanta e dispara para fora da sala.

Não tenho que procurar muito para encontrá-la. Está no vestiário dos funcionários, esvaziando seu armário, jogando desajeitadamente suas coisas na sacola de ginástica. Ela escuta meus passos, mas não me olha. Está chorando e não acredito que ainda consiga ter pena dela depois do que fez.

Estava zangada quando descobri tudo às cinco da manhã. Estava mesmo, *muito*, muito zangada, e se Sasha estivesse ali comigo não me responsabilizaria pelos meus atos. Ainda estou magoada, mas não consigo evitar a sensação de pena que surge dentro de mim. Lá se foi o Instinto Implacável de Jamie — não tenho nem um Instinto Chute no Saco. Mas, desde o momento em que vi Sasha nervosa e trêmula esperando para fazer seu teste, sinto esta necessidade de cuidar dela.

Vou até ela e digo:

— Pare, Sasha. Fale um pouco comigo.

Ela me ignora, jogando com raiva as coisas na sacola, como se fosse ela a magoada.

— Por que você fez aquilo? — pergunto, aproximando-me e tocando seu ombro.

— Ah, vá se foder, Charlie. Até parece que liga — ela responde, afastando a minha mão. — Não vê o que você fez?

— O que *eu* fiz? — digo, engasgada.

— Você me humilhou na frente de Jamie. Arrasou comigo. Estou *acabada*.

No momento não me sinto muito protetora.

— Ah, mas para você estava tudo bem quando perdi o emprego e meu nome foi jogado na lama, né?

— Isso é bem a sua cara! — ela grita. — Não foi suficiente roubar meu namorado. Tinha também que arruinar minha carreira. Você é uma filha-da-puta egoísta.

Dez Ajustada

Abro a boca, mas me obrigo a fechá-la. Sei que tenho o hábito de dizer o que penso e depois sempre me arrependo. Resolvo ficar em terreno sólido e não digo nada por um minuto. Tento me acalmar um pouco.

— Não peguei a fita de propósito, sabe? — ela diz, depois de um momento de silêncio.

— Por que você fez aquilo, então?

— Peguei para... Para guardar pra você — ela diz baixinho.

— Bem, e por que não me devolveu quando me viu revirar o lugar atrás dela?

— Não pude — ela choraminga. — Era tarde demais. Todo mundo iria pensar que roubei de propósito.

— Mas fomos tomar um café logo depois do acontecido. Você sentou comigo e ouviu minhas acusações contra Daniel. Você viu o inferno por que passei, Sasha.

— Era tarde demais — ela sussurra. — Ia mandar pelo correio, em um envelope anônimo.

— Mas resolveu dar a fita ao *Sun*. Para quê? Para guardarem? Quanto pagaram a você?

— Você não sabe como eles são.

— Tem razão. Não sei. Nunca vendi uma amiga para um tabloide.

— Eles fazem uma pressão tremenda sobre você. E não estava vendendo *você*, estava? A Blaize é quem apareceu toda esparramada no jornal. Não sabia que Jamie iria despedi-la.

— Isso nem passou pela sua cabeça?

— Ele adorava você, Charlie. Achei que... Sei lá. Achei que você iria se dar bem, como sempre. — Ela está se recuperando e prestes a me atacar novamente. — Nunca nada de ruim acontece com você, né? Você passeia pela vida, sempre conseguindo o que quer, sem ter que fazer força. Quer saber de uma coisa? Depois que você foi despedida, comecei a ver como é ser você. As aulas que eram de Jenna simplesmente caíram no meu colo. Depois o trabalho com o Gurly-Wurly. Todo mundo me adorava. Todos me badalavam como sempre fizeram com você. — Ela pega a sacola e a atira sobre o ombro. — Deveria saber que isto não iria durar. Parabéns, Charlie. Você venceu novamente.

— Mas, Sasha, nunca estivemos em guerra — digo, enquanto ela me dá as costas e sai.

Sento no banco entre as fileiras de armários, sentindo-me mais confusa do que no dia em que lutei cinco rounds com Emily.

Ouço a porta abrir e viro para olhar, esperando como uma boboca que fosse Sasha voltando para... O quê? Trocar beijinhos e fazer as pazes? Não é ela. É Daniel. Que me olha, aliviado.

— Puta merda, que alívio — ele diz. — Vi Sasha sair daqui batendo os pés e achei que iria encontrar o seu cadáver. — Tudo certo?

— É isso o que todo mundo pensa de mim? — pergunto, ainda chocada.

— O quê?

— Que sou uma filha-da-puta mimada e egoísta que só precisa estalar os dedos e conseguir o que quer?

— Claro que não.

— Sasha está inventando, é?

— Você vai acreditar na avaliação de uma debiloide sem caráter como ela? Todo mundo gosta de você, Charlie. Por que não gostariam?

— Ah, vai me dizer agora que ninguém falou mal de mim quando Jamie me promoveu?

— Claro que sim. Os boatos diziam que você deu uma chupada nele para conseguir o cargo, mas era fofoca boba. Sem maldade. Quando fui promovido, disseram a mesma coisa. Todo mundo faz fofoca sobre o chefe. A vida é assim mesmo. Não quer dizer que não *gostem* do chefe... A menos que ele se chame Lydia.

Ele está sentado ao meu lado e sua mão deslizou pelo banco até cobrir a minha.

— Não acredito no que ela fez — ele diz. — Eu apostava na Velvet.

Sinto a culpa invadir meu corpo.

— Sinto muito, Daniel.

— Por quê?

— Por ter acusado você de...

— Esqueça — ele responde, sorrindo. — Teria achado o mesmo no seu lugar. Todo mundo acha que sou o culpado de tudo, é a minha fama de menino levado. Mas, se quer mesmo se desculpar, pode me fazer um *enorme* favor.

— Mesmo?!

— Tenho vinte e cinco aspirantes a bailarinos no Estúdio Três e nada da merdinha da Sasha. Você não gostaria de colocar uma malha colante e...

— Nem morta, Daniel. Mas pago uma bebida... Se quiser.

— *Moi*, ir tomar um drinque com uma vendedora de sanduíches? — ele grita. — Claro que sim, me dê cinco minutos.

Este é mesmo o último pedaço do último pedaço

Philip cruza a recepção dando saltinhos na ponta do pé e para no balcão. Está usando o seu ar indignado. Aponta de modo metido a besta para os operários que estão derrubando uma parede de concreto do lado de fora.

— Charlie, se soubesse que teria que ensinar balé em um canteiro de obras, teria trazido meu capacete e uma caixa de ferramentas.

— Ooh, o visual Village People, seu safadinho retrô — Daniel ronrona, o que faz com que Philip saia todo irritadinho, com um andar afetado.

— Ele tem um pouco de razão — grito por cima do barulho do martelo pneumático. — Isto não é nada um refúgio de paz e tranquilidade, é?

Os construtores estão instalando uma rampa de acesso a cadeiras de rodas. *Sério*. Não dá para acreditar no quanto as coisas estão mudando por aqui.

A maior mudança de todas é que estou de volta, apesar de isso provavelmente não parecer uma grande mudança, já que não estive afastada assim *tanto* tempo. Dois dias depois de ter mostrado a fita a Jamie, estava sentada de novo no seu escritório, mas dessa vez a convite dele.

— Gostaria de trazê-la de volta para o seio da nossa empresa, Charlie — ele disse.

— A vida continua, Jamie — respondi, com um menear de cabelo, no qual gastei um zilhão de libras no cabeleireiro. — Agora tenho uma nova carreira. Outras ambições, novos horizontes...

— Estou implorando. Este sítio mal funciona sem você. Você, Charlie, *é* o The Zone.

— O... k — digo, depois de uma pausa agonizante (para ele). — Mas tenho algumas condições a impor.
— Diga.
— Quero o dobro do meu salário anterior... E oito semanas de férias, o seu escritório, um carro, talvez um Porschezinho vermelho...
— Vi o seu rosto ficar pálido e calculei que poderia dar-lhe mais uma paulada antes de ele entrar em coma. — ... e uma mesada de 500 libras por mês para despesas com roupas.
— Negócio fechado. Quando pode começar?
O quê, você acreditou nisso? Só a parte em que ele disse "Gostaria de trazê-la de volta para o seio da nossa empresa" é verdade (e ainda assim estou traduzindo. Acho que as palavras dele foram "Então você deve querer o seu antigo emprego de volta"). Não quis saber. Só queria que ele soubesse que *não fui eu quem fez aquilo*. Mas impus uma condição que ele aceitou. Relutantemente. E a reunião de equipe em que ele se levantou e me fez um absoluto pedido de desculpas é uma memória que vou levar para a cova. Para dar a ele o devido mérito, ele me passou um envelope marrom no meu primeiro dia de volta aqui.
— O que é isso? — perguntei.
— Uma coisinha para o tempo em que você esteve... hum... de licença. É dinheiro, por isso não declare nos impostos, raios partam.
Então o que há de novo? Estou de volta; Daniel e eu estamos tirando sarro de tudo; Philip está tendo ataques de birra; Rebecca está pegando os cafés para nós... tudo exatamente como antes, né? Bem, há a rampa para as cadeiras de rodas. Depois do programa de TV, que só mostrou gente perfeita, um grupo de ativistas pelos direitos dos deficientes físicos acampou na frente do edifício, nas suas cadeiras de rodas, bloqueando a entrada. Mas Jamie não ia ceder: — Olhe só para os merdinhas pé-de-chinelo — troçava, com desprezo. — Acha que eles sequer podem pagar uma inscrição aqui?
Mas depois de a coisa se arrastar por dois dias, e de termos aparecido de novo em todos os jornais, fiz umas ligações e descobri que podíamos receber subsídios da prefeitura *e* da União Europeia para construir instalações para deficientes. Jamie *adora* subsídios. Sabe exatamente que empreiteiros usar para ajudá-lo a dar o golpe e tirar uma vantagem.

A rampa é só o começo. Logo, logo, haverá vestiários para deficientes, portas extralargas para os estúdios, sinais em Braille nos elevadores, e estou louca para ver a primeira aula de step para paraplégicos de Ruby.

Desculpem, estou mentindo de novo. A rampa é só o começo, ou melhor, foi isso que disse o comunicado à imprensa. Para dizer a verdade, também é o fim. Basicamente, os deficientes físicos são muito bem-vindos para rolar cá para dentro e admirar o saguão, antes de rolarem de volta lá para fora. Jamie me disse que vai montar a rampa para calar os ativistas, mas, se as pessoas imaginam que ele vai fazer mais alguma coisa, podem continuar a sonhar. Acenei e não acrescentei muita coisa. Um passo por vez, fico pensando — bem, para aqueles de nós que têm a sorte de poder andar, quero dizer. Para aqueles que têm menos sorte, deem-me tempo.

Na verdade, para além da rampa, posso informar outra pequena alteração.

Bem grande, na verdade.

— Se segure, Daniel. Aí vem ela — digo, enquanto as portas automáticas se abrem. Olhamos Lydia entrar pelo saguão como se nunca tivesse saído daqui.

— Bom-dia — saúdo. — É maravilhoso ver você novamente.

— Você está fantástica — Daniel acrescenta, com o sorriso mais bajulador do mundo escarrapachado no seu rosto.

— Deixe disso — ela responde, um olho em mim, outro em Daniel. — Dá para ver que estão jogando confete. E agora, está tudo pronto? — Acenamos como dois bonecos de mola. — Já verificou o sistema de som? O refrigerador de água está no lugar? E toalhas? Precisamos de uma dúzia delas. E há flores do dia? Oh, e docinhos. As garotas gostam de beijinhos.

— Aposto mesmo que sim — Daniel murmura enquanto trocamos olhares. Não tínhamos tido uma lista de exigências assim desde que Blaize esteve aqui. Mas a verdade é que agora Lydia também está no ramo das divas. É sócia na Crisis Management e reservou o estúdio do subsolo para um dos clipes. Essas divas ainda não têm um disco gravado, mas, acredite em mim, vai se ouvir falar muito delas... *Muito mesmo.*

Dez Ajustada

Depois do que Jamie fez com ela, por que a Lydia está de volta aqui? Quero dizer, Londres tem montes de centros de estúdios perfeitamente bons — sabe, daqueles que não a despediram por ter olhos tortos. Ela está aqui por causa do acordo que fez com Jamie. Ela concordou em retirar o processo de demissão sem justa causa em troca de instalações para ensaios, de graça, para todos os artistas da Crisis Management. Jamie pensou que estava conseguindo um grande negócio — nada de notícias negativas, custos legais pesados, indenização ainda mais pesada à Lydia quando ela ganhasse o processo (porque, ele sabia bem, ela teria ganhado). E, para além disso tudo, ainda teria um fornecimento constante de estrelas pop entrando pelas portas do The Zone. Mas, quando assinou o espaço pontilhado, não imaginou o tipo de estrelas pop que a empresa de Lydia representa.

Quando ela estava tentando me convencer do valor do negócio, no outro dia (como se eu fosse a diretora de artistas da CBS), Lydia disse:
— Querida, estas garotas vão ser mega. Acredite em mim, garotas grandes serão o novo estilo.

Daniel e eu tínhamos visto as fotos, mas nada podia ter nos preparado para a realidade. E agora aqui vêm elas, em carne, por assim dizer. Subindo poderosamente os degraus, espremendo-se pelas portas, fazendo tremer o chão no seu caminho para o balcão. A Grande Novidade do Futuro. São três, e Lydia está falando delas como as Spice Girls do século XXI. Daniel já as apelidou: Spice Banha, Spice Ainda Mais Banha e Spice Monumentalmente Gigante. Não dá para negar, elas *são* enormes, mas dei um chute nele quando ele disse isso. Nunca viram a minha família por parte de pai, né? Sei que puxo mais à mamãe, em termos de corpo, mas as coisas podem mudar facilmente. Posso ficar mais ou menos como estas garotas daqui a poucos anos, e, se gordinhas vão ser a nova moda, vou apoiar isso completamente.

Elas chegam ao balcão e Jacqueline (quem diria, é uma delas — e por enorme que seja, é só a Spice Banha) se inclina e dá um beijo bem molhado em Daniel. E ele merece. Afinal de contas, é o cara que percebeu o potencial MTV dela há todas aquelas semanas, quando a inscreveu como sócia Platina.

— Certo — diz Lydia, batendo palmas feito uma diretora —, vamos andando com isto. Daniel, quando é que os caras do *Sun* vão chegar?

— Daqui a mais ou menos meia hora — ele diz, limpando discretamente a mistura de baba e batom da sua bochecha.

Sim, sim, sim, aquela chamada que atendi no dia em que fui despedida, do *Sun*... bom, Daniel não estava me enrolando. Era para organizar este... hã... evento *demolidor*. E foi adiado por tanto tempo porque uma das garotas (a Spice Ainda Mais Banha, acho) começou a fazer a Dieta Atkins e foram necessárias algumas semanas para colocá-la de novo em forma.

Encaro Rebecca, que está de volta com os cafés, e digo:

— Becks, se importa de levar as garotas para o estúdio delas?

— Estão no dois, certo? — ela pergunta, pousando as bebidas sem entornar e mostrando um sorriso deslumbrantemente confiante.

Enquanto Rebecca acompanha A Grande Novidade do Futuro, Daniel se vira para mim e pergunta:

— Como fez para ela conseguir se lembrar?

— Fácil — respondo. — Fiz ela decorar "*Estúdio Dois, é Lydia, pois*".

Essa é outra coisa que está mudando aqui: Rebecca. Estou mantendo a promessa que fiz a mim mesma de ensiná-la *corretamente*. E estamos chegando lá. As rimas simples funcionam com crianças, né? Todos os melhores professores sabem disso. Aposto que até Einstein se sentou uma ou outra vez na sala de aula e recitou alguns versos. Ok, não estou à espera que Rebecca descubra os mistérios do universo, mas ela *vai* se tornar a melhor profissional de fitness do planeta, *raios que a partam*.

Vemos as portas do elevador fecharem-se atrás das garotas e desabafo:

— Graças a Deus, Jamie está em Los Angeles. Não conseguiria lidar com ele vendo isto.

— Você não discutiu isto com ele? — Daniel gagueja.

— Pensei que você ia falar.

— Você é que é a porra da gerente geral.

— Não, *você* é que é.

A verdade é que somos os dois. Quando Jamie voltou a me contratar, não dava para despromover Daniel, né? Isto poderia ser um problema se não fosse pelos acontecimentos da semana passada de Daniel. Ele está caminhando para coisas maiores e melhores. É mesmo um homem destinado a ter o seu próprio programa de TV. Depois do desempenho de desfilar na frente da câmera do Channel Four, ele foi inundado por telefonemas dos produtores. Bem, houve um telefonema. Queriam ele para um programa de auditório — para ser um dos caras que acompanham os convidados pelo estúdio, para perto do apresentador. Mas Daniel é muito exigente. Ele não ia entrar nesta coisa de *acompanhamento* de jeito nenhum. (E o que ele está fazendo aqui, se não isso?) E fez bem em esperar, porque conseguiu uma oferta da ITV. Vai co-apresentar o seu primeiro programa infantil de sábado de manhã daqui a duas semanas. Daniel apresentando um programa para crianças? Que piada... ao menos prometeu não fazer sacanagem com os câmeras na frente dos pequenos.

Vou ficar miserável com a saída dele, mas pelo menos vai deixar alguma coisa para trás: Carlton, Curtis e Rod. São os três caras que ele contratou para ajudar com o trabalho extra. São absolutamente lindos, mas — Deus *do céu* — nem no zoológico é possível achar três veados como esses. Já estão brigando pelos direitos ao depósito do sétimo andar. Vou ter de estabelecer um esquema rotativo qualquer para eles. Na verdade, gosto mesmo deles. É como ter Daniel em sistema *surround*.

Daniel não é o único a subir degraus na carreira. Jamie está na América, negociando a criação da The LA Zone, Blaize é número um pela quarta semana consecutiva, e até Sasha está viajando para climas exóticos. Agora deve estar em algum lugar entre Lanzarote e Tenerife.

Está trabalhando num cruzeiro, dançando com uma roupa de plumas, provavelmente se lembrando dos dias felizes em que tinha duas pessoas na sua aula de aeróbica. Só sei disso porque telefonei para ela. Uma amiga minha de outra academia disse que estavam procurando por professores, e pensei que ela poderia estar interessada. Daniel não queria acreditar que eu a estivesse ajudando — queria telefonar para todos os estúdios de dança de Londres para colocá-la na lista negra. Mas, ainda assim, fiquei atordoada com a amargura que ela tinha por mim, e acho que precisava provar que sempre quis ajudá-la. Mas já foi tarde. Quando liguei, a garota que divide o apartamento com ela me disse que tinha ido embora. Não espero receber um cartão-postal.

Estranho, sinto saudades dela. Pelo menos, da Sasha que conheci antes do começo da loucura Karl/Ben. Quanto ao sem-vergonha propriamente dito, desapareceu sem deixar vestígios. Tal como as fitas de nós dois trepando. Não, não as perdi. Só me livrei delas muito cuidadosamente — pense em tesouras, martelos, combustível e fósforos, e você vai ter uma ideia.

É fantástico estar de volta. Amo o meu trabalho. Vou amá-lo ainda mais quando o The Zone abrir em Los Angeles e Jamie passar a maior parte do tempo dele lá, deixando-me sozinha aqui, cuidando de tudo. Apesar de saber que, como ele é, vai instalar câmeras de vigilância de circuito fechado com uma ligação satélite para os EUA, só para me ter debaixo de sua vista. Não importa, é bom estar de volta. Meu celular toca e o tiro do bolso. Tenho um torpedo:

TUDO OK P/ ESTA NOITE?

— Você pode cobrir pra mim? — peço a Daniel. — Tenho que sair meia hora mais cedo.

— Você não vai mesmo se encontrar com ele, vai?

— Tenho que ir — digo, porque já respondi *sim* pelo celular.

— É claro que não *tem* que ir. Você está se metendo em um jogo perigoso, menina. Lembre-se: quem brinca com fósforos acaba queimando mais do que os dedos.

— Sim, sim, e quem dá o cu acaba dizendo merda. Bem, se minha mãe ou meu pai telefonarem, diga a eles que estou ensinando Rebecca como trabalhar com folhas de cálculo.

— Ah, sim, folhas de cálculo. A sua especialidade. A sério, por que não fala com eles sobre o cara? Ele é tão desgraçadamente qualificado. E não é do tipo de gravar você secretamente enquanto você lhe dá uma chupada... Espero.

— Daniel, você nunca vai compreender meu pai. Já o conheço há um quarto de século e ainda não o compreendo.

— Mas não faz muito tempo, ele queria que você se casasse com o cara.

Isso mesmo. Estou saindo com Dino/Dean/Doctor D — acho que estou criando uma tara por caras com vários nomes. Não estava nos meus planos sair com ele, não mesmo, mas sabe como essas coisas ganham vida própria... não sabe?

DezAjustada

Depois daquela noite no hospital, quando meti os pés pelas mãos, morria de vergonha cada vez que pensava no assunto. E andei pensando muito a seu respeito — qualquer coisa a ver com o jaleco branco que ele estava usando. Seja como for, decidi telefonar para ele pra pedir desculpas. Não fazem ideia do trabalho que tive. Liguei pro hospital, que me passou para um departamento que sugeriu que tentasse outro departamento, que me transferiu para outro hospital, que me pôs em espera antes de me transferir pra... Demorou uma eternidade, possivelmente alguns dias — perdi completamente a noção do tempo. Se tivesse sido uma verdadeira emergência médica, estaria morta e enterrada. Mas tudo o que queria era fazer a bosta de um pedido de desculpas.

Quando acabei o encontrando, estava tão nervosa — pra não falar sofrendo grave fadiga telefônica — que mal consegui fazer isso. Se bem me lembro, comecei por dizer: — Não deveria estar falando com você. Meu pai quer processar toda a sua família.

— Então por que está ligando pra mim? — ele fez a pergunta, perfeitamente razoável.

Consegui parar de dizer bobagem e dizer: — Hã, acho que devo um pedido de desculpas a você. Fui mal-educada no hospital... Muito mal-educada... Mesmo. Desculpe...

Ouvi o silêncio ensurdecedor da parte dele da linha, e depois comecei a gaguejar:

— Não costumo ser daquele jeito, só estava, sabe, nervosa, e eram três da manhã, e...

— Hummm, sei o que quer dizer — ele respondeu, sem parecer que soubesse. — Escute, lamento, mas estou meio que envolvido numa coisa neste momento...

A essa altura estava com vontade de me matar, por ter tido a *brilhante* ideia de telefonar para ele. Se estava vermelha? Estava tão quente que o maldito bocal do telefone estava derretendo na minha mão.

— Sim — ele continuou —, é um procedimento bem complicado. Tenho um gatinho amarrado bem firme e vou tirar a traqueia dele.

Eu me acabei de tanto rir. Provavelmente de alívio. E porque foi engraçado. Mas principalmente de alívio.

— Nossas famílias meio que fizeram uma tremenda cagada, não foi? — ele disse.

— São uns imbecis, não são? Mas só porque eles não estão falando uns com os outros, isso não quer dizer que não podemos ser amigos. Né? Cruzei os dedos atrás das costas.

— Amigos parece uma boa. Acho que isso quer dizer que você vai me convidar para um drinque?

Na verdade, não tinha antevisto essa pergunta, e demorei... ah, um décimo de segundo para dizer sim.

Acho que um psicólogo diria que tem tudo a ver com rebeldia, querer o que não posso ter, dar o troco ao espírito do contra de papai. Mas tenho a certeza de que tudo isso é um monte de merda. Vou vê-lo porque gosto muito mesmo do que vi. Nunca neguei que ele é lindo, mas agora sei que é esperto, divertido e também bondoso com os animais. Com a exceção de hamsters, mas tudo bem. Afinal de contas, não passam de ratos com um nome bonito, né?

Não há dúvidas de que o mesmo psicólogo recomendaria que contasse a meu pai sobre ele — qualquer coisa como forjar laços de família através da franqueza e honestidade. Isso também seria um monte de merda. Não vou contar pro papai, de jeito nenhum. Ele não iria acabar só com os Georgious. Papai é o crítico mais feroz de todos os gregos "molditos componeses, tudos eles", diz, com sua boca entupida de comida e os pés em cima da mobília.

Mas isto não significa que ele abandonou os planos de me casar com alguém. Na noite passada, ele disse: — Ser muito legal. Ser jovem, mas ser muito bem suqssedido em cumputadoras. Ter seu própria impresa e tudo. E mim pensar quí você dever incontrar ele. — Não respondo, o que ele considera ser um sinal de entusiasmo de minha parte.

— Entón mim ir cunvidar ele para almoço, Ok? Ele chamar Nathan Stein.

— Ele é judeu? — digo, erguendo as sobrancelhas.

— Como é que Charlie pode namorar *judeus*? — Emily diz. E consigo ver a cabeça dela trabalhando: *se Charlie vai casar com um judeu, vou contar tudo sobre o meu muçulmano.*

— Não vou sair com ele de jeito nenhum — respondo rispidamente. — Judeu ou não.

— Por quí nón? — meu pai argumenta. — Quí ser errado com judeus? Eles ser mais parecidos com grigos do quí o resto do mondo. Nós ter os mismas crenças em tudo.

— Mas eles não acreditam em Jesus — Emily diz.

— *Egsatamente*! Eles nón acreditar em Jesus porquí estar tudo errado no Bíblia. Vocês saber, Jesus nón ser judeu, ser *grigo*.

— Jimmy, cale a boca e beba seu chá. — Parece que minha mãe já ouviu o suficiente. Sem falar que trabalhou como uma escrava por dois minutos, colocando o peru pré-cozido no microondas e agora não quer que ele esfrie.

— Ser *verdade* — meu pai reclama. — Vocês ver o programa onde aparecer o cirtificado de nascimento dele.

— Sim, ouvi dizer que encontraram um pedaço de pão na cidade de Larnaca — disse. — Com impressões digitais na crosta e é quase certo que é o pão que sobrou do milagre da multiplicação dos pães.

— Ah, calar o boca. Você nón saver nada... Mim convidar Nathan para olmoço no domingo.

— Bem, não estarei em casa — dei a última palavra. O engraçado é que meu pai não retrucou.

Olho pro relógio. Ele chegará em breve.

— Meu Deus, olhe pra você — Daniel diz, engasgando. — Parece uma cadela no cio. Quer fazer o favor de disfarçar um pouco? Tesão é contagioso, sabia? Vou ter que trepar com alguém logo, logo. Qualquer pessoa serve.

Enquanto ele diz isto, três garotas muito grandes e muito chorosas saem cambaleando do elevador, seguidas por uma Lydia muito estressada. Não podem já estar tendo discordâncias artísticas, certo? Steve aparece no fundo das escadas, claramente pronto para aumentar a confusão, porque está com a sua expressão *quando o filho-da-puta que se atrasou para a aula das sete aparecer, está fodido como o caralho*. Oh sim, é simplesmente mais um dia típico no The Zone.

— Qualquer pessoa? — pergunto a Daniel enquanto Jacqueline passa por nós.

— *Arrrghhh!* Preferia trepar com você, e isso já é uma aberração.

— Vá lá, sei que você me deseja.

Passo a língua na orelha dele e ele foge de mim, gritando como uma menininha.

Dino é lindo mesmo sem o jaleco branco. Para dizer a verdade, ainda mais gostoso, agora que é proibido. O que esperava de mim? Sou a filha do meu pai.
    Ele me beija na bochecha. Consigo sentir o cheiro dele — Polo Sport misturado com alguma coisa vagamente médica — e isso me faz desejá-lo ainda mais.
    — Aonde quer ir, então? — ele pergunta enquanto nos afastamos do The Zone.
    — Tem um bar ali na esquina que tem pratos muito bons — respondo. — E um banheiro para deficientes físicos muito legal no porão.
    Não, não se assuste, só *pensei* nesta frase.